LA SAPE

Robert Moss
et
Arnaud de Borchgrave

LA SAPE

roman

Traduit de l'américain par Jean-Paul MARTIN

JClattès

Ce roman est une œuvre d'imagination. Les noms, les personnages, les lieux et les incidents ont été inventés par les auteurs ou utilisés comme éléments d'une fiction. Toute ressemblance avec des événements réels, des lieux, des personnes vivantes ou mortes relève entièrement de la coïncidence.

Titre original de l'édition américaine : MONIMBÓ

PROLOGUE

MONIMBÓ, NICARAGUA, JUILLET 1980

Jesús Díaz, le gamin qu'on surnommait Macaque, avait à peine fermé l'œil de la nuit tant il était excité. Jusqu'à une heure avancée, il avait aidé le Licenciado à terminer sa peinture. D'où le vieux tenait ce titre prestigieux, mystère; il n'avait jamais mis les pieds à l'université. Aussi loin qu'on se souvînt, il avait toujours fabriqué de petits objets et peint de petits tableaux représentant des maisons en torchis et autres scènes rurales – *tipico* – destinés aux touristes qui, au volant de leurs voitures, traversaient les rues poussiéreuses du barrio indien pour se rendre à Masaya. Parfois, le Licenciado passait des semaines à ne rien faire d'autre que paresser à l'ombre, racontant à qui voulait les entendre ses combats aux côtés du grand Sandino. Mais depuis plusieurs jours, le Licenciado travaillait comme Michel-Ange lui-même à ce qui devait être, selon lui, le couronnement de sa carrière artistique. L'œuvre serait prête pour accueillir les importants personnages qui allaient faire à Monimbó l'honneur de leur visite.

Macaque Díaz s'était levé tôt pour admirer le chef-d'œuvre. Toujours vêtu de l'uniforme vert qu'il portait lorsqu'il avait déserté, nuitamment, le camp de la Garde nationale pour rejoindre les rebelles, il y avait ajouté le brassard des sandinistes et une casquette de base-ball, également rouge et noir. La fresque du Licenciado s'étalait sur la longueur de deux maisons proches de la célèbre église où, deux ans plus tôt, la

7

Révolution avait pris naissance à Monimbó lorsque la Garde nationale avait tiré des gaz lacrymogènes sur les paroissiens indiens qui assistaient à la messe. La dictature avait alors appris que la passivité légendaire des Indiens connaissait des limites. La fresque du Licenciado représentait un Oncle Sam terrorisé, fuyant devant d'héroïques guérilleros tandis que les paysans brisaient leurs chaînes. Sandino, coiffé de son large Stetson, le foulard rouge autour du cou, traversait le ciel au galop, chevauchant une fantomatique monture sous le sourire approbateur de Fidel Castro, tandis que le dictateur déchu se balançait à un gibet, les poches débordantes d'argent volé. L'audace des couleurs du Licenciado palliait la ressemblance approximative des personnages. Aux yeux de Macaque Díaz, la fresque paraissait plus belle qu'une œuvre de Diego Rivera.

Il était toujours en train de l'admirer lorsque arrivèrent à Monimbó les premières voitures de soldats en provenance de la capitale. Il y avait des Cubains avec eux, dont certains en civil, des hommes au regard dur qui posaient des questions et inspectaient tout. Ils ne s'arrêtèrent pas pour admirer la peinture murale du Licenciado. L'un d'eux adressa seulement un salut ironique au guérillero de dix-sept ans qui se tenait à côté.

Macaque Díaz, au garde-à-vous, rendit le salut. Pour ce premier anniversaire de la chute du dictateur, on lui avait fait l'honneur de le choisir pour servir Fidel Castro, le premier révolutionnaire du continent, dans ce village indien où s'était embrasée la révolution nicaraguayenne.

Les visiteurs étaient assis dans une salle nue, blanchie à la chaux, tendue de drapeaux cubains et nicaraguayens. A une extrémité de la pièce se tenait l'homme au *keffiyeh*, à la barbe inégale. Macaque Díaz ne le comprenait pas car l'homme parlait anglais. Fidel, assis au centre, dominait la pièce : présence physique, volubiles éclats d'éloquence, bouffées de son gros cigare. A côté de Fidel se tenait un homme beaucoup plus petit, courtaud, les yeux vert clair, le visage entouré d'une éclatante barbe rousse. C'était Manuel Piñeiro, le plus célèbre des chefs des services secrets de Castro, l'un des gardes sandinistes l'avait soufflé à Macaque. Celui-ci ne reconnut aucun des autres. Mais des noms et des bribes de conversation lui parvenaient par bouffées tandis qu'avec diligence il entrait

8

et sortait de la pièce, apportant assiettes, boissons non alcoolisées et bouteilles de vin.

Il y avait des Cubains tout autour de l'immeuble. Et, même dans la cuisine, un Cubain goûtait les plats avant que Macaque les emporte. Macaque avait d'abord pensé que l'homme cassait une petite croûte mais, le prenant à part, l'un des cuisiniers l'avait informé qu'il s'agissait du goûteur personnel de Fidel. D'un air entendu, Macaque avait hoché la tête. Tout le pays était encore infesté de contre-révolutionnaires, avait annoncé la radio, sans parler de ceux qui se livraient lâchement à des raids depuis le Honduras.

Fidel parlait, portant des toasts à la révolution nicaraguayenne. Un chef sandiniste lui répondit – Tomás Borge, pensa Macaque, à en juger d'après les photos –, rendant louanges à Cuba pour sa contribution à la lutte. Puis, en longues phrases ronflantes qui transportèrent son auditoire, Fidel expliqua comment la Révolution, maintenant qu'elle avait pris pied sur le continent, allait s'étendre à toute l'Amérique centrale.

– La Révolution n'est jamais victorieuse à l'intérieur des frontières d'un seul État, entendit Macaque. Le Nicaragua ne sera pas en sécurité tant que ne seront pas également libérés le Salvador, le Guatemala et le Honduras. Et c'est notre devoir d'internationalistes prolétariens d'accomplir cette libération.

Des murmures d'approbation, tout autour de la table, saluèrent cette déclaration. Le visage du Guatémaltèque, remarqua Macaque, présentait les traits aplatis, les pommettes hautes des têtes des gens de sa famille; un *indio* lui aussi. Le gamin n'avait jamais entendu parler d'internationalisme prolétarien mais il en devinait le sens en voyant le nombre de pays représentés par ces hommes autour de Fidel. Outre le Palestinien et les représentants de l'Amérique centrale, il y avait là des Noirs de la Jamaïque, de Grenade et de Haïti. Le Jamaïcain, réussit-il à savoir, était ministre de la Sécurité nationale dans le gouvernement de son pays. Il y avait un Cubain, qui ne venait pas de La Havane mais des États-Unis. A l'entendre, ce n'était manifestement pas un *gusano* – comme disait Fidel pour désigner les renégats. Des Russes aussi, l'air mal à l'aise dans leurs complets-cravates. Deux d'entre eux, des lourdauds au visage rose et suant, étaient arrivés en limousine depuis l'ambassade de Managua. Un troisième qui, aux yeux du gamin, paraissait aussi vieux que le volcan Santiago qui dominait la ville, était venu de La Havane, avec Fidel. On s'y perdait, dans tout cela.

Lorsque Macaque revint servir le café, après avoir débarrassé les assiettes du déjeuner, Fidel parlait des *Yanquis*.

— Nous n'avons plus à craindre les Américains, désormais, déclarait Fidel. Nous pouvons tous constater la faiblesse du gouvernement de Washington. Regardez ce qui s'est passé avec Mariel.

Le nom ne disait rien à Macaque. Ni, sembla-t-il, au Palestinien qui posa la question.

— Mariel est un petit port de Cuba, expliqua Fidel en anglais à son intention. Nous avons autorisé plus de cent vingt-cinq mille personnes à s'embarquer à Mariel pour les Etats-Unis. Revenant à l'espagnol, il ajouta : les capitalistes ont essayé d'en tirer argument pour leur propagande. Ils ont tenté de faire croire que si ces rebuts souhaitaient aller vivre aux États-Unis, cela prouvait que la Révolution n'avait plus le soutien du peuple. Nous leur avons fait payer ces mensonges. Nous leur avons envoyé la lie de notre société – des criminels condamnés, des fous, des *maricones*. Nous les avons même prévenus de ce que nous ferions s'ils ne cessaient de nous menacer et se refusaient à un authentique dialogue. Et lorsque nous avons fait exactement ce que nous leur avions annoncé, ils n'ont pas eu assez de *cojones* pour renvoyer les bateaux. Pour les Américains, l'humiliation fut plus grande que celle de Pearl Harbor, car cette fois on les avait prévenus et, malgré cela, ils n'ont rien fait. Et *El Gran Cacahuete*, à la Maison-Blanche, le sait bien. Et comment qu'il le sait!

— Un animal blessé est souvent plus dangereux, déclara tranquillement le Salvadorien. Les Américains ont été humiliés à plusieurs reprises au cours de ces dernières années. La chute de leur fantoche en Iran. La prise de leur ambassade à Téhéran. Les bateaux de Mariel. Et ceci, et cela. Les Américains sont un peuple fier. Ils ont l'habitude d'être les premiers partout. Qui peut dire s'ils ne vont pas mettre le paquet – contre mon pays, contre tous nos pays, peut-être?

— C'est également l'année des élections aux États-Unis, ajouta un homme dont Macaque avait entendu dire qu'il s'agissait du secrétaire général du parti communiste costaricain. Les forces réactionnaires de l'Amérique commencent déjà à battre des ailes. Mais si elles gagnent les élections, les U.S.A. enverront peut-être des soldats combattre pour le compte de leurs grandes sociétés en Amérique centrale. Tous les bouchers du continent comptent sur leur victoire et Wall Street consacre des millions à se l'assurer.

– *Basta*, dit Fidel avec un ample mouvement de la main qui tenait le cigare. Ce geste brusque fit perdre l'équilibre à Macaque qui s'avançait pour servir à Castro son *cafecito*. La tasse trembla dans la soucoupe, répandant quelques gouttes.

Atterré, le gamin se mit à bégayer des excuses : « *Perdón, señor.* »

– *No importa,* répliqua sèchement Fidel. Tu peux nous laisser.

Mais Macaque traîna un instant à la porte, assez longtemps pour entendre Fidel dire :

– Peut-être que Manolo a raison. Peut-être que la droite l'emportera à l'élection présidentielle de novembre. Nous savons bien que partout, dans les Amériques, les élections sont le jouet des riches. Nous n'avons aucune raison d'avoir peur, quel que soit le résultat. Nous pouvons même tirer bénéfice d'une victoire républicaine. L'administration américaine en place a pris l'habitude de perdre, partout dans le monde. Si la droite prend le pouvoir, nous saurons bien lui apprendre, le moment venu, ce que c'est que de perdre. Et les hommes qui viendront juste de perdre le pouvoir seront tout particulièrement désireux de ne pas permettre aux autres de réussir là où *eux* ont échoué.

Un officier cubain en treillis, sans insigne de grade, chassa Macaque de la porte. Fidel continuait à déverser son torrent de mots. Sa voix portait dans le couloir qu'emprunta le gamin pour retourner aux cuisines.

– Nous disposons de nombreuses armes, entendit-il Fidel déclarer. Nous avons des agents d'absolue confiance dans tous les Etats-Unis, prêts à mener toute action nécessaire au moment où nous le déciderons. Les *Yanquis* ne peuvent même pas imaginer les moyens dont nous disposons chez eux. Vous avez tous lu les journaux à propos des émeutes de Miami au printemps dernier. Eh bien, ces émeutes de Floride seront une simple plaisanterie à côté de ce que nous pouvons déclencher.

1

SAN JUAN DE PORTO RICO

Lors de la dernière étape de la croisière, entre la Martinique et San Juan, Robert Hockney dut admettre qu'il n'avait pas le pied marin.

La queue de l'ouragan les frappa avant l'aube. Des éclairs déchiraient le ciel en direction du nord. Le *Duchess* roulait, piquait de l'avant comme une vulgaire coquille de noix prenant l'eau.

Hockney, le nez plongé dans un oreiller, attendait que la mer se calme. De son côté, Julia ne semblait pas gênée – une tempête ne pouvait guère l'émouvoir. Elle s'était réveillée comme à son habitude, légère et vive comme un oiseau. Pour le taquiner, elle se mit à tirer le drap qui le couvrait.

Il grogna et s'enfonça encore davantage dans l'oreiller.

– C'est l'heure du petit déjeuner, lui annonça Julia. Je meurs de faim.

– Je ne comprends pas que tu puisses seulement *penser* à manger, gémit-il en songeant avec un certain malaise aux côtes de porc et aux punches absorbés la veille.

D'un dernier petit coup sec, elle descendit le drap jusque sur les chevilles de Hockney.

A regret, il enfila un jean et un vieux tricot de sport et la suivit dans les escaliers menant à la salle à manger.

Julia paraissait tellement en forme, si *vivante,* se dit-il. Ces quelques jours de croisière dans les Caraïbes l'avaient rajeunie

Son visage rayonnait; son bronzage était souligné par un simple collier et des boucles d'oreilles de coquillages blancs. Disparus, ce masque et cette raideur de la démarche propres aux gens qui ne vivent guère au grand air.

On la remarquait, on lui souriait. Cela aussi, Hockney avait commencé à en prendre note. Après deux ans de mariage, l'un et l'autre vivaient enchaînés au train-train du quotidien, à ses luttes et à ses conflits; elle était devenue – et il l'avait laissée devenir – une étrangère, comme on pouvait le prévoir, une image figée qu'il ne regardait guère plus qu'il ne regardait la photo dans son cadre sur son bureau du *World*. Il savait à présent combien il avait été stupide d'attendre si longtemps. Il lui avait fallu un jour ou deux pour surmonter ce vague sentiment de culpabilité qui l'étreignait lorsqu'il ne voyait pas son nom imprimé, tous les matins, dans son journal. Depuis lors, il avait pu s'abandonner au plaisir de redécouvrir Julia. Ainsi leur façon de faire l'amour, devenue purement formelle et mécanique, était à nouveau fraîche et excitante.

Au milieu des escaliers, se retenant à la rampe, Hockney s'étonnait du changement intervenu dans leur couple. Une semaine plus tôt, les conditions idéales d'un divorce semblaient réunies.

Dans la salle à manger, les passagers faisaient la queue devant le buffet, emplissaient leurs assiettes.

– Vous avez tous des estomacs de bronze, fit Hockney. Je crois que je vais aller prendre l'air.

– Ça va mal à ce point? Lorsque Julia fronçait les sourcils, une petite ride verticale apparaissait.

– Je m'en tirerai, dit-il avec un sourire piteux. Vas-y, ne t'occupe pas de moi.

Elle se glissa dans la file d'attente tandis qu'il se dirigeait vers le pont principal, souhaitant que la pluie se calme pour qu'il puisse sortir. Par mer agitée, il se sentait toujours mieux sur le pont que cloîtré à l'intérieur.

Il jeta un coup d'œil par le hublot, et put constater qu'un autre homme se trouvait sur le pont, accoudé à la lisse, apparemment indifférent aux embruns. Hockney reconnut l'un des passagers qui avaient rejoint le *Duchess* à la Martinique. Grand, les épaules larges, la taille mince, les cheveux drus couleur de foin humide, il portait un anorak, un pantalon blanc et des mocassins. A travers le rideau de pluie, il regardait en direction de Porto Rico, encore invisible à l'horizon, avec une telle intensité qu'il parut à Hockney que tous les espoirs ou toutes les craintes de l'homme devaient l'y attendre.

– Mitch! Mitch! ¡Ven aca!

Hockney aperçut une fille magnifique, le visage ovale et le teint mat, son abondante chevelure noire abritée sous une serviette et qui courait vers l'homme accoudé à la lisse. L'homme se retourna et, pour la première fois, Hockney remarqua ses yeux. Des yeux d'un vert extraordinaire, le vert des eaux caraïbes. Un instant, ils se fixèrent sur Hockney, qui en conçut une étrange sensation, comme si, derrière ces yeux, une force terrible évaluait ou menaçait sa victime. Hockney reporta son attention sur la fille.

Son chemisier de soie jaune détrempé se plaquait sur ses seins hauts et fermes, les rendant plus provocants que si elle eût été nue, impression encore accrue par des jeans moulants et des sandales aux talons absurdement hauts, et sur lesquels elle trébuchait.

Hockney lança : « Vous avez le pied marin. Ça secoue drôlement, par ici. »

La fille sourit, l'homme se contenta de grogner; il paraissait irrité.

Mais Hockney, pris d'un irrésistible désir d'entamer une conversation, tendit la main, se présenta.

L'homme considéra la main de Hockney, hésitant sur la suite à donner.

Il se décida pour accorder une rapide poignée de main et marmotta « Mitch Lardner ».

Hockney regardait la fille. Même le dessin de sa clavicule était parfait.

– Ma femme, ajouta Lardner sans enthousiasme. Nous sommes en voyage de noces.

– Enchanté, madame Lardner, dit Hockney cérémonieusement.

– Rosario, le reprit-elle. *Encantada.*

De nouveau, Hockney surprit le dangereux regard de Lardner.

L'eau qui dégouttait de leurs vêtements trempés formait à leurs pieds une petite flaque. Le mascara dégoulinait, pareil à des larmes noires, sur les joues de Rosario.

Peut-être était-ce cette fille, tout à la fois sensuelle et

vulnérable, qui poussait Hockney à poursuivre son bavardage. Il avait oublié son mal de mer. Il voulait en savoir davantage sur ces voyageurs, insolites à bord du *Duchess* où la plupart des passagers avaient plus de soixante ans.

— Je suis journaliste, se lança Hockney. J'écris pour le *New York World.* Et vous?

— Électroménager, répondit sèchement Lardner.

— Oh.

L'homme aux yeux pâles n'avait *pas du tout* une tête à vendre des aspirateurs ou des postes de télé. Il rappelait à Hockney un homme qu'il avait connu au Vietnam, un ancien Béret Vert qui vivait seul avec ses montagnards dans les collines, un homme rendu à moitié fou par ses opérations commandos.

— Vous faites escale à San Juan? demanda Hockney.

— Quelques jours seulement, répondit Lardner.

— On pourrait peut-être prendre un verre ensemble. Nous descendons au *Hilton Caraïbes,* ma femme et moi.

Lardner émit un vague grognement et esquissa un mouvement de départ.

— Et vous où est-ce que vous descendez? demanda Hockney.

Lardner avait l'air tout près d'exploser. La fille posa la main sur son bras qu'elle serra doucement.

— Nous sommes également au *Hilton Caraïbes,* dit Rosario.

— Formidable. Nous pouvons peut-être partager un taxi?

Mais déjà Lardner se dirigeait vers l'escalier, la fille à son bras.

En les regardant descendre, Hockney se rendit compte qu'il s'était conduit comme ces intrus, ces mouches du coche qui peuplaient le *Duchess;* Julia et lui-même s'étaient employés à les éviter tout le temps de la croisière. Mais il émanait une sorte de mystère de Lardner et de sa beauté latine. Hockney avait remarqué que ni l'un ni l'autre ne portait une alliance. Curieuse négligence pour un couple en pleine lune de miel. Et quelque chose dans la manière dont la fille avait calmé Lardner donnait à penser que l'homme ne se contentait pas seulement de cacher sa profession.

Il s'attarda dans la salle à manger, après que Julia fut

16

descendue boucler les bagages. Les Lardner ne se montrèrent pas et il passa une bonne demi-heure à se lamenter, avec un fabricant de vêtements en retraite et sa femme, sur la vague de crimes qui déferlait sur Miami. Hockney tenta d'apercevoir les voyageurs embarqués à la Martinique tandis qu'ils gagnaient l'entrée du port de San Juan. Il demanda au chauffeur de taxi d'attendre un peu après avoir entassé leurs bagages dans la malle, sous le prétexte d'admirer le splendide bâtiment rose des Douanes.

– On dirait un palais de Séville! s'exclama Julia.

Hockney jeta un dernier coup d'œil vers la coupée. Il semblait que tout le monde eût débarqué, sauf les Lardner.

Traversant les rues étroites de la vieille ville, Hockney et Julia se firent conduire au *Hilton Caraïbes*. Ils passèrent devant les ruines du *Normandie Hotel*, laissé à l'abandon.

Hockney ne fut guère surpris lorsque la jolie fille, à la réception, lui répondit que l'hôtel ne comptait pas de M. et Mme Lardner parmi ses clients.

Deux veuves de Long Island, qui se trouvaient à bord du *Duchess*, adressaient un signe de la main à Hockney; elles marchaient à petits pas devant la réception, se dirigeaient vers l'escalier au tapis rouge qui les conduirait au casino de l'hôtel. Elles n'avaient même pas pris le temps d'examiner leur chambre avant d'aller tenter leur chance aux tables de jeu. Si la tempête ne se calmait pas, réalisa Hockney, Julia et lui n'auraient le choix qu'entre les imiter ou bien camper devant le bar.

– Ça va durer, ce temps-là? demanda-t-il au garçon dans l'ascenseur.

– Tout petit ouragan. Parti vers Floride, répondit le garçon en souriant. Très changeant ici, poursuivit-il dans son anglais approximatif. Vous verrez. Sur la plage, vous pouvez prendre coups de soleil, même quand il pleut.

Hockney eut un hochement de tête dubitatif.

– Juré sur le bon Dieu, insista le garçon. Vous verrez.

Les voyageurs de la Martinique attendirent une bonne vingtaine de minutes après que les Hockney eurent débarqué, avant de quitter le *Duchess*. A bord d'une Toyota de couleur fauve, un homme les attendait près de l'arbre immense dont les

17

frondaisons ombrageaient la place en face du bâtiment des Douanes. Le vent avait commencé à faiblir et la pluie tombait par intermittence quoique violente.

Les Lardner ne descendirent pas au *Hilton Caraïbes*. Leur chauffeur prit la direction du sud, s'engagea sur la voie express Muñoz Rivera et roula jusqu'à une résidence de trois immeubles dans la banlieue de Hato Rey, pas très éloignée de la forteresse de béton grise qui abritait le siège du Federal Bureau of Investigation à Porto Rico. Frank Parra, le patron de la brigade anti-terroriste du F.B.I., pouvait voir la résidence depuis ses fenêtres. Les jours de déprime, on pouvait voir l'homme du F.B.I. braquer sur elle son index, le pouce relevé en chien de revolver, il faisait semblant de tirer dessus. Le conseil de gérance de la copropriété avait fait inscrire dans son règlement l'interdiction pour tout résident d'apporter sa collaboration à un quelconque organisme de police, fédéral ou local, en quelque circonstance que ce fût. Plus récemment, le syndic avait fait passer une circulaire à tous les résidents leur demandant de ne pas jeter des explosifs ou autres détonateurs dans le vide-ordures. L'homme du F.B.I. regardait la résidence d'un œil torve, la considérant comme l'abri le plus sûr et le plus important de l'île pour les terroristes. L'avocat matois qui s'occupait des intérêts de la copropriété répliquait qu'elle n'avait pour objet que d'offrir un refuge à des personnes d'opinions avancées.

Avec deux amis, le Cubain attendait les Lardner dans un appartement pauvrement meublé, au troisième étage de l'immeuble central. Son crâne presque chauve et allongé, à la peau bien lisse, paraissait sculpté dans de l'ébène. Sa chemise guayabera flottait sur son ventre plat, comme s'il l'eût empruntée à un homme plus corpulent.

Le Cubain enlaça la fille dans un chaleureux *abrazo*.

— *Que linda, Rosario,* lui murmura-t-il.

Puis il tapa sur l'épaule de Mitch Lardner et demanda :

— Pas d'ennuis ?

— Ils n'ont même pas regardé nos bagages.

— Vous l'avez belle, vous les Américains, Beacher, dit le Cubain. La *guardia* ennuie davantage les Dominicains.

Lorsqu'il souriait, il découvrait jusqu'aux gencives des dents parfaites.

On avait fouillé le Cubain porteur d'un passeport dominicain à son arrivée, quelques jours plus tôt. Pour venir à San Juan, c'était son itinéraire favori, emprunté déjà une douzaine de fois.

Le Cubain fit rapidement les présentations, désignant Mitch Lardner sous le nom de « Beacher » et les autres par des surnoms. « Paco », un homme de taille moyenne, maigre, nerveux et taciturne, était l'occupant en titre de l'appartement. Lui aussi avait un passeport dominicain. « El Gato », le seul Portoricain du groupe, l'homme qui avait servi de chauffeur aux Lardner. Avec une paupière mi-close, il avait toujours l'air de vous faire de l'œil. Bâti comme un tonneau de bière, il se déplaçait cependant avec une surprenante rapidité sur des pieds petits et agiles.

— Votre objectif, annonça le Cubain au groupe en ouvrant un numéro du *San Juan Star* du matin.

L'un après l'autre, ils examinèrent la photo en page trois, celle d'un homme au visage ravagé, d'une impressionnante laideur, bouche ouverte devant une batterie de micros.

Sur un croquis sommaire, le Cubain indiqua le plan de l'opération : où se tenaient les gardes, comment ils escaladeraient le mur, où attendrait le bateau.

— Le lieu du rendez-vous se trouve ici, dit-il en montrant aux Lardner un point du côté Cataño de la baie, près d'une distillerie de rhum. Gato s'occupera du prisonnier et vous vous disperserez selon les instructions. Des questions?

Un instant de silence. Tous paraissaient quelque peu impressionnés par le Cubain. Ses exploits passés au Proche-Orient, en Afrique et en Amérique latine étaient légendaires. A La Havane, son véritable nom était : Calixto Valdés. En sa qualité de chef du bureau 13 de la *Direccion General de la Inteligencia,* on lui avait confié l'immense responsabilité de recruter, d'entraîner et de diriger les terroristes appelés à opérer dans le monde entier. Avec le haut rang qu'il occupait dans les services secrets de Castro, Calixto Valdés ressentait une certaine nostalgie des missions sur le terrain. Chaque fois que cela pouvait se faire, il aimait se retrouver sur les lieux.

— Ça mène à quoi? s'inquiéta Rosario.

Valdés l'examina un instant. Au coin de sa bouche apparut un triangle rose tandis que sa langue, comme celle d'un lézard, pointait.

19

– Nos camarades Portoricains – l'organisation de Gato – revendiqueront l'affaire, répondit-il. Les Américains réagiront avec excès, ce qui contribuera à polariser la situation ici et à apporter un soutien au mouvement indépendantiste. Et nous neutraliserons aussi l'un de nos ennemis les plus puissants aux États-Unis.

– Il ne s'agit pas d'un acte isolé, poursuivit-il. Vous avez tous entendu parler de Monimbó. Les États-Unis sont un colosse aux pieds d'argile. Ses missiles, ses multinationales ne l'empêcheront pas de s'écrouler si nous poussons là où il faut.

Dans le milieu de l'après-midi, la tempête semblait s'être calmée et les Hockney s'aventurèrent sur le petit croissant de sable de l'hôtel *Hilton Caraïbes*. Mais à peine le garçon de plage avait-il étendu des serviettes orange sur une paire de matelas que la pluie se remit à tomber.

Ils s'enfoncèrent dans leurs fauteuils et commandèrent une des bières locales, de la Corona.

Hockney feuilletait paresseusement un numéro du *Star* trouvé sur un fauteuil voisin.

– Hé, regarde, dit-il à Julia. Ton patron est ici.

Elle jeta un coup d'œil à la photo du sénateur Joel Fairchild prise lors de sa conférence de presse. Fairchild, sénateur républicain et conservateur du Texas, était président de la commission sénatoriale de la Sécurité intérieure. Julia nourrissait, à son égard, des sentiments mitigés. L'administration Newgate avait redonné vie à la commission. On considérait la chose, dans les milieux progressistes, comme une tentative de relance de la chasse aux sorcières; elle viserait les adversaires du Président. Fairchild en avait fait son « affaire ». Jamais il ne ratait une occasion de faire venir les caméras de télé dans la salle de réunion. Lors des séances retransmises à la télévision, il avait invité le directeur du F.B.I. à venir exposer les raisons pour lesquelles le Bureau ne surveillait pas les diverses fondations et autres groupes de pression progressistes de Washington qu'un transfuge russe avait accusés d'être des émanations du K.G.B.

Inlassablement, la presse le qualifiait de « nouveau Joe McCarthy » et faisait étalage de sa vie privée : sa collection de voitures de sport d'époque, son goût pour les pulpeuses et blondes secrétaires, ses intérêts dans une station touristique liée à la pègre. Pas le moins du monde abattu, Fairchild repartait à l'assaut.

– Je me demande ce que fait Fairchild à San Juan, dit Hockney.

– Il tâche d'avoir sa photo dans les journaux, suggéra Julia.

– Et si tu lui passais un coup de fil?

Julia fit la grimace mais Hockney poursuivit :

– Vas-y. Ce serait peut-être amusant de prendre un verre avec ce vieux salopard. Tu te souviens de ce qu'il m'a dit quand tu m'as présenté?

– Oui : « Est-ce que vous écrivez toujours dans la *Pravda occidentale?* »

La pluie tombait avec un bruit de grêle sur la baie vitrée du bar.

– Bon, admit-elle. Il faut reconnaître que ce n'est pas le jour idéal pour faire du tourisme.

– Mais ce n'est pas désagréable de rester au lit quand il pleut.

– Nous avons tout le temps, répondit-il en caressant ses cheveux auburn.

Le barman leur adressa un petit sourire narquois en plongeant de longues tranches d'ananas dans une rangée de *piña coladas*.

– Lune de miel?

– *Si*, répondit Julia, essayant de dérouiller son espagnol. *Luna de miel.*

C'était assez vrai, songea Hockney une heure plus tard, étendu sur le lit. Elle le chevauchait, yeux et bouche ouverts de jouissance et de surprise. Comme si c'était la première fois.

Sous la pluie, les rues du vieux San Juan luisaient d'un bleu métallique. Le taxi grimpa Fortaleza Street, en direction de l'entrée principale du palais du gouverneur. La Fortaleza, comme on appelait le palais, était un fort espagnol du XVIe siècle qui s'élevait au-dessus de murailles rocheuses rendues parfaitement lisses pour interdire de son temps les attaques des pirates et des corsaires. En contrebas, sur la droite,

Hockney pouvait apercevoir la triste Plaza Colón, avec son terminus de bus. Et au-delà, sur la gauche, des maisons imposantes mais abandonnées, aux tuiles, aux fenêtres brisées, aux balcons de fer forgé rouillé et en partie arrachés.

Le sénateur Fairchild avait bien insisté : le gouverneur donnait un dîner en son honneur et il fallait que les Hockney soient présents. Julia remarqua que le sénateur était sans doute moins intéressé par sa présence *à elle* que par celle d'un célèbre correspondant de la presse des U.S.A.

L'un des policiers de faction à l'entrée vérifia le nom de Hockney porté sur une liste. Peu après ils serreraient la main du gouverneur et de sa femme, une coquette brunette originaire du New Jersey qui parlait un espagnol impeccable. Ils se tenaient près d'une immense cheminée, sous de lourdes poutres de chêne. Au mur, une tapisserie bleu et blanc : les armes de Porto Rico. Des garçons en veste blanche s'activaient dans la pièce, porteurs de plateaux de boissons, de canapés et d'*empanadas*.

Le sénateur Fairchild saisit un whiskey and soda au passage et se précipita vers Julia. Hockney fut de nouveau frappé par la remarquable laideur de l'homme : des yeux marron, petits et rapprochés; des cheveux noirs séparés à trois centimètres au-dessus de l'oreille gauche et rabattus sur son crâne chauve.

La plantureuse blonde enjouée qui l'accompagnait semblait assez jeune pour être sa fille, voire sa petite-fille. Ce devait être la nouvelle épouse de Fairchild, la femme de chambre qu'il avait épousée. On prétendait que son ambition était de devenir chanteuse de Country and Western. Le *World* avait passé un article sur le mariage, qui avait eu lieu le jour du soixante-dix-septième anniversaire du sénateur, quelque deux mois après qu'il eut enterré sa troisième femme.

Le sénateur accueillit Hockney comme un vieil ami.

– Je vais vous présenter à Nancy, tonna-t-il, la plus mignonne petite chose de tout le Texas.

Lorsque Nancy Fairchild souriait, deux fossettes parfaitement symétriques apparaissaient de part et d'autre de sa bouche en arc de Cupidon.

– Que faites-vous à San Juan? demanda Hockney au sénateur.

– Je suis ici pour agiter nos couleurs, répondit gaiement

Fairchild. A Washington, on ne veut pas entendre parler de Porto Rico. Là-bas, ils pensent que ce n'est qu'une grande réserve indienne où personne ne bosse mais où tout le monde passe sa vie à baiser ou à se saouler aux frais du gouvernement fédéral. Ce qui est presque la vérité, bien sûr, confia le sénateur sans se préoccuper de la présence voisine du gouverneur. Il poursuivit : il y a un point plus important. Cette île est d'un intérêt crucial pour toute notre stratégie dans les Caraïbes – si tant est qu'on en ait encore une. Et c'est la base que veut utiliser Fidel Castro pour répandre le terrorisme dans tous les Etats-Unis. Si l'on ne veut pas voir nos villes transformées en champs de mines, c'est ici qu'il faut commencer à s'occuper du terrorisme.

– Et que proposez-vous pour cela ?

– De donner au F.B.I. les hommes et les ressources nécessaires. Tiens, vous pouvez écrire ça dans votre journal. Le F.B.I. compte environ soixante-dix agents pour couvrir Porto Rico et l'ensemble des Caraïbes. Il y a quatre fois plus de terroristes et Dieu sait combien d'agents castristes.

– C'est vraiment aussi simple ?

– Et comment que c'est aussi simple, poursuivit le sénateur avec agressivité. Il y a des gens qui veulent en faire notre Irlande du Nord et qui débitent toutes sortes de boniments marxistes sur le malfaisant colonialisme gringo. Les gens qui avalent ça oublient pas mal de vérités. Si Porto Rico est une colonie, c'est la seule colonie dans toute l'Histoire qui s'est débrouillée pour ravir le pouvoir à ses occupants. Nous fournissons près de cinq milliards de dollars par an en subventions.

Fairchild reprit son souffle pour saisir un autre verre, avant de reprendre :

– C'est toujours la même salade. Bon nombre de vos amis dans les médias veulent nous faire croire que le terrorisme existe parce que les gens sont pauvres et opprimés. Ils ne veulent pas admettre que certains essaient de souffler sur les braises et il nous faut jouer dur avec eux.

L'attention de Nancy Fairchild se porta sur la robe de mousseline de Julia.

– C'est une Adolfo ? roucoula-t-elle.

Julia secoua la tête d'un mouvement sec. La conversation des deux hommes l'intéressait au plus haut point.

— La mienne oui, dit fièrement la femme du sénateur.

— Je fais un discours sur la question demain au Rotary. Vous devriez venir. J'ai quelques preuves qui pourraient intéresser vos lecteurs.

Le gouverneur les invita à passer à table; l'interruption fut la bienvenue pour Hockney.

— L'un de nos politiciens les plus primitifs, souffla-t-il à l'oreille de Julia tandis qu'elle le précédait vers la salle à manger. Je ne sais pas comment tu peux le supporter.

— C'est *toi* qui a voulu le voir dans ses œuvres, lui rappela-t-elle.

Hockney et Julia prirent congé de leurs hôtes à une heure du matin. Les Fairchild se retirèrent peu après dans le pavillon des invités.

Le pavillon se trouvait à quelques minutes de marche de l'une des grilles latérales de la Fortaleza. Fermée d'une porte blindée et recouverte de tuiles rouges, on l'appelait la Rogativa, en l'honneur de l'évêque qui avait prétendument sauvé la capitale d'une mise à sac par les Anglais en 1797. Il avait conduit la procession des femmes de la ville, portant des torches, et avait célébré une messe où l'on priait sainte Ursule. En voyant cette procession éclairée de torches, le commandant de la flotte anglaise avait cru que des renforts espagnols étaient arrivés. Il avait levé l'ancre.

Cette nuit, il flottait une pénétrante odeur de chèvre-feuille sur la Rogativa. Nancy Fairchild en fit la remarque tandis que le sénateur passait avec elle la porte du pavillon des invités – que lui ouvrit Jim Tucker, l'un de ses collaborateurs – et la conduisait jusqu'à la plus vaste des deux chambres.

— *Buenas noches*, s'exclama le sénateur Fairchild, avec un horrible accent texan, à l'intention du gardien qui se tenait dans un garde-à-vous impeccable devant sa guérite. Le policier lui adressa un élégant salut et se retira. C'était un des quarante hommes affectés à la sécurité du palais du gouverneur. Aux premières heures du jour, seuls quelques gardes étaient de service, encore que, par déférence à l'égard du visiteur, on leur eût adjoint deux policiers, postés devant la grille de la Rogativa.

Nul ne vit ni n'entendit le dinghy de caoutchouc noir glisser à la surface de l'eau, au pied de la falaise.

Un policier somnolent, abrité par le rebord du toit de tuile rouge de la Rogativa, sursauta à la vue de la Pontiac noire qui roulait vers lui sur la route trempée de pluie.

Il se détendit lorsque le conducteur baissa sa vitre et lui fit signe. A la lueur des lampes qui éclairaient les murs de la Fortaleza, le garde put distinguer que le conducteur était un *norteamericano*, comme l'indiquaient manifestement ses cheveux blonds et ses yeux verts. Sans doute un touriste égaré.

Le policier se sentait peu enclin à s'aventurer sous la pluie pour donner des renseignements. Mais il remarqua la fille assise devant, qui lui adressait un sourire d'invite. Il bomba le torse et s'avança, plastronnant, jusqu'à la voiture.

– Puis-je vous aider? demanda-t-il avec son meilleur accent américain, se penchant à l'intérieur du véhicule par la fenêtre côté passager.

Il regarda la fille sourire. Puis il vit la main du conducteur se glisser entre les sièges et se retrouva face au canon d'un revolver de calibre 38 au silencieux fixé. Le policier tenta de sauter en arrière, la main sur son étui, mais la balle le cueillit entre les yeux et il s'écroula sans un cri.

Aucune trace du deuxième garde à l'extérieur, pourtant annoncé à l'homme aux yeux verts.

– Parti à la *cantina*, suggéra le passager à l'arrière, l'homme tranquille au passeport dominicain, celui qu'on appelait Paco.

Les trois terroristes sortirent en même temps de la Pontiac.

Ils portaient des anoraks en plastique bleu. Rosario rabattit son capuchon pour se protéger de la pluie.

Paco s'appuya de tout son poids, le dos contre la grille de la Rogativa, mains croisées. L'Américain – Beacher – posa son pied dans la courte échelle ainsi faite et se hissa d'un mouvement souple à califourchon sur le mur. Il pouvait distinguer le pavillon officiel des invités et, juste au-dessous de lui, le toit plat de la guérite de la sentinelle.

Beacher aida la fille à grimper à ses côtés. Elle s'installa maladroitement, comme si elle essayait de monter en amazone, un lourd rouleau de corde sur l'épaule.

Profitant d'un coup de tonnerre, l'Américain se laissa tomber sur les pavés derrière le mur. L'orage étouffa le bruit de sa chute.

Tenant son revolver contre sa poitrine, Beacher passa la tête sur le côté de la guérite. Il vit le garde affaissé sur le banc de bois à l'intérieur, somnolant, la tête en avant, le visage dissimulé sous sa casquette.

Beacher ne connut jamais le visage de cet homme. Il leva l'arme, l'extrémité du silencieux à quelques centimètres de la casquette du policier et lui logea une balle dans le crâne.

Il fallut moins d'une minute pour forcer les lourds verrous de la grille de la Rogativa, que franchit Paco, un Uzi à la main. Son anorak, ouvert, laissait voir un chapelet de grenades accrochées à sa ceinture. Dans sa main libre, une corde et un morceau de ferraille qui pouvait être une poulie.

Tandis que Paco refermait la grille, Beacher et la fille couraient jusqu'au pavillon des invités et frappaient à la porte.

Quelques instants d'attente et une voix ensommeillée leur demanda : « Qui est là ? »

— Désolé de vous réveiller, cria Beacher de l'autre côté de la porte. Les fils du téléphone ont été coupés par la tempête. J'ai un message urgent de la Maison-Blanche pour le sénateur Fairchild.

— Une minute.

A l'intérieur du pavillon, Tucker, le collaborateur du sénateur, nu à cause de la chaleur, les yeux troubles, saisit son short et sa chemise. Il avait déjà commencé à ouvrir la porte quand il s'aperçut qu'il était boutonné de travers.

— Quel est le message ? demanda Tucker, essayant de détailler l'homme qui se tenait sur le seuil ; il ne ressemblait à aucun membre de l'entourage du gouverneur. Tucker aperçut une fille aux lèvres pulpeuses et aux longs cheveux noirs sous un capuchon. A la lueur soudaine d'un éclair, il vit quelque chose briller, quelque chose de métallique.

Le cri de Tucker fut étouffé par le geste de Beacher qui planta pouce et index dans la chair de son cou, de part et d'autre de la trachée. Ses jambes se dérobèrent ; il s'écroula sur le sol et perdit connaissance. Penché sur lui, Beacher maintint sa prise, tel un rapace, jusqu'à ce qu'il fût sûr que l'homme était mort.

De faibles grognements se faisaient entendre ; ils venaient de la chambre principale. Beacher se redressa, un instant perplexe. Puis un sourire se dessina lentement sur son visage. Il s'avança vers la porte de chêne, sans faire le moindre bruit sur ses semelles de crêpe, et l'ouvrit doucement.

La tête du sénateur reposait sur les coussins d'un lit à baldaquin, les paupières closes. Ses cheveux noirs décoiffés tombaient sur ses oreilles, en mèches raides, découvrant son crâne chauve.

– Non, non, murmurait le sénateur. N'arrête pas, ça vient.

Par l'entrebâillement de la porte, Beacher aperçut, sous les plis flasques du ventre du sénateur, les fesses rondes et haut levées de sa femme qui s'activait. Sa tête montait, descendait, roulait, tandis qu'elle tentait de l'amener à l'orgasme.

– Comme ça, grognait le sénateur. Tout entier. Oh, oui. Plus vite, plus vite.

Beacher ouvrit tout grand la porte.

– Oui, oui, disait le sénateur. Je sens que ça vient.

Aucun des Fairchild n'était en mesure de voir les deux étrangers faire mouvement de chaque côté du lit.

– Sénateur Joel Fairchild, dit Beacher du ton neutre d'un homme procédant à la lecture d'une liste de noms. Je vous prie de nous excuser

Nancy Fairchild ne vit pas le visage des terroristes qui enlevèrent son mari. Ils la saisirent, la plaquèrent sur le lit, la ligotèrent, la bâillonnèrent et lui bandèrent les yeux. Elle remarqua seulement que l'un d'eux avait les mains petites et délicates.

Beacher traîna à ses pieds le sénateur, il débandait, protestait, Rosario lui attacha les mains dans le dos.

– Vous êtes en état d'arrestation.

Tout ce que Beacher lui offrit comme explications.

– Mais je suis sénateur des États-Unis! s'exclama Fairchild.

– *No estamos en los Estados Unidos*, lui lança la fille en serrant davantage les liens.

On découvrit la disparition du sénateur vingt minutes plus tard lorsqu'un policier trouva l'un de ses collègues mort, abattu d'une balle entre les yeux. Entre-temps, on avait transféré le sénateur sur un bateau à moteur qui avait traversé la baie jusqu'au point de rendez-vous à proximité de la distillerie de rhum.

27

A une autre extrémité du promontoire, les Hockney, toujours au lit, bavardaient et faisaient des projets. Tout comme le premier de l'an, la fin des vacances est le moment où l'on songe à tout reprendre; un bon moment pour de nouvelles résolutions.

Après s'être brossé les dents, Hockney, fidèle à son habitude, se versa une généreuse rasade de brandy.

— Tu veux quelque chose? demanda-t-il à Julia qui, adossée aux coussins, lisait un livre.

— Mm-Mm.

Hockney jeta un regard au liquide ambré, dans le verre, puis le retransvasa dans la bouteille.

— Il y a un bon moment que je ne t'ai pas vu faire ça, commenta-t-elle d'un ton approbateur.

— Qu'est-ce que tu lis? lui demanda-t-il en venant vers elle.

Elle lui montra le titre. Une brochure traitant du marché de l'immobilier dans un rayon de cent cinquante kilomètres autour de New York. Elle l'avait ouverte au chapitre sur le district de Columbia.

— Qu'est-ce que tu as l'intention de faire? T'inscrire au club de chasse de Chatham?

— Écoute ça, Bob, répondit-elle en se lançant dans la description d'une ferme de style colonial, datant du XIXe, avec piscine et rivière à truites, sur quelque quarante hectares de collines boisées proches de l'Hudson. Ça n'a pas l'air magnifique?

— Je parie que le prix l'est aussi.

— Moins cher qu'un appartement à Washington. *Beaucoup* moins cher qu'une copropriété à Manhattan.

— Qu'est-ce que tu veux que je fasse? Que je démissionne du *World* et que je me transforme en gentleman-farmer?

— Je pensais — ce serait agréable d'avoir un coin où aller. J'ai parfois l'impression de ne pas respirer à Washington. J'aimerais pouvoir m'enfuir et ne pas avoir à avaler sans cesse « de la politique ». Tu n'as pas eu ce sentiment ce soir, à écouter Joel Fairchild faire son numéro. Bon Dieu, comme il est épais!

— Arrête de travailler pour la commission si tu en as

28

marre, suggéra-t-il. En fait, tu n'as pas besoin de travailler du tout.

— Je ne suis pas vraiment mûre pour jouer les passives petites femmes d'intérieur, répondit-elle en souriant. Et je pense toujours que c'est important, ce pour quoi la commission a été créée — quand Fairchild ne s'arrange pas pour tout foutre en l'air — c'est seulement... c'est seulement Washington. Les gens y deviennent des obsédés.

— D'accord, dit-il en lui prenant la main, nous partirons cet été quelques jours. Nous pouvons aller à East Hampton, chez Peter et Selma.

— Je ne parlais pas seulement de vacances, chéri. Nous n'avons jamais eu un toit bien à nous sur la tête. Ce ne serait pas agréable d'avoir un coin à nous?

Hockney réfléchit à la question. Ils habitaient un vaste appartement près de Dupont Circle. Lorsque son bouquin sur la défection de Viktor Barisov — un agent du K.G.B. qu'il avait aidé à s'échapper de Genève — était apparu sur la liste des best-sellers, ils avaient visité quelques maisons à Georgetown mais ils avaient reculé devant les prix.

— Et tu parlais aussi de t'arrêter pour écrire un autre livre, le pressa-t-elle. Jamais tu ne pourras faire ça à Washington.

C'est vrai, pensa-t-il. Les obligations de la direction d'un bureau du *New York World* à Washington constituaient une excellente excuse pour ne pas s'y mettre. Les contraintes étaient bien réelles mais, à la vérité, il savait aussi qu'il avait peur de se lancer dans l'écriture. Il vivait de mots mais craignait que les mots viennent à lui manquer lorsqu'il tenterait le genre romanesque. Il avait déjà été assez dur de mettre de l'ordre dans ses pensées pour écrire ce bouquin sur le transfuge soviétique, dur de travailler pour une date limite qui dépassât le lendemain. Il en était arrivé à accepter l'idée qu'il était journaliste, un point c'est tout.

Mais ce que disait Julia faisait vibrer une corde sensible. Au cours des derniers mois, à Washington, il ne s'était guère senti plus heureux, plus comblé qu'elle. Il avait perdu ce sentiment de sa vocation qui, jeune journaliste, l'avait guidé. Pire encore, il éprouvait un ressentiment croissant pour ceux qui le manifestaient. Ses déjeuners à la *Maison-Blanche* l'ennuyaient — la « MB » comme l'appelaient les Art Buchwald, Ben Bradlee et autres habitués —, comme l'ennuyait l'idée de

29

consacrer le plus clair de ses heures de travail à superviser un nouveau bureau en pleine activité. Récemment, il avait passé pas mal de temps à se chamailler avec Jack Lancer, un jeune journaliste d'enquête venu au *World* depuis une publication libertaire de la côte Ouest. Ce qui irritait Hockney, c'est que Lancer eût décidé de ce qui clochait aux Etats-Unis – il parlait de l'administration sortante comme s'il s'agissait de la plus grande menace pour la paix depuis Hitler –, mais aussi de sa mission personnelle pour ramener vérité et justice.

Les inébranlables certitudes de Lancer en faisaient une dupe. Hockney s'était d'abord querellé avec lui lorsque Lancer avait écrit une histoire où il prétendait que la C.I.A. avait monté une école de tortionnaires au Salvador. Il apparut que l'histoire avait été refilée à Lancer par un agent d'une institution progressiste qui entretenait des relations étroites avec la délégation cubaine de New York. Mais Lancer travaillait dur et sortait d'authentiques scoops. Et Hockney n'était pas tout à fait sûr que ses réactions à l'égard d'un homme plus jeune que lui n'étaient pas quelque peu entachées d'un sentiment personnel d'insécurité.

A une époque où jamais en Amérique le Quatrième Pouvoir n'avait été aussi puissant, Hockney trouvait bien plus de choses à remettre en cause que jamais quant à la manière dont s'exerçait ce pouvoir. C'est à la presse qu'il appartient de maintenir les gouvernements dans la ligne de l'honnêteté. Il avait brandi ce drapeau commode à l'un de ces débats télévisés où les vedettes des médias s'interviewent entre elles sur l'état du pays. Mais il ne pensait pas qu'il fût sain pour la presse de s'arroger le pouvoir de faire et de défaire la politique nationale sans se soumettre elle-même au même examen rigoureux et au même degré d'inquisition que ceux auxquels elle soumettait toutes les autres institutions américaines. Il pensait même qu'il existait certains secrets d'État qu'il valait mieux garder secrets.

Les conceptions de Hockney en ce domaine faisaient de lui un excentrique parmi ses pairs. Mais, en fin de compte, il se trouvait guidé par un opportunisme professionnel, tout comme les autres. On n'enterrait pas une histoire brûlante. Et, à Washington, il était plus vraisemblable que ce genre d'histoire révélât une nouvelle gaffe de l'administration Newgate, ou un nouveau scandale dans ses rangs, qu'une quelconque affaire concernant les agissements des Soviétiques, des Cubains ou de leurs amis. Lorsque, par hasard, quelque nouvelle révélation sur, disons le K.G.B., faisait surface, sa valeur en tant que nouvelle avait toute chance d'être remise en cause, férocement parfois. Le *New York World* n'avait jamais parlé, par exemple, des rapports de la presse européenne sur l'implication du K.G.B. dans le mouvement pour le désarmement. Lorsque Hockney avait suggéré qu'on suive l'affaire, le rédacteur en chef avait répondu d'un ton désinvolte « Oh, je n'avais pas vu ces articles », et quand Hockney lui proposa les coupures de presse, il avait déclaré : « Laissez tomber. Je ne lis que le *World*. Et puis c'est de l'histoire ancienne, tout ça! »

— Vivre à Washington, disait Julia, c'est comme si on ne respirait que d'un poumon.

— Le district de Columbia, hein? Je crois qu'on pourrait y faire un saut d'un coup de voiture un week-end.

Elle le serra dans ses bras et un instant plus tard il défaisait le nœud qui fermait sa nuisette. Elle lui donna un long baiser passionné puis se dégagea et demanda d'une voix timide :

— Bob, tu veux bien que je ne mette pas le diaphragme ce soir?

Il la regarda, un instant perplexe, puis grommela :

— Oh... je vois.

Elle jouait les effarouchées, le regardant par en dessous à travers ses cheveux, enroulant une mèche autour de son doigt.

— Tu es sûre que nous sommes prêts? demanda-t-il, hésitant.

— J'aurai trente-deux ans en août, lui rappela-t-elle. Ce ne serait peut-être pas raisonnable de remettre cela à plus tard.

Il se pencha sur elle et l'embrassa gauchement au coin de la bouche.

— Je crois que nous sommes prêts, convint-il. Je n'en étais pas sûr jusqu'ici. Oui, je crois que nous sommes prêts. Je suppose que tu voudras traire toi-même notre vache pour le bébé à la campagne, non?

La pièce se trouvait plongée dans une obscurité totale lorsque le téléphone fit entendre sa sonnerie aiguë.

— Quelle heure est-il? demanda Julia.

31

Il alluma la lampe de chevet.

– Pas tout à fait huit heures, répondit-il après avoir fourragé autour du téléphone, à la recherche de sa montre perdue dans la pile de livres.

– Vous êtes bien M. Robert Hockney? Du *New York World*? La communication était particulièrement mauvaise.

– Qui est à l'appareil?

– Je parle au nom des *Macheteros*.

Tout d'abord, Hockney se borna à grommeler, comme si son interlocuteur venait de donner le nom de la société pour laquelle il travaillait. Puis, en saisissant pleinement le sens des mots, il se réveilla tout à fait, d'un seul coup. *Los Macheteros* – les manieurs de machette – le nom qu'utilisait l'une des organisations terroristes les plus redoutées de l'île.

– Oui, dit Hockney saisissant un calepin.

– Je ne me répéterai pas. Vous allez vous rendre à Isla Verde. Il y a une ruelle qui mène à la plage. De l'autre côté de la route, vous verrez une discothèque qui s'appelle *La Soucoupe volante*. Vous connaissez?

– Non. Qu'est-ce que c'est que toute cette histoire?

– La disco est facile à trouver, expliqua patiemment l'interlocuteur. Tous les chauffeurs de taxi la connaissent. Allez-y tout de suite. Au bout de la ruelle, vous verrez une poubelle. Vous y trouverez notre communiqué et la preuve que ce n'est pas une blague.

– Écoutez, je n'ai toujours pas la moindre idée de ce que vous me racontez.

– Le sénateur Fairchild est le prisonnier des *Macheteros*. Le communiqué vous expliquera le reste.

Un déclic et Hockney n'entendit plus que le bruit lancinant d'une ligne coupée.

Il sauta du lit et tira les rideaux de la fenêtre panoramique qui occupait tout un pan de mur. Le ciel était presque totalement dégagé.

– Qu'est-ce qui se passe? demanda Julia.

– On vient de m'appeler pour m'apprendre qu'on avait enlevé le sénateur Fairchild, répondit-il calmement.

– Mon Dieu! Elle bondit, s'assit dans le lit et s'enveloppa du drap de lit comme d'une toge. Qu'est-ce que tu vas faire?

– Je vais vérifier.

Il appela la Fortaleza et demanda le pavillon des invités. En fait, on lui passa l'un des secrétaires du gouverneur.

– Voulez-vous me passer le sénateur Fairchild, demanda Hockney, il attend mon coup de fil.

– Je regrette, monsieur, on ne peut parler au sénateur Fairchild pour le moment.

– Je suppose que c'est parce qu'on a enlevé le sénateur?

Il y eut un instant de silence pendant lequel le secrétaire s'éclaircit la gorge avant de dire :

– Je ne peux pas répondre à cette question. Puis : Comment savez-vous ça?

– Merci, se borna à dire Hockney avant de raccrocher.

Ils roulaient sur la large route, qu'on appelait la Marginal, en direction d'Isla Verde, longeaient des chantiers abandonnés; Julia lui demanda :

– Pourquoi t'ont-ils choisi, *toi?*

– J'ai essayé d'imaginer la raison, répondit-il. Peut-être les terroristes ont-ils eu connaissance de la liste des invités au dîner du gouverneur.

– Ça ne colle pas, Bob. Nous avons été invités à la dernière minute.

– C'est exact, reconnut-il. Je suppose que les terroristes ont pu se renseigner sur nous à l'hôtel. Personne d'autre, en ville, ne sait que nous sommes là.

Il avait indiqué, sur le registre de l'hôtel, le nom et l'adresse du *New York World.*

– Sauf les passagers du *Duchess,* fit-elle observer.

– Tu parles! Un vrai ramassis de terroristes portoricains! Il sourit en pensant aux vieux joueurs de golf en pantalons écossais et aux veuves évaporées de Long Island. Puis il se souvint de l'aguichante beauté latine et de l'Américain aux yeux verts qui ne voulait pas parler aux étrangers. Avait-il côtoyé les terroristes sans s'en rendre compte?

Ils trouvèrent facilement la discothèque, conçue pour ressembler à une soucoupe volante de bandes dessinées des années cinquante : dôme en aluminium, hublots. Encore que la journée commençât à peine, il y avait déjà une foule de Portoricains qui pariaient de l'argent à un kiosque improvisé au bord de la route. Les hommes misaient sur des chevaux mécaniques – des *caballitos* – qui s'affrontaient en une course autour d'une piste en miniature. Aussi excités que s'ils assistaient à une vraie course, ils encourageaient leur favori.

Hockney descendit rapidement la ruelle qui menait à la plage, longea un mur colorié par des bandes rivales qui avaient peinturluré leurs noms en rouge et noir : « Los Salseros », « Los Roqueros », « Los Cocolos ». Les mots se brouillaient aux yeux de Hockney qui se hâtait dans sa course tandis que Julia devait courir pour garder l'allure.

L'enveloppe se trouvait à l'intérieur d'un sac de Burger King froissé, accompagné d'un papier graisseux et d'un reste de cheeseburger.

Hockney l'ouvrit. On avait dactylographié le message sur plusieurs petites feuilles de papier jaune. En tête de la première page, un dessin rudimentaire représentait un emblème révolutionnaire.

– C'est en espagnol, dit-il.

– Fais voir. Je vais essayer, dit Julia en lui prenant le communiqué. Elle lut un moment les sourcils froncés sur le texte puis commença à en donner une traduction sommaire :

« *Nous les* Macheteros, *nous adressons au peuple des États-Unis. Nous souhaitons expliquer la ligne de pensée qui a conduit à l'arrestation du sénateur Joel Fairchild, l'un des plus notoires défenseurs de l'oppression colonialiste, par les combattants de la liberté de notre mouvement. Dans la conjoncture historique actuelle, le dessein de l'impérialisme des États-Unis est de faire de Porto Rico, sous le masque d'un État de l'Union, une base sûre d'agression contre les peuples libres et les mouvements de libération de Cuba et des Caraïbes.* »

– Au fait, au fait, la pressa Hockney. Qu'est-ce qu'ils veulent ?

Julia parcourut rapidement le reste du communiqué avant de s'arrêter sur le paragraphe final.

– Il y a une liste de prisonniers politiques dont ils demandent la libération, dit-elle.

– Des Portoricains ?

– Pour certains. Il y a aussi des types de mouvements clandestins. Et des noms à consonance arabe.

– Fais voir.

Elle lui montra le passage et Hockney reconnut les noms

de deux Palestiniens arrêtés après un attentat à la bombe contre la délégation israélienne à New York, ainsi que le nom de guerre d'un militant noir, l'un des fondateurs d'un nouveau groupement qui menaçait de porter « la guérilla islamique » aux États-Unis.

– Les *Macheteros* sont très éclectiques quand il s'agit de choisir leurs amis, observa-t-il.

Il y avait une trentaine de noms sur la liste des détenus dont ils demandaient la libération en échange du sénateur Fairchild.

– Qu'est-ce qu'ils racontent, à la fin.

Julia parcourut rapidement le jargon marxiste et dit :

– Des menaces. Ils disent que l'enlèvement de Fairchild n'est qu'un début, que les guérilleros vont lancer une importante attaque sur les symboles du capitalisme américain à Porto Rico et sur le continent si l'on ne revient pas sur la proposition d'en faire un État des États-Unis. Ils disent que les Noirs et les Hispaniques du continent vivent également sous le joug colonial et qu'ils combattront à leurs côtés.

– Du baratin, dit Hockney.

Il s'apprêtait à rejeter le sac de Burger King dans la boîte à ordures lorsqu'il se rendit compte qu'il renfermait une photo 9 × 12 aux couleurs criardes, comme si on l'avait prise avec un polaroïd à bon marché.

Il la montra à Julia.

Sous l'éclair du flash, la peau du sénateur Fairchild paraissait d'un blanc de craie, à l'exception d'une marque de coup bleuâtre sous l'œil droit. Ses yeux étaient roses comme ceux d'un lapin russe. Appuyé contre un mur jaune et nu, il tenait une pancarte disant « INDEPENDENCIA O MUERTE ».

– Pauvre homme, dit doucement Julia. Qu'est-ce qu'il va lui arriver?

Les joueurs de *caballitos* hurlaient et tapaient des pieds.

– Je crains que nos vacances soient terminées, lui dit-il tandis qu'ils regagnaient le taxi qui les attendait.

Sur la route du retour, le long du Marginal, une voiture qui les précédait s'arrêta brutalement. Le chauffeur de taxi jura en écrasant la pédale de frein.

Hockney aperçut deux gamins aux regards vifs arriver en courant à hauteur de l'homme devant eux. Ils portaient des plateaux d'épis de maïs sucrés.

– ¿*Mazol con o sin?* siffla l'un des gamins.

– *Con, con,* dit impatiemment l'homme en agitant quelques dollars par la portière.

Le chauffeur de taxi se retourna et fit un clin d'œil.

– Vous savez ce que c'est?

Hockney et Julia secouèrent la tête.

– Vous demandez *con* et on vous donne de quoi fumer avec. Le chauffeur de taxi fit le simulacre de tirer vigoureusement sur une cigarette. Lorsqu'il vit qu'ils paraissaient toujours surpris, il éclata de rire. Manifestement, il trouvait tout cela très drôle.

Julia fut la première à comprendre.

– Des joints, dit-elle. Ils vendent de l'herbe.

L'un des gamins approcha du taxi et, de la main, elle lui fit signe de s'éloigner. Mais, en un éclair, le gamin plongea le bras vers le siège arrière et saisit son sac à main. Il se montra trop rapide pour Julia, mais Hockney, se jetant sur elle, réussit à attraper le poignet du gosse et à le tordre jusqu'à ce qu'il lâche le sac. Le gamin tourna les talons et s'enfuit dans le labyrinthe d'appartements abandonnés derrière la bande d'herbe et de terre nue qui bordait la route.

– Quel culot! se plaignit Julia.

– Ça arrive tout le temps, dit le chauffeur de taxi qui s'amusait plus que jamais. Ils essaient avec toutes les *turistas*.

– On a eu de la chance, ce coup-ci, remarqua Hockney, en tapotant le sac.

Le gamin avait disparu dans le chantier et Hockney reporta son attention sur la route. Une Pontiac vert foncé essayait de se frayer un chemin à travers la dense circulation qui, en sens inverse, se dirigeait vers Isla Verde et l'aéroport.

Il vit le visage d'une femme dans l'encadrement de la vitre baissée, côté passager, son bras gracieux pendant négligemment, son visage en forme de cœur. Bien qu'elle eût noué ses longs cheveux noirs en queue de cheval et qu'elle portât un ample chemisier à carreaux, on ne pouvait s'y tromper. C'était bien la beauté latine que Hockney avait rencontrée sur le bateau.

— Jolie fille, dit Julia, suivant le regard de Hockney.

— Je l'ai rencontrée sur le *Duchess*. Puis, se penchant en avant et mû par une impulsion soudaine, il demanda au chauffeur : Vous pouvez faire demi-tour? Je voudrais suivre cette voiture.

Le chauffeur, d'un geste de la main, doigts écartés, embrassa la cohue des voitures roulant pare-chocs contre pare-chocs et considéra Hockney comme s'il était fou.

Impuissant, Hockney regarda disparaître la Pontiac verte. Il ne put distinguer que les deux derniers chiffres de la plaque minéralogique : 66. Facile à retenir.

— Qu'est-ce qui te prend, tout d'un coup? demanda Julia. Elle n'est pas jolie à ce point.

— Simple intuition, répondit Hockney. J'ai pensé qu'il pouvait y avoir un rapport.

— Avec *ça?* Julia tapota l'enveloppe ramassée dans la poubelle.

— Je pensais seulement – oh, c'est trop idiot. Ça n'existe pas, ces coïncidences. De toute façon – de nouveau il jeta un coup d'œil par-dessus son épaule – je l'ai perdue maintenant.

— Il va falloir qu'on prenne vos empreintes. Vous en avez foutu partout sur ce putain de communiqué.

— Je suis désolé, dit Hockney. Il ne m'est pas venu à l'idée...

— Ne vous cassez pas la tête, dit l'agent du F.B.I. On ne trouvera probablement rien. Ils connaissent leur boulot.

Hockney était assis dans le bureau lambrissé au dernier étage de la forteresse de béton de Hato Rey – l'Éléphant Gris comme l'appelaient les gens du Bureau. Une carte de plastique jaunâtre, fixée à la poche de sa chemise, proclamait, en caractères gras : « NON-F.B.I. ». Aux yeux de Hockney, l'homme derrière le bureau ne ressemblait en rien à l'image qu'il se faisait d'un agent fédéral : des cheveux noirs plutôt longs qui recouvraient le col de sa chemise à rayures, des yeux marron, vifs, et un profil indien. A son poignet droit, il portait une gourmette en or. Frank Parra était l'un des rares Américains d'origine espagnole à être parvenu à un grade de cadre supérieur au F.B.I.; on n'en comptait que trois cent cinquante parmi les huit mille agents du Bureau. En sa qualité de chef de la brigade antiterroriste de Porto Rico, Parra – un Américano-Mexicain de San Antonio – avait souvent l'impression que sa tâche tenait de celle de Sisyphe.

– Dites-moi, demanda Parra. Pourquoi est-ce *vous* que les terroristes ont choisi?

– J'ai essayé de trouver une réponse à cette question. Pour moi, la seule explication est qu'ils savaient que j'étais là. Ça peut sembler idiot mais...

Il se mit à raconter sa rencontre avec le mystérieux couple embarqué à la Martinique et comment il était tombé par hasard sur Rosario sur la route d'Isla Verde.

Parra sembla très intéressé par la fille. Il en demanda une description détaillée et prit des notes.

– Et la voiture? demanda-t-il. Vous avez son numéro?

– Les deux derniers chiffres seulement : Six-six.

– Okay. On va mettre ça dans l'ordinateur.

Parra appela l'un de ses collaborateurs et lui donna ses instructions. Maintenant, dit-il à Hockney, je veux que vous regardiez attentivement quelques photos.

Il conduisit le journaliste dans une vaste salle rectangulaire, bourrée de bureaux et de classeurs, les quatre murs couverts de photos et de portraits-robots, regroupés par appartenance aux cinq principaux réseaux terroristes de l'île.

– Elle n'est pas là, dit Hockney après quelques minutes d'examen.

– Je n'y comptais pas, observa Parra. Si elle est arrivée via la Martinique, c'est un boulot de l'extérieur. C'est l'une des routes favorites des gens qui débarquent ici en provenance de La Havane. Avec Saint-Domingue.

Son assistant revint avec une feuille de téléscripteur chiffonnée.

– Je crois qu'on a quelque chose, dit-il.

– Vous étiez sur la bonne piste, dit Parra en y jetant un coup d'œil. La Pontiac est au nom d'un homme qui habite dans un appartement à cinq minutes d'ici. Une planque parfaitement sûre pour les progressistes. L'un de nos indics y a découvert un silencieux derrière une machine à laver de la buanderie, la semaine dernière. Ça fait un moment que j'ai ce type à l'œil. Il est arrivé de la République Dominicaine voilà un an – avec la troupe d'un cirque, vous imaginez. Je crois que c'est un Cubain. Mais jusqu'à présent, nous n'avons pas pu le coincer. Considérant Hockney d'un air circonspect, il ajouta : Je n'aimerais pas lire quoi que ce soit là-dessus dans le *New York World*.

— C'est tout à fait confidentiel, concéda Hockney. Mais je dois vous dire que j'ai déjà pondu quelque chose sur le sénateur — sur les séances de sa commission à propos de Porto Rico, ce genre de truc. Je crois que c'est pour cela que les terroristes l'ont choisi pour cible.

— Peut-être, répondit Parra sans se compromettre.

— Qu'est-ce que vous allez faire, maintenant?

— Suivre le fil que vous nous avez donné et voir si l'on peut piquer le type à la Pontiac verte. Mais j'imagine qu'il a dû s'envoler. *Si* le sénateur est toujours vivant, ils le détiennent probablement dans quelque *bohio,* dans les collines ou bien ils lui ont fait quitter l'île en douce. Ils ont utilisé un bateau à moteur la nuit dernière.

— Je suppose que le filet est déjà tendu.

— Oui, bien sûr. Et le Bureau expédie un renfort d'une centaine d'agents. Et j'aurai de la veine s'il y en a une demi-douzaine qui parlent espagnol, ajouta-t-il amèrement. Voulez-vous que je vous dise quel est le vrai problème? On est démunis. Jadis, nous avions des hommes infiltrés dans tous ces groupes terroristes, mais on a reçu l'ordre de les rappeler en 73 et depuis lors on n'a virtuellement plus rien. Ce n'est pas si facile de trouver d'autres sources. Des tas de types des cellules terroristes locales frayent ensemble depuis l'école. Ils n'acceptent pas facilement de nouvelles têtes. Et quand des Cubains de La Havane sont dans le coup, il ne faut pas y compter. C'est la chasse gardée de la C.I.A. et la C.I.A n'adresse pas la parole à un agent de base comme moi. Je me demande si la C.I.A. adresse même la parole à mon directeur.

— J'aimerais jeter un coup d'œil sur cette fameuse résidence, dit tranquillement Hockney. Je me sens un peu impliqué dans le coup.

— Votre femme travaillait pour le sénateur, non?

— Elle est avec Nancy Fairchild en ce moment.

La femme du sénateur avait refusé de quitter l'île avant qu'on ait retrouvé son mari — ou le cadavre de son mari.

— Je crois que vous avez fait ce que vous pouviez, dit Parra d'un ton non dénué d'amabilité. Je connais les droits que vous confère le Premier Amendement. Mais je ne veux pas vous voir en premières lignes, ni traîner à essayer de glaner des tuyaux.

– Eh bien, laissez-moi venir avec vous.

– Rien à faire. Écoutez, dit l'homme du F.B.I., d'un ton las. D'accord pour votre exclusivité. Vous serez le premier journaliste à savoir ce que nous avons trouvé. Mais laissez-nous le temps, d'accord?

Hockney acquiesça.

Julia avalait sa troisième tasse de thé dans un salon privé de la Fortaleza. Faisant fi des conseils du médecin, Nancy Fairchild buvait du bourbon sur les tranquillisants qu'on lui avait prescrits. Maquillage, bijoux, tailleur beige à la coupe élégante, tout était parfait. Seul son tremblement la trahissait. Le verre cliqueta sur la table lorsqu'elle le reposa.

– J'ai une drôle d'impression à propos de toute cette affaire, dit-elle à Julia. J'ai l'impression que ça a un rapport avec tous ces coups de téléphone.

– Quels coups de téléphone? demanda Julia.

– Joel était impliqué dans quelque chose. Il ne m'a jamais dit quoi. Il disait qu'il ne voulait pas que je me fasse du souci à ce propos. Je crois qu'il voulait dire que je ne comprendrais pas.

Elle se mit à pleurer et Julia lui passa le paquet de Kleenex qu'elle tira de son sac.

– Vous n'avez aucune idée de ce dont il s'agissait? poursuivit Julia.

– Ça avait un rapport avec la commission, continua Nancy Fairchild quand elle eut retrouvé sa contenance. Il recevait ces coups de fil tard dans la nuit. Je crois qu'on l'appelait de Miami. Il en était tout excité. Une fois, après avoir raccroché, il a dit : « Bon Dieu, je crois que je vais pouvoir épingler ces salopards maintenant. »

Miami. Julia réfléchit ferme mais ne put faire de rapprochement. Peut-être Dick Roth, le patron du service de recherches de la commission, saurait-il.

– Quand ces coups de fil ont-ils commencé?

– Il y a une semaine, environ.

Elle se replongea dans ses réflexions. La dernière chose

dont elle se souvint, avant que Bob et elle partent en croisière, était la désastreuse prestation du sénateur à la télé. Il s'était vanté de pouvoir mettre en lumière le rôle des Cubains dans le trafic de la drogue.

– Et puis il y a eu les menaces, dit Nancy.

– Quelles menaces?

– J'ai pris moi-même la communication, une fois. C'était horrible. Un homme essayait de dire à Joel de laisser tomber sans quoi on allait l'effacer.

– L'effacer?

– C'est ce qu'a dit l'homme. L'effacer.

– Vous avez appelé la police? Le F.B.I.?

– Joel a dit de ne pas le faire. Il a dit que c'était simplement un dingue. Nous avons eu ce genre d'appels quand il a pris la tête de la commission. Elle se remit à pleurer mais put poursuivre : Qu'est-ce qu'ils vont faire de lui? Il n'est pas solide. Avec son opération du cœur, il y a deux ans. Et il allait m'acheter ce petit ranch près d'Austin.

Frank Parra compta cinq voitures banalisées dans lesquelles des hommes – certains en civil, dont aucun Portoricain – étaient installés avec des journaux ou des tasses de café. Une fourgonnette de liaison radio était garée un peu plus haut, sur la route, arborant l'insigne d'une société de réparation de postes de télé. Mais il y avait deux bonnes heures qu'elle stationnait là et les habitants de Hato Rey n'étaient pas du genre à s'offrir ce genre de services. Un hélicoptère de la police tournait au-dessus d'eux.

Sur les routes qui menaient à la résidence, on avait mis en place un dispositif de bouclage. De pleines cargaisons d'agents de la police et du F.B.I., en tenue anti-émeute, attendaient un signal pour intervenir.

Frank Parra avait demandé l'autorisation d'y aller discrètement, avec une poignée d'agents portoricains qui connaissaient les rues. On lui avait répondu fermement que toute l'opération était menée depuis Washington et qu'il ne devait pas bouger avant qu'arrivent du continent les renforts du F.B.I. et qu'on se soit assuré du bouclage de toute la zone entourant la résidence.

– Vous ne comprenez pas, avait objecté Parra. C'est la

jungle là-dedans. Notre seul espoir est de les prendre par surprise.

Mais on l'avait fait attendre près de cinq heures, jusqu'à ce que Malone, un Irlandais de New York dont le visage ressemblait à une tranche de bœuf, arrive pour diriger l'opération. Malone avait annoncé qu'il prendrait lui-même la tête de six de ses meilleurs hommes. En guise de concession au bureau local, il acceptait de prendre Parra dans son équipe.

Des gosses − dont aucun n'avait plus de douze ans − se moquaient d'eux et leur faisaient des grimaces tandis qu'ils avançaient vers l'ascenseur, à travers le couloir crasseux.

« Le *Nouveau* F.B.I. », s'exclama quelqu'un, singeant une série populaire de la télé. Une gamine de six ou sept ans, au visage angélique, s'approcha de Malone et cracha, sur ses chaussures bien cirées, un jet de gomme grisâtre. Malone déglutit, serra les dents, crispant son énorme mâchoire et se dirigea vers l'ascenseur.

L'engin resta bloqué juste au-dessous du septième étage et les hommes du F.B.I. durent attendre l'arrivée des deux agents dépêchés par les escaliers pour pouvoir ouvrir les portes. Malone, à quatre pattes, fit une sortie sans dignité.

− Ce n'est pas un accident, ronchonna-t-il.

Frank Parra inspectait le couloir. L'ascenseur saboté aurait constitué le site idéal pour une embuscade. Mais le couloir était désert, à l'exception de l'équipe Malone et d'un petit homme à lunettes en chemise blanche et cravate qui leur collait vivement au train.

− Je représente le syndic de la copropriété, déclara l'avocat aux hommes du F.B.I. Je suppose que vous avez une commission rogatoire?

− Montrez-lui, Parra, grogna Malone.

− Ceci vous autorise à pénétrer dans l'appartement 8-G, fit observer l'avocat. Pas à pénétrer dans un autre appartement sans l'autorisation de ses occupants.

− Va te faire foutre, dit Malone.

Malone portait un de ces petits écouteurs que personne ne confond jamais avec un appareil de prothèse auditive.

− Alpha Deux, souffla-t-il dans les micros collés sur sa poitrine. Est-ce que le toit et l'escalier d'incendie sont couverts?

− Affirmatif, répondit la voix dans l'écouteur.

– Feriez mieux de vous tirer d'ici, dit Frank Parra à l'avocat en assurant, à deux mains, la prise de son revolver.

Et Malone se mit à cogner à la porte du 8-G.

– Quel est le nom de ce rebut? siffla-t-il à Parra.

– Hernández.

– Hernández! rugit Malone. C'est le F.B.I. Sortez. Les mains sur la tête!

Pas de réponse.

– Enfoncez, ordonna Malone au plus costaud de ses agents.

– Un instant, le coupa Parra en s'avançant. Il essaya de tourner la poignée qui céda sans effort et ouvrit la porte.

– Planquez-vous, ordonna Malone. C'est peut-être un piège.

L'instant suivant, Malone était dans l'appartement, balayant la pièce de son automatique.

L'endroit semblait désert. Le tiroir d'une commode gisait, retourné, comme si on l'avait vidé en hâte de son contenu.

Malone pénétra dans la cuisine, puis dans la chambre où il découvrit une pile de vêtements sales au fond d'un placard, mais rien sur les cintres.

– Les salopards se sont tirés, annonça Malone.

– Je crois que vous devriez venir jeter un coup d'œil, dit Parra dont la voix calme et mesurée venait de la salle de bains.

Malone referma à la volée la porte du placard de la chambre et le rejoignit en vitesse.

Le sénateur Joel Fairchild, dans la baignoire, tenait encore dans ses mains raidies par la mort la pancarte qui proclamait « L'INDÉPENDANCE OU LA MORT ».

– Mon Dieu, souffla Malone. Ça ne vous ferait rien de lui fermer les yeux?

– Crise cardiaque, annonça Frank Parra à Hockney au téléphone, ce soir-là. Après avoir été torturé. On a trouvé des traces de brûlures sous les pieds et du sang sous l'un des ongles. Pas difficile d'imaginer ce qu'ils lui ont fait.

– Ce que moi je n'arrive pas à imaginer, dit Hockney, c'est pourquoi ils l'ont gardé dans cet appartement et pourquoi ils y ont abandonné le cadavre. Ils devaient savoir que vous surveilleriez ces maisons. Et maintenant, le seul fil est ce type dont vous prétendez que c'est un Cubain.

– Hernández. Paco Hernández. Ouais. Ils n'ont pas laissé traîner grand-chose. Personne ne sait rien dans l'immeuble, bien sûr. Ils n'ont peut-être pas voulu s'emmerder à cacher le corps. Mais j'ai le sentiment qu'ils *voulaient* que nous trouvions Fairchild dans ces conditions.

– Je ne comprends pas.

– Eh bien, on peut penser qu'ils ont souhaité tout ce déploiement. Tous ces flics et agents du F.B.I. pour ramasser un macchabée.

– Et la demande de rançon? S'ils avaient caché le corps, ils auraient pu essayer de nous bluffer quelque temps.

– Cela n'est pas sûr, reconnut Parra, mais je ne suis pas convaincu que le principal objectif des terroristes était la libération de ces prisonniers. Pourquoi les Cubains enverraient-ils un commando pour ça?

– Quelle est votre théorie?

– Je crois que les types qui ont fait ça avaient un compte plus important à régler avec Fairchild et ils ont utilisé des professionnels de l'extérieur pour être sûrs que le boulot serait bien exécuté.

L'homme du F.B.I. paraissait épuisé. Hockney l'entendit bâiller au bout du fil.

– Encore un mot si vous permettez, dit le journaliste. Avez-vous découvert autre chose à propos de la fille? Ou de Mitch Lardner?

– Nous avons contrôlé tous les vols au départ de San Juan aujourd'hui. Un agent de la compagnie aérienne se souvient d'une fille dont le signalement correspondrait à cette Rosario. Elle a pris un avion pour Miami. Elle ne voyage pas sous le nom de Lardner. Ce que je vous dis est confidentiel.

– D'accord. Mais je peux parler d'un rapport possible avec les Cubains?

– Tant que vous ne parlez pas de moi. Et nous n'avons rien de positif, souvenez-vous. Ce n'est qu'une hypothèse.

– Avez-vous quelque chose sur le type qui louait l'appartement où l'on a trouvé le corps? Hernández?

– Rappelez-moi demain, dit Parra. Vous aurez peut-être quelque chose avant nous. C'est avec vous que les *Macheteros* communiquent.

44

Hockney raccrocha et regarda Julia. Le visage pâle et fatigué, le maquillage marqué par les larmes, elle avait finalement craqué en apprenant la découverte du corps de Fairchild.

Hockney décrocha de nouveau le téléphone et demanda à l'opératrice le numéro du *World* à New York. En feuilletant ses notes, il dicta un résumé de l'affaire Fairchild pour l'édition du matin.

— Ça n'a peut-être rien à voir avec Porto Rico, dit Julia quand il eut fini.

— Qu'est-ce que tu veux dire?

— Nancy Fairchild m'a dit que Joel était sur autre chose, quelque chose ayant un rapport avec Miami. Et Nancy a ajouté qu'il avait commencé à recevoir des menaces de mort la semaine dernière. Quelqu'un voulait le faire taire.

— Elle en a parlé à quelqu'un d'autre?

— Je ne sais pas.

Hockney réfléchissait en hâte. Il songeait à la dernière note de téléphone, lorsqu'il s'était plaint à Julia des quinze communications téléphoniques passées à une copine de fac qui habitait Londres. La facture donnait le relevé de tous les appels passés par l'inter.

— Si cette histoire de Miami tient debout, nous pouvons facilement le vérifier, dit-il tout songeur.

— Je pense que Nancy va rentrer au Texas avec le corps de son mari.

— Non, répondit Julia. Elle a parlé de quelque chose qu'il fallait qu'elle règle, à Washington.

— Si on voyait ça? dit Hockney en tendant l'appareil à Julia.

— Bob, il est horriblement tard.

— Essayons, insista-t-il. Je doute qu'elle dorme beaucoup cette nuit.

2

WASHINGTON, D.C.

A bord de l'avion de huit heures du matin à destination de Baltimore-Washington International, Hockney lisait l'article paru sous sa signature en première page du *New York World*, illustré d'une photo du corps du sénateur Fairchild qu'on emportait sur une civière. Hockney fut quelque peu surpris de constater qu'on n'avait rien changé à son article, téléphoné tard la veille depuis son hôtel, y compris le passage relatif à une possible implication des Cubains dans l'enlèvement et la mort du sénateur. Len Rourke, le rédacteur en chef du *World*, devait encore être en week-end à Sag Harbor lorsqu'on avait bouclé l'édition du lundi.

– Vous permettez que je jette un coup d'œil? L'homme trapu assis à côté de Hockney se pencha tandis que le journaliste enfournait le journal dans la poche devant lui. Le voisin de Hockney était l'agent des Services secrets chargé d'escorter Nancy Fairchild pour son retour à Washington. Au départ de l'avion, il s'était assis à côté de la veuve du sénateur, deux rangées derrière les « Fumeurs », mais Julia l'avait convaincu de changer de place avec elle.

Hockney tendit son numéro du *World* à l'homme des Services secrets et se leva pour se dégourdir les jambes. En se retournant, il vit Nancy Fairchild demander un Bloody Mary à l'hôtesse. Il saisit le regard de Julia qui lui fit un petit signe rapide.

47

Ils évitèrent les photographes qui attendaient à l'aéroport et prirent ensemble la limousine du sénateur jusqu'à l'appartement du Watergate Est.

Il faisait tiède et étouffant dans le bureau. L'odeur des cigares refroidis du sénateur collait aux lourds rideaux verts. Le courrier personnel, arrivé pendant l'absence des Fairchild, était réparti en piles bien nettes sur le bureau. L'une des piles, remarqua Hockney, était constituée par des télégrammes et lettres de condoléances acheminés par porteur spécial.

— Millicent, au bureau, avait l'habitude de s'occuper de ces horribles factures, soupira Nancy en feuilletant un paquet d'enveloppes. Mais j'ai insisté, après notre mariage, pour m'en occuper moi-même. Seigneur, je ne sais pas comment je vais faire maintenant.

Il lui fallut quelques instants pour retrouver l'enveloppe bleue du téléphone. Nancy la tendit à Julia qui l'ouvrit soigneusement avec le coupe-papier en or du sénateur. La note mensuelle de téléphone des Fairchild, remarqua-t-elle, s'élevait à quelque neuf cents dollars. La liste des appels interurbains couvrait une vingtaine de feuilles.

Julia prit un crayon et entoura tous les appels pour Miami. Elle compta six numéros différents dans une zone qui avait 305 pour préfixe.

— Je vais me rafraîchir, annonça Nancy.

— Vous permettez qu'on utilise votre téléphone? demanda Hockney.

— Utilisez tout ce que vous voudrez. Les bouteilles se trouvent dans la petite armoire, sous les livres.

Méthodiquement, Hockney se mit à composer les numéros à Miami, dans l'ordre de la liste. La première fois, il tomba sur la réception d'une agence immobilière de Coral Gables. Les numéros suivants étaient ceux d'une banque, d'une station locale de télé et du bureau du maire.

Au cinquième appel, il tomba sur une standardiste qui annonça : « Police de Miami ».

Il raccrocha et demanda à Julia :

— Pourquoi le sénateur aurait-il appelé la police de Miami?

— Je n'en ai pas la moindre idée. Ça pourrait avoir un rapport avec la commission.

Hockney essaya le dernier numéro et tomba sur un répondeur.

Le message enregistré annonçait, sans plus de formalités : « Ici Jay Maguire. Laissez votre nom et votre numéro. Je rappellerai », ton franc, voix sans fioritures, légèrement assourdie, comme si l'homme mâchait du chewing-gum.

— Maguire, dit Hockney. C'est un nom de flic pour toi, ça ?

— Ou un flic ou un bar, répondit Julia.

De nouveau, Hockney composa le numéro de la police de Miami et demanda à la standardiste :

— Vous avez un Jay Maguire chez vous ?

— Ne quittez pas. Après un bref instant, la voix de la standardiste demanda : l'inspecteur Maguire ?

— Je crois que c'est ça.

— Il est de service à l'extérieur. Voulez-vous laisser un message ?

— Je vous remercie. Je rappellerai.

Hockney pensa que si l'inspecteur était bien l'homme qui avait essayé de garder l'anonymat en téléphonant au sénateur chez lui, tard dans la soirée, il ne serait pas débordant de joie en trouvant sur son bloc un message d'un journaliste du *World*.

— Et alors ? demanda Julia.

— Je crois que nous avons trouvé le correspondant nocturne.

MIAMI

L'inspecteur Maguire prit son service un peu avant deux heures du matin et son collègue, Wilson Martinez, vit tout de suite que quelque chose ne tournait pas rond. Maguire, nerveux, dansait sur la pointe des pieds comme un boxeur avant le combat. L'inspecteur claqua la portière de la Plymouth blanche, se pencha sur le volant, démarra et sortit du parking, situé derrière les bureaux de la police, sur les chapeaux de roues. Maguire aimait bien conduire lui-même bien que ce fût lui l'inspecteur.

— Qu'est-ce qui te tracasse, Jay ? demanda le flic cubain d'un ton désinvolte. Ta souris t'a posé un lapin ?

49

Il savait que Maguire draguait une jolie rousse – il était partisan des rousses – qui travaillait chez Hertz, à l'aéroport.

– Occupe-toi de tes fesses.

A cela, Martinez sentit que quelque chose ne tournait vraiment pas rond. Jay Maguire – beau garçon dans le genre dur – manifestait d'ordinaire une bonne humeur assez crue sur le chapitre de sa vie sexuelle agitée. Aucune rivalité entre les deux flics en ce domaine : Maguire, la trentaine, était célibataire et entendait bien le demeurer; Martinez, de cinq ans son cadet, était marié, heureux de l'être et avait deux gosses.

La voix de la standardiste crépita dans la radio.

– Trois-cinquante, annonça-t-elle, donnant l'indicatif de leur voiture. Rendez-vous au six-trois-six 1re Rue sud-ouest. On signale le cadavre d'un bébé.

– Q.S.L., dit Maguire, accusant réception.

La voiture de patrouille s'arrêta dans un grincement de freins devant le petit immeuble de deux étages dont la pancarte lépreuse annonçait « SOUS-LOCATIONS ». Cinq ou six personnes, assises sous la véranda ou accoudées, regardèrent les policiers descendre de voiture, l'œil haineux. Une gamine pâle et mal lavée, des traces de cambouis sur ses joues creuses, berçait un bébé. On aurait dit une poupée de chiffon abandonnée dans une poubelle. Quelques Noirs, pas rasés et torse nu, se repassaient une boîte de bière. L'un d'eux tirait sur un joint qu'il n'essaya même pas de cacher.

L'inspecteur Maguire s'approcha d'eux.

– Vous avez entendu parler d'un bébé mort?

Pas de réponse.

– Hé, merde. Essaie, toi, Wilson.

Martinez répéta la question en espagnol. Un homme en chapeau de paille murmura quelque chose et demanda aux policiers de le suivre derrière l'immeuble et dans des escaliers branlants, jusqu'au dernier étage.

– Le gars prétend être le gérant, expliqua Martinez à Maguire.

Une odeur nauséabonde d'urine et d'excréments prit Maguire à la gorge avant qu'ils eussent gagné le palier.

Il jeta un regard sur le couloir aux lames de parquet disjointes et pourrissantes, éclairé d'une unique ampoule nue. Cinq pièces s'ouvraient de part et d'autre. L'homme au chapeau de paille en désigna une, parmi les rares pourvues d'une porte.

– *Aqui,* dit-il en frappant de la paume de son énorme main sur la porte, qui céda.

Quelques dizaines de cafards, effarouchés, trouvèrent abri derrière les lambeaux de papier peint humide et pelé ou dans les coins obscurs des trois matelas maculés de taches jaunes, posés sur des cadres de bois. Pas d'eau, pas de sanitaires, pas de fenêtre. Rien qu'un tas de linges souillés sur le sol. Et un seau en plastique rouge.

Maguire aperçut deux petits pieds qui dépassaient du rebord du seau. Dans le seau, à moitié rempli d'urine, étaient immergées la tête et les épaules d'un bébé qui, selon Maguire, pouvait avoir dix ou douze mois. Une fille.

– Tu aimes ça? demanda-t-il à la pièce vide.

Lorsque Maguire se retourna, Martinez vit qu'il serrait les poings à s'en faire blanchir les jointures.

– Appelle la Criminelle, ordonna-t-il au Cubain.

Tandis que Martinez retournait à la voiture pour lancer son appel, l'inspecteur essayait d'imaginer ce qui avait pu provoquer la mort du bébé. Il inspecta l'unique salle d'eau qui servait à tout l'immeuble et comprit pourquoi on trouvait des seaux dans la plupart des chambres.

Lorsque Martinez revint jouer les interprètes, il put recueillir quelques bribes de renseignements de l'homme au chapeau de paille. Les parents du bébé étaient des Haïtiens. Le père était parti quelques mois plus tôt. On n'avait pas vu la mère depuis plusieurs jours. Mais le frère de la mère habitait la maison.

Ils trouvèrent l'oncle au milieu de la bande de réfugiés cubains et haïtiens qui s'étaient rassemblés à l'étage poussés par une curiosité morbide. Le Haïtien, un garçon de seize ou dix-sept ans, ne portait qu'un short déchiré, un serre-tête rouge et une insolite montre en or, énorme, pendant à une chaîne autour de son cou. Le garçon avait la grâce nerveuse d'une antilope et, comme elle, des yeux doux, implorants. Il ne parlait que le créole. Martinez eut du mal à se faire entendre et à comprendre ce sabir de français. Pour l'encourager à parler, le gérant gifla le garçon, et celui-ci eut un mouvement de recul semblant indiquer qu'il avait l'habitude d'être molesté.

Maguire saisit le gérant par l'épaule et le repoussa.

— Seigneur, jura l'inspecteur, qu'est-ce qu'ils veulent tous ces mecs?

— Mollo, Jay, lui demanda son collègue.

— Je te demande ce qu'ils foutent là?

Maguire embrassa d'un regard courroucé la foule qui s'était amassée en haut des escaliers, à la fois curieuse et hostile.

— Je sais, je sais, dit doucement Martinez. Souviens-toi que j'ai des gosses, moi aussi.

— Alors, demande-lui — l'inspecteur montrait le Haïtien — où est la mère, bordel.

Le gamin n'avait qu'une idée toute relative du temps et ne savait pas bien si sa sœur avait disparu le jour même, la veille ou le jour précédent. Il ne savait pas où elle était. Il pensait que le père du bébé était mort.

Maguire exclut l'hypothèse d'un meurtre. Il imaginait parfaitement, dans ses sordides détails, ce qui avait dû se passer. Il imaginait la mère de l'enfant, à court de drogue, abandonnant l'enfant pour courir après sa prochaine dose. Il voyait le bébé ramper jusqu'au bord du lit, basculer, se noyer dans le baquet de pisse. Il imaginait la mère revenant quelques heures plus tard, prise de panique et s'enfuyant, dans un autre de ce millier de coins d'enfer que comptait Miami, ni mieux ni pire que celui-ci.

Son collègue, voyant la colère de Maguire tourner à une froide expression de tristesse et de douleur, s'inquiéta bien plus de cet état que de celui qu'il avait constaté à la prise de service. L'une des conditions indispensables à l'accomplissement de leur tâche, ils le savaient l'un et l'autre, était de pouvoir dresser un mur d'indifférence entre soi et ce qui se passait dans la rue. Quand le mur craquait, on craquait aussi.

Aussi, lorsqu'ils eurent regagné la voiture et que Maguire dit : « On pisse dans un violon, tu sais ça? » son collègue se borna à acquiescer de la tête et à prendre une autre cigarette.

Ils traversaient Overtown, un quartier de Miami de quelque vingt-cinq pâtés de maisons de long sur une dizaine de large à quelques minutes à peine du siège central de la police, un fouillis de cabanes en planches, de maisons branlantes et de baraques rouillées. Pas de cinémas, mais des tas de « baraques à shooter » — des maisons abandonnées où les drogués venaient se piquer à l'héroïne. L'expression revêtait un sinistre double sens car, selon les archives du bureau 512 – la brigade des crimes et délits contre les personnes – on avait compté environ un meurtre à chaque coin de rue dans Overtown au cours des cinq années écoulées. On trouvait, dans le quartier, quelques hôtels minables, aux noms ridicules comme l'*Impérial,* surtout fréquentés par des putains noires ou blanches à dix dollars la passe. Quant aux pièges à blennorragies que constituaient les bars, ils s'appelaient le *Pot de Miel* ou l'*Abeille Pressée.*

Overtown avait sa forteresse, au 1130 2ᵉ Avenue nord-ouest. Les gens de la rue et les flics l'appelaient simplement Le Trou, comme le Trou Noir de Calcutta. Vaste immeuble de deux étages en forme de fer à cheval, de couleur rose à l'origine, aucun rempart ni créneau ne le défendait mais seulement un mur humain, fourmillant et impénétrable. Impénétrable du moins pour les forces de police de Miami. La nuit, il semblait y avoir quelqu'un à chaque fenêtre, sur chaque balcon. Entre les deux branches du fer à cheval grouillaient des centaines de trafiquants et d'acheteurs, défendus par une phalange de jeunes Noirs, le long des trottoirs. Les gosses de riches qui se risquaient dans la 2ᵉ Avenue pour acheter leur came n'avaient même pas à arrêter leurs voitures de sport pour en prendre livraison. En tournant à l'angle de l'épicerie *Chez Annie,* le client n'avait qu'à indiquer, de la main, la quantité désirée : autant de paquets que de doigts levés. Le temps d'arriver au coin de rue suivante, laissant prudemment Le Trou derrière lui, il avait payé et pris livraison de sa came.

Maguire ne s'arrêtait jamais en traversant Le Trou.

– Rou-Rou. Ça roule.

Il entendit le murmure insistant se faire plus fort, montant en un chorus d'avertissements, menaçant, tandis qu'il tournait à l'angle de *Chez Annie.*

– Rou-Rou. Ça roule.

L'expression qu'utilisaient les Noirs de la rue pour signaler l'arrivée des flics. Maguire pensait qu'elle trouvait vraisemblablement son origine chez les petits groupes de Noirs qu'on voyait jouer à la passe anglaise au coin des rues. Jouer aux dés pour de l'argent était censé être illégal. A cet égard, Maguire se contentait de baisser sa vitre et de gueuler « Piquez-les! » ou « Vous êtes faits! », ce qui, il le savait bien, était parfaitement inutile. Ça ne servait qu'à rendre flagrante la réalité : la police

53

n'allait pas sévir contre les divers délits mineur, même commis sous ses yeux. Dans la jungle, on ne se soucie guère des pancartes disant « DÉFENSE DE MARCHER SUR LE GAZON ».

A la suite des émeutes raciales du printemps 1980, on avait fait de Liberty City, dans le monde entier, le pire des ghettos noirs de toute l'Amérique. Comparée à Overtown, songeait Maguire, Liberty City constituait un coin relativement calme et sans danger. Maguire lui-même était né à la limite de Liberty City, dans un quartier où se mêlaient Noirs, Irlandais et Hispaniques. Un quartier dur. Maguire avait appris à se battre bien avant que les Rats de la Rivière l'acceptent dans leur bande. Il avait à peine huit ans lors de sa première rencontre sérieuse avec les flics, le jour où, après avoir pillé le réfrigérateur familial, il avait bombardé d'œufs une voiture de patrouille. Son père avait disparu quelques années plus tard, abandonnant sa mère avec cinq gosses à élever. Il avait commencé à voler des pièces de voitures pour arrondir le montant des allocations d'Aide sociale.

Aussi, bien que parcourant les rues à bord d'une voiture portant le mot « Inspecteur » peint sur les portières, Maguire avait pleine conscience d'un cordon ombilical le reliant aux gens de la rue. Cela lui permettait de reconnaître les « sales types », de savoir s'ils étaient capables de « coups fourrés » et de prévoir leurs réactions. Si le hasard avait fait les choses différemment, il aurait pu se trouver parmi eux.

Maguire scrutait maintenant la foule grouillante qui sortait du Trou. Il repéra un jeune qu'il avait ramassé quelques semaines plus tôt après l'attaque d'une boutique de spiritueux. Il aperçut Blue, l'un des hommes chargés du maintien de l'ordre dans le quartier, un géant noir tout de bleu vêtu, depuis son chapeau à bords tombants jusqu'aux jeans et aux chaussures de daim. Et il vit un groupe de Noirs en bérets et calottes blancs. L'un d'eux, d'une taille légèrement inférieure à la moyenne, les traits réguliers et portant un bouc, était élégamment vêtu d'un kaki aux plis impeccables.

– Tiens, voilà le Jamaïcain, fit observer Martinez en le montrant du doigt.

– Je l'ai vu.

– Qu'est-ce qu'il fout dans le Trou? Ces mecs ne font

pas dans leur connerie de guérilla islamique mais dans la magouille.

– Peut-être que le Jamaïcain veut changer ça.

Maguire décida de jeter un second coup d'œil. Il fit le tour du pâté de maisons et revint doucement vers le Trou. Le Jamaïcain et ses acolytes installaient une estrade de fortune et distribuaient des tracts. Le Jamaïcain tapa sur son micro et dit : « Mes frères ». Quelques-uns des jeunes de la rue s'attroupèrent pour l'écouter.

– Mes frères, tonna-t-il. La bouche trop près du micro rendait les mots quasiment inintelligibles, produisant une sorte de roulement de tonnerre. Nous sommes tous les victimes d'un génocide économique. La seule réponse au génocide en Amérique est la guérilla. Nous la mènerons avec des fusils, des pistolets, des cocktails Molotov, des couteaux, des rasoirs, des barres de fer et nos poings nus. Ce sont nos seuls moyens de défense. Mais nous ne vaincrons que par la *discipline*. C'est pas fameux de sortir sans plan pour se faire un flic ou casser un magasin. Faut avoir un plan. Faut mobiliser votre prise de conscience spirituelle et politique, mes frères. Faut vous y mettre tous ensemble et nous, nous pouvons vous aider, parce que nous appartenons à un mouvement mondial et que nous respectons les lois du Coran.

– Quelle merde, dit Martinez. On ne dirait pas un Jamaïcain, à l'entendre.

– Il est né à Kingston, expliqua Maguire, mais il a été élevé ici. Et il se déplace. J'ai entendu dire qu'il a passé pas mal de temps à Cuba. Il se fait appeler Commandant Ali, maintenant.

– Qu'est-ce que c'est que ces conneries islamiques qu'il débite? On est à Miami, pas à Beyrouth.

– C'est *toi* qui le dis, fit observer Maguire.

– Mais les Noirs du coin ne se sont jamais foutus dans ce truc de guérilla, protesta Martinez. Je crois pas qu'ils mordent à ça.

– Peut-être pas, dit l'inspecteur sans trop s'avancer. Mais le Jamaïcain fait tout pour qu'ils y mordent.

En passant, ils virent l'homme qui se faisait appeler Commandant Ali balayer l'air de ses bras. Le spectacle accrut encore le sentiment de malaise de Maguire. Il semblait que partout dans la ville quelqu'un essayait de semer la pagaille, comme si on n'en avait pas assez avec les trafiquants de drogue et la vague de crimes. Tandis que les Fedayines noirs parcouraient Liberty City et Overtown, des groupuscules tout aussi violents – de la gauche pro-castriste à la droite fascisante – tentaient d'obtenir le soutien de la communauté cubaine et autres populations latino-américaines en exil. Et l'on sentait chez certains Anglos en sérieux esprit d'autodéfense. La ville avait reçu un avertissement en 1980, lorsque Liberty City s'était enflammée. Les hommes politiques, dans un accord tacite poli, s'accordaient à ne pas parler des risques de nouvelles émeutes raciales. Mais Maguire, qui avait vu un gosse blanc se faire briser le crâne – répandant une sorte de chair à saucisse – parce qu'il passait en voiture dans un quartier noir au moment où il n'aurait pas dû, Maguire qui avait constaté une telle haine impersonnelle plus aiguë même que lui qui connaissait les rues l'aurait imaginé, Maguire savait que l'amadou était bien là. Il savait qu'il devenait de plus en plus sec, de plus en plus inflammable chaque jour de ce long été torride.

Dans un crépuscule grénelé comme de la poudre à canon, les deux policiers pénétrèrent dans *El Pub,* face à Domino Square. Martinez commanda un steak *cebollado* tandis que Maguire vidait une Bière de Fer. Malgré son nom, et l'étiquette représentant un apollon musclé qui avalait du fer, la boisson ne contenait pas d'alcool. Maguire buvait suffisamment en dehors des heures de service pour compenser cette rigoureuse tempérance.

– Tu as entendu les dernières nouvelles sur ce sénateur qu'ils ont buté à Porto Rico? demanda Martinez, pour faire la conversation.

– Qu'est-ce qu'elles disaient?

– Des gars en parlaient, au central. Ils disaient que des Cubains étaient dans le coup, et qu'ils se trouvaient peut-être ici à Miami.

Maguire grogna, comme si le sujet l'ennuyait ferme.

– Le sénateur Fairchild prétendait avoir des tuyaux sur Castro et le trafic de drogue, insista Martinez. C'est peut-être pour ça qu'ils l'ont effacé.

– Peut-être.

Maguire n'avait aucune raison de ne pas faire confiance à son collègue. Il aimait bien Martinez et il le croyait quand celui-ci se lançait dans ses longues harangues sur les maux du régime castriste. « Si les Américains tentent un jour une invasion sérieuse de Cuba, lui avait déclaré Martinez une fois, je serai le premier homme du premier bateau. » Le père du flic cubain avait été tué dans l'affaire de la baie des Cochons et sa famille avait tout perdu dans la Révolution. On ne pouvait douter de l'hostilité de Martinez à l'égard de Fidel. Mais il faisait montre d'une certaine naïveté.

On doit pouvoir compter sur le gars avec lequel on fait équipe. C'était là la première règle de survie d'un flic dans la rue. Quant à tout partager avec lui... Maguire n'avait rien dit à Martinez de ce qu'il savait et dont le fardeau se faisait plus lourd depuis qu'il avait appris la mort du sénateur Fairchild. Ce n'était pourtant pas dans le genre de Maguire de se confier au sénateur. Fairchild était un homme politique et le flic n'avait pas de temps à perdre, en général, avec les hommes politiques. Mais il avait vu Fairchild à la télé et conclu que le sénateur avait bien l'intention d'aller au fond des choses en ce qui concernait la drogue. Le flic savait qu'il prenait des risques, dont le moindre était que si les pontes de la police l'apprenaient, ils pourraient bien lui retirer son insigne. Il ne lui était jamais venu à l'idée qu'il pouvait également exposer le sénateur Fairchild.

— Tiens, regarde, dit Martinez, le tirant de ses pensées. Voilà M. Grossium. Par la fenêtre du restaurant, Maguire vit la voiture glisser lentement dans Calle Ocho. Au bas mot, elle avait dû coûter l'équivalent de quatre ans du salaire de Maguire, heures supplémentaires comprises. C'était une Rolls-Royce Corniche, que son propriétaire avait souhaitée de couleur champagne, comme pour annoncer son prix.

La nuance de respect, et même d'admiration, qui perçait sous les airs de dur du flic cubain n'échappa pas à Maguire. Le propriétaire de la Rolls champagne, Julio Parodi, était un homme qu'on tenait en grand respect dans la Petite Havane. C'était son argent qui avait financé l'appareil paramilitaire, les camps d'entraînement et les bungalows du quartier général du plus récent et du plus extrémiste des groupements anticastristes en exil, la *Brigada Azul*, ou Brigade Bleue.

Maguire pouvait voir la masse du chauffeur-garde du corps de Parodi, « Mama » Benitez, sur le siège avant, et la lueur du cigare de son patron à l'arrière. Un instant, il distingua le profil de Parodi : les cheveux gris broussailleux, le nez cruel en bec d'aigle, le long menton carré, la chair flasque de ses bajoues et sa graisse, sous les plis de sa chemise de soie. A cet instant, Maguire fut pris d'un désir fou de descendre dans la rue et de se retrouver face à face avec cet homme qui incarnait – dans ses pensées et jusque dans ses cauchemars – la maladie qui rongeait la ville.

M. Grossium, comme l'avait appelé Martinez, était l'un des caïds les plus prospères de la cocaïne à Miami. Le réseau de Parodi s'étendait des revendeurs à la sauvette d'Overtown et de la Petite Havane jusqu'aux fournisseurs en Colombie et en Bolivie. Ses bénéfices lui avaient acquis la majorité des actions d'une banque locale, d'une paire de restaurants, d'une affaire d'immobilier et d'une société d'armement – la Camagüey Internacional, qui vendait des armes dans tout le continent. Ses revenus lui permettaient un beau train de vie avec notamment trois appartements de grand standing, en attique, à Key Biscayne, un yacht, un jet, ainsi qu'une écurie de putes de luxe.

Son argent et ses relations conféraient en plus à Julio Parodi une totale impunité à l'égard de la loi, du moins jusqu'à maintenant. C'était là la cause première de l'obsession de l'inspecteur Maguire.

Un des amis de Maguire, aux Renseignements généraux, avait naguère tenté d'infiltrer quelqu'un dans le gang Parodi. Un indicateur confidentiel – IC en jargon policier – prêt à trahir le trafiquant qui l'avait supplanté dans une affaire. Conformément au règlement, l'ami de Maguire avait fourni une photo de son IC pour les dossiers des R.G. Le lendemain, la photo avait disparu, vraisemblablement « empruntée » par quelqu'un d'autre au central. Vers la fin de la semaine, l'IC avait disparu, lui, de la surface du globe et le flic avait été muté à Fort Lauderdale.

Lorsqu'il eut trouvé sa propre IC, Maguire l'avait conservée pour lui; pas de photo dans les dossiers, pas de rapports compromettants. Gloria était une pute à cinq cents dollars la nuit qui passait de l'*Omni* au nouvel *Holiday Inn* où l'on avait baptisé les salles de réunion, avec un bel esprit d'à-propos, « Bogota » et « Colombie ». Maguire avait fait la connaissance de Gloria avant qu'elle atteigne les hautes sphères. Environ un an plus tôt, il avait répondu à un appel du central signalant des violences sexuelles dans un motel minable de Biscayne Boulevard. Lorsqu'il eut enfoncé la porte verrouillée, il avait découvert une fille nue qui sanglotait sur le sol, mains et jambes liées par une ceinture et des morceaux d'un drap déchiré. Son client, que l'on venait de déranger – un représentant de commerce de Cleveland –, tentait laborieusement de démonter un cintre en fil de fer.

Maguire avait étendu le représentant de commerce d'un coup bien net de la crosse de son revolver.

– Qu'est-ce qu'il essayait de faire avec ce cintre, bordel, avait demandé Maguire à Gloria.

– Il a dit qu'il allait me prendre.

Jolie rouquine enfuie de l'épicerie de papa et maman, près du lac Okeechobee, Gloria avait alors dix-huit ans – du moins le prétendait-elle. Du côté de sa mère, elle était aux trois quarts séminole. Le cinglé l'avait salement dérouillée, mais pas assez pour l'amocher ni pour la dissuader de poursuivre son commerce. Depuis lors, elle avait gravi pas mal d'échelons.

Gloria avait de quoi lui manifester sa reconnaissance, et Jay Maguire n'avait pas refusé. Après tout, elle était rousse. Elle lui avait avoué qu'il était, depuis ses quatorze ans, le seul homme capable de la faire jouir. Il avait préféré la croire.

Tandis que le cercle de ses clients se faisait plus vaste, jusqu'à compter les gros bonnets du trafic de drogue et les pilotes qui convoyaient leurs colis depuis la Colombie et les Bahamas, Maguire avait réalisé le potentiel qu'elle représentait comme indic. Il ne s'attendait pourtant pas aux révélations accablantes qu'elle allait lui faire sur Julio Parodi.

Deux mois plus tôt, alors qu'il était assis à siroter un *cafecito* avec Martinez à la *Dockside Terrace,* le central l'avait appelé à la radio.

– Il y a une dame qui veut te parler, urgent, avait annoncé le standard. Tu ferais bien de te manier. C'est peut-être un deux.

Les standardistes n'étaient pas censées être au courant de ce qu'était « faire un deux ». Dans l'argot de la brigade de la voie publique, cela signifiait baiser pendant les heures de service.

– Jamais entendu parler d'un deux, avait répondu Maguire, plaisantant avec la standardiste. Mais je pourrais lui demander de me montrer.

Gloria avait quelque chose de plus urgent qu'un deux.

Elle expliqua qu'elle venait de passer la nuit, après une partie salée dans l'appartement privé de Parodi à Key Biscayne, avec un ancien pilote d'Air America. Après un nombre suffisant de scotchs, le pilote avait jasé : on le payait bien pour faire quelque chose que jamais il n'avait tenté jusque-là – poser un 727 sur une autoroute en pleine nuit. Au cours de leurs ébats, Gloria était parvenue à lui arracher qu'il s'agissait de l'autoroute 27, près de l'entrée du parc national des Everglades. Son compagnon avait précisé qu'il la verrait avant la fin de la semaine, pour fêter ça.

Maguire avait passé le tuyau à un contact du F.B.I., refusant de révéler sa source. Pendant trois jours et trois nuits, la police locale et les agents du F.B.I. s'étaient mis en planque dans le coin. Finalement, vers trois heures du matin ils avaient vu quatre voitures se placer de chaque côté de l'autoroute, à cent mètres d'intervalle et à un kilomètre et demi de l'entrée du parc. Les phares des voitures délimitaient une piste d'atterrissage.

Une demi-heure plus tard, un 727 quelque peu délabré, peut-être l'un des premiers construits, allait pesamment s'arrêter un peu au-delà des phares de la dernière voiture. Un camion recula jusqu'aux portes de l'avion, sur le côté. Les flics attendirent la fin du déchargement avant d'intervenir.

Ils ne rencontrèrent aucune résistance des hommes qui entouraient l'appareil. Parmi eux se trouvait Mama Benitez, le chauffeur de Parodi. Ils ouvrirent les portes du camion, un des sacs de la cargaison, puis les autres. Ils contenaient du café de Colombie. Pas du café *et* de la cocaïne. Non, seulement du café. Ils ne purent que boucler le pilote pour atterrissage interdit.

Le F.B.I. déposa une plainte officielle qui descendit jusqu'à Maguire, par le bureau du patron. Maguire comprit alors qu'on avait rencardé Parodi. Il ne put savoir si la fuite s'était produite à l'intérieur du F.B.I. ou d'un autre organisme. Mais il comprit que le réseau de Parodi opérait à un niveau bien plus élevé que celui des flics de la rue qui travaillaient sur le tas – des flics comme le Noir qu'ils avaient rencontré sur le Grove et qui affichait ostensiblement une Rolex Presidential sertie de diamants qui devait coûter dix-huit mille dollars, prix de détail. Il fut heureux d'avoir eu le bon sens de la boucler à propos de Gloria.

Maguire avait alors songé que Parodi devait probablement sa survie à autre chose qu'à son fric. Il avait jeté un œil sur les divers dossiers concernant le caïd de la drogue, au central, et en avait déduit que le fil directeur devait se trouver dans les débuts de Parodi.

Né vingt ans avant la révolution castriste, Parodi avait quitté l'île dans les mois qui avaient suivi le triomphe de Castro. Il y était retourné avec les égarés de l'expédition de la baie des Cochons. Parodi avait tiré environ deux ans dans une prison cubaine. Après quoi le gouvernement américain l'avait racheté – payant la rançon des anciens de la baie des Cochons avec des denrées alimentaires et des tracteurs. Il avait refait surface au milieu de la guerre civile au Congo comme pilote contractuel pour le compte de la C.I.A. De retour aux États-Unis vers la fin des années soixante, il était devenu une figure familière des bars de Key West et de Marathon, donnant l'impression d'être mêlé aux missions paramilitaires secrètes que lançait la C.I.A. depuis les Keys de Floride.

A l'époque où Maguire sortait diplômé de l'école de police, Parodi, grâce à ses talents particuliers, était devenu l'un des hommes les plus riches du sud de la Floride. Il avait gagné l'argent, disait-on, en ramenant en avion des ballots de marijuana de la péninsule de Guajira, en Colombie. Bientôt, il passait des cargaisons bien plus coûteuses – cocaïne et héroïne – et se faisait deux cent mille dollars à chaque voyage.

C'est le lien avec la C.I.A. qui étonnait et fascinait Maguire. Parodi s'en vantait ouvertement devant Gloria et les autres filles de son écurie ainsi que devant ses copains de beuveries, à la Mutiny Room. Impossible de savoir avec certitude si Parodi travaillait toujours pour l'Agence ou essayait d'utiliser la C.I.A. comme couverture. La filière C.I.A. pouvait expliquer l'apparente invulnérabilité du trafiquant. On aurait dit qu'une main invisible se trouvait toujours là pour protéger Parodi des conséquences de ses actes.

Maguire avait mûrement réfléchi à tout cela lorsque Gloria lui avait ramené quelque chose d'encore plus fascinant que l'histoire du 727. Dix jours plus tôt, environ, elle lui avait fixé rendez-vous dans son appartement minable – mais plein de gadgets électroniques coûteux et de coussins d'amour rouge vif – à Biscayne. La pute avait dit à Maguire qu'elle s'était trouvée

61

à une autre partie chez Parodi, et que cette fois on l'avait payée pour divertir un de ses amis des Caraïbes.

— Un Noir, dit-elle au flic. Enfin, presque noir. Il baisait comme un marteau-piqueur.

— Laisse les détails. D'où il était?

— C'est ça qui est drôle. De La Havane.

— Tu veux dire qu'il est arrivé par bateau, ou un truc comme ça?

— Non. La Havane – La Havane, insista Gloria. Il y retournait.

— Tu es sûre?

— Sûr que je suis sûre. Je crois qu'il avait arrangé un voyage pour Julio aussi.

— Tu veux dire que Parodi part pour Cuba? avait demandé Maguire, stupéfait et incrédule. L'idée ne collait pas exactement avec la prise de position notoire du trafiquant en faveur du mouvement le plus violemment anticastriste de Miami.

— Ouais. A l'entendre, je crois qu'il y est déjà allé. Bon, ça vaut une récompense?

Maguire avait passé le plus clair de la nuit à essayer de comprendre ce que Gloria lui avait dit. Si Parodi allait à Cuba, cela signifiait qu'il doublait ses petits copains de droite de la Petite Havane. Cela pouvait signifier qu'il travaillait secrètement pour la C.I.A. – ou pour les gens de Castro. Quoi qu'il en fût, cela laissait fortement présumer que les Cubains devaient être parfaitement informés de ses trafics de drogue, et lui apporter un soutien actif.

C'est à ce stade de l'affaire qu'il avait vu par hasard le sénateur Fairchild dans *Face à la Presse*. Le sénateur parlait du rôle de Castro dans le commerce de la drogue avec une telle véhémence que le flic de Miami avait commencé à penser que, pour une fois, un homme politique pouvait être un allié. Son premier coup de fil hésitant au sénateur l'avait confirmé dans cette impression. Le sénateur était tombé d'accord pour traiter avec lui personnellement et pour ne pas mettre son équipe dans le coup. Maguire, au cours de la semaine écoulée, lui avait refilé des tuyaux par bribes. Et voilà que le sénateur était mort et que lui était là à regarder disparaître les feux arrière de la Rolls de Parodi dans Calle Ocho, sans pouvoir s'empêcher de penser qu'il existait un lien, là aussi.

— J'aimerais qu'on se mette au boulot, annonça Maguire à son coéquipier en se levant. Ce serait peut-être une nuit propice pour faire un raid dans quelques-uns de ces bars de Mariels.

— J'ai pas fini de manger, protesta Martinez.

— Oh, laisse tomber. Tu vas prendre du lard avec ce riz et ces haricots et ta femme ne te laissera plus faire d'autres enfants.

Il utilisa son talkie-walkie pour appeler les trois autres voitures de la brigade et demander aux conducteurs de se rendre au lieu de rendez-vous habituel : le parking de la porte nord-est du stade de l'Orange Bowl.

Les huit flics se réunirent autour de la voiture de l'inspecteur.

— Hé, Magic, dit Maguire à Andy Riggs, le chef d'équipe de la voiture 352. Et ton gilet?

— Fait trop chaud, gars. Ça me ralentit.

Le dialogue n'avait rien d'original. Riggs n'était pas le seul homme de la brigade qui détestât porter le gilet pare-balles réglementaire.

— Et toi Linda? demanda Maguire en se tournant vers l'équipière du flic noir, une bleusaille fraîche émoulue de l'école de police. Tu portes ton gilet ou c'est à toi tout ça?

Linda paraissait moitié moins grande que Maguire mais trois fois plus corpulente. Elle faisait de la musculation et ses biceps, lorsqu'elle les faisait saillir, étaient aussi gros que les cuisses de Maguire. Quand elle cognait une balle de base-ball, elle l'expédiait à trois cents mètres.

— Tu veux toucher pour te rendre compte? dit-elle à travers son chewing-gum, sa mâchoire inférieure animée d'un mouvement incessant.

— Pas pendant les heures de service, ma belle.

Lorsque Maguire se fut assuré que tout le monde avait passé son gilet, il commença le briefing.

— Bon, on va se faire quelques bars et voir combien d'armes de poing on peut ramasser ce soir. Vous avez été un peu lents la semaine dernière, les gars. Je veux voir la bleusaille passer la porte de devant et ressortir par celle de derrière en cinq secondes pile. Pepe, ajouta-t-il en se tournant vers un flic cubain, dis-nous ce qui se mijote ce soir.

– J'ai vu une paire de mecs à l'air pas très catholique vers chez Brindi. Il y a eu une fusillade au *Sugar Shack* hier soir. Et un vol au *River Inn*. Et tout un tas de mecs au *Molino Rojo*. Prenez vos outils.

– On va les prendre, décida Maguire. On commence par le *Sugar Shack*. Magic adore ça. Il y a des go-go girls.

– Envoyez-les, chef. Ces services de nuit ont bordélisé ma vie sexuelle.

– Ho, Linda, dit Wilson Martinez pour taquiner la coéquipière de Magic. Tu as été dure avec Magic?

– Il n'aime pas la douceur.

Les Cubains auxquels l'équipe de Maguire allait rendre visite n'étaient pas de ces premiers arrivés installés à la Petite Havane mais des *Marielitos* – ou « Mariels », comme disaient les flics. Au printemps et à l'été 1980, Fidel Castro avait ouvert toutes grandes les portes du petit port de Mariel à un nouvel exode de réfugiés cubains. Des centaines de bateaux, partis de Floride, devaient les conduire vers une nouvelle vie aux États-Unis. A Miami, la communauté cubaine les attendait à bras ouverts. Il fallut aux Américains plusieurs semaines pour commencer à réaliser qu'entre les exilés de Mariel et les réfugiés précédemment arrivés par bateau ou par avion, il existait des différences.

Pour la plupart, les premiers réfugiés de la révolution castriste étaient devenus des citoyens américains travaillant dur, respectueux de la loi, patriotes et particulièrement désireux de s'en tirer tout seuls. On fut choqué de découvrir que parmi les cent vingt-cinq mille *Marielitos* arrivés aux États-Unis se trouvaient non seulement plusieurs milliers d'agents castristes probables mais encore quelque cinq mille criminels endurcis et autres psy qu'on avait transférés directement de leur cellule ou de leur asile sur les quais.

A Miami, ces Mariels-là avaient engendré une nouvelle sous-culture, chassant de plusieurs rues adjacentes à la Calle Ocho les respectables premiers réfugiés cubains et effrayant les Anglos – le terme, en Floride du Sud, recouvrait tout ce qui n'était ni hispanique, ni noir – qui avaient tous quitté la ville. Le taux de criminalité à Miami avait doublé au cours de l'année suivant l'arrivée des Mariels et la plupart des habitants pensaient qu'ils en étaient responsables.

De même, le boulot de routine de Maguire au cours de ses services de nuit avait également doublé, songeait-il, fort mécontent tandis qu'il conduisait son petit convoi dans une allée latérale, à l'abri des regards de la porte du *Sugar Shack*. Des lumières clignotaient tout autour de l'enseigne d'un rose criard qui annonçait : « GO-GO GIRLS. NU INTÉGRAL ». Du juke-box, à l'intérieur, s'échappaient dans la rue les rythmes d'un rock and roll.

Maguire, de l'extérieur, jetait un coup d'œil à travers la porte, attendant que le reste de la brigade, conduit par Magic, se glisse par-derrière. Il pouvait voir deux douzaines de clients mâles, adossés au bar, qui regardaient une blonde mûrissante agiter maladroitement ses seins pendants et ses grosses cuisses au rythme de la musique. Plusieurs *putas* fanées, assises au milieu des hommes, les exhortaient à commander d'autres verres.

Tout d'abord, nul ne réagit lorsque la police, par les deux portes, fit irruption dans le bar. En voyant les uniformes bleus, certains hommes, comme des automates, se tournèrent lentement face au bar, s'y appuyant, jambes écartées, attendant la fouille. D'autres, qui n'étaient pas encore passés par là, levèrent nerveusement les bras. Maguire pouvait repérer parmi eux les nouveaux venus, aux blue-jeans neufs qu'ils portaient. Certains clients étaient soit trop ivres, soit trop bourrés de came pour comprendre ce qui se passait et il fallut leur donner l'ordre de prendre la pose.

Le patron du *Sugar Shack* éteignit le juke-box et la danseuse attendit passivement, les bras croisés sous ses seins, que la musique reprenne. Pendant quelques instants, on n'entendit que le bip monotone d'un jeu vidéo.

— N'oubliez pas les tatouages, rappela Maguire tandis que la fouille commençait.

— J'en ai un ici, brailla Magis depuis l'extrémité du bar.

Maguire vint jeter un coup d'œil. Il s'agissait du signe distinctif banal des criminels endurcis, parmi les derniers arrivés de Cuba : de minuscules tatouages dans la palmature de la main, entre le pouce et l'index, ou, moins fréquemment, à l'intérieur des lèvres ou même des paupières. Ces tatouages avaient représenté des insignes du grade à l'intérieur des geôles castristes. D'aucuns leur attribuaient également un sens occulte : un lien avec le culte cubain de *santería*.

L'homme dont s'occupait Martinez ressemblait à tous les autres clients du bar : pas rasé, prématurément desséché, efflanqué, les yeux vagues, la bouche ouverte, la langue pendante.

Maguire examina les marques sur la main droite de l'homme. Trois petits points.

— La drogue, non ?

— Ouais. Porteur de drogue, confirma Martinez.

— T'as trouvé quelque chose sur lui ?

— Deux Ludes dans sa poche, répondit Martinez en montrant deux pilules blanches. Je crois qu'il en avait une autre dans la bouche, mais il l'a avalée.

— Embarque-le.

L'inspecteur alla rejoindre Magic.

— Jette un œil sur ce fils de sa mère, dit le flic noir.

Maguire examina la paume de la main d'un mulâtre bâti comme une barrique et qui paraissait à la fois plus jeune et en meilleure santé que les autres clients. Son T-shirt rouge constituait également le seul vêtement propre de tout l'établissement. Et sa braguette était ouverte. C'était celui que Maguire avait vu, depuis la porte, se faire branler par une pute qui avait deux fois son âge. L'homme avait le vin mauvais et le fait qu'on eût interrompu son plaisir au moment crucial n'avait pas arrangé son humeur.

— Fais voir, dit l'inspecteur.

— Montre ça, abruti, ordonna Magic, saisissant le poignet du Mariel et posant sa main sur le bar.

Maguire examina le tatouage entre le pouce et l'index de l'homme, représentant un cœur, sur un ruban, et portant le mot « *Madre* ». Le cœur était percé par le manche d'une fourche décoré de flèches au bout.

Maguire reconnut la marque d'après un dossier des Renseignements qu'on avait passé à tous les gradés. La marque des exécuteurs.

— Il est net, dit Magic. Mais il me fait bien des misères. Je crois que c'est un FDE. Le Mariel cracha copieusement sur le sol, éclaboussant les chaussures de Maguire.

— Ouais, grommela l'inspecteur. C'est un FDE.

FDE signifiait « Faiseur d'emmerdes » dans l'argot de la police et désignait un récalcitrant. Cela se traduisait parfois par une inculpation pour ivresse et tapage sur la voie publique.

Magic embarqua de force vers la porte l'homme au T-shirt.

Maguire, un peu à l'écart, observait le déroulement de la fouille. Linda, vit-il, palpait la jambe d'un homme jusqu'à l'entrejambe tandis que le *Marielito* lui hurlait des obscénités en espagnol.

— Tu devrais peut-être empêcher Linda de fouiller les hommes, mumura Pepe à l'inspecteur. Ça pourrait nous faire de gros ennuis. Les Cubains ne sont pas habitués à ça, tu vois? C'est contre le *machismo*.

— Je crois que tu as raison.

Il s'avançait pour intervenir quand Linda s'écria :

— J'ai trouvé un flingue. Il l'a laissé tomber par terre et prétend l'avoir jamais vu, ajouta-t-elle en brandissant un « Samedi Soir Spécial » à bon marché.

Comme elle se tournait, le Mariel pivota et lui cracha : « ¡ *Puta!* »

En une seconde, Linda eut passé les menottes à l'homme, mains dans le dos.

— FDE? demanda-t-elle à Maguire d'une voix implorante.

— D'accord, concéda-t-il d'une voix lasse.

Lorsque la police faisait les bars, elle se bornait normalement à confisquer les armes et à conseiller aux propriétaires de les garder chez eux.

Tandis que Maguire sortait sur les pas du dernier de ses hommes, le juke-box repartit et la demi-sénile go-go girl reprit sa danse, continuant à agiter ses chairs flasques sur la scène poussiéreuse. La dernière vision qu'emporta l'inspecteur du *Sugar Shack* fut le Christ en plastique plus grand que nature qui jaillissait au-dessus de l'entrée comme une figure de proue.

— Mon Dieu, gémit Maguire en quittant le bar, dites-moi ce que je fais dans toute cette merde.

Sur le trottoir, les trois hommes arrêtés étaient alignés contre le mur, menottes aux poignets. Les hommes commençaient à discuter pour savoir qui prendrait qui et dans quelle voiture lorsque Maguire entendit un bip prolongé dans son talkie-walkie. Il le décrocha de son étui de cuir.

— Q.R.X., Q.R.X., appelait le central. On signale un vingt-neuf au douze cents.

— Q.S.L., répondit Maguire. On y va.

Un vingt-neuf était un vol en cours et le « douze cents » un

67

bar à l'extrémité ville de la Calle Ocho, un coin bien au-dessus des lieux de rencontre habituels des *Marielitos*. Les filles y étaient plus jeunes et plus jolies et la bière d'importation coûtait deux dollars soixante-quinze.

— Et ces touristes ? demanda Magic.

— Lâche-les ! hurla Maguire par-dessus son épaule alors qu'il courait déjà vers sa voiture.

— C'est ta nuit de veine, l'apache, dit Linda en libérant son prisonnier.

Lorsqu'ils arrivèrent au « douze cents » quelques instants plus tard, on leur dit que les voleurs venaient de filer. Les putes et les clients étaient toujours allongés, face contre terre, sous l'effigie d'une immense Vierge Marie. Mais le propriétaire avait réussi à jeter un coup d'œil sur la voiture des fuyards : une Chevrolet verte cabossée, avec un pare-chocs tordu. Il avait pu lire les trois derniers chiffres de la plaque : 558.

— Ils étaient quatre, traduisit Martinez. On dirait qu'ils étaient équipés pour la guerre : un fusil automatique, deux fusils de chasse et une paire d'armes de poing.

— Des Américains ou des Latins ?

— Des Noirs américains.

— Le pont ! hurla Maguire.

Le pont menait vers le nord, enjambant Miami River vers Overtown et Liberty City. Et le quartier général de la police.

— Vous avez le tuyau ? demanda-t-il à ses hommes. Tous ayant acquiescé, il ajouta : Okay, éclatez. Vers le pont. Si vous repérez la Chevy, suivez-la et appelez. Ne bougez pas avant l'arrivée de renforts. Et n'oubliez pas : Jouez au héros et vous vous retrouvez à la case zéro.

C'était là un conseil que Maguire lui-même oubliait de temps à autre.

Il rejoignit la Chevy verte pas très loin du quartier général de la police, trois pâtés de maisons à l'intérieur d'Overtown.

— Q.R.X., Q.R.X., appela-t-il dans sa radio. Q.T.A. au croisement de la 2e nord-est et de la 5e. Les apaches se dirigent vers le nord.

Maguire entra le numéro minéralogique de la Chevy dans son terminal numérique portatif. La réponse qui arriva était bien celle qu'il attendait : une voiture volée.

— Je crois qu'ils nous ont repérés, dit Martinez.

Les deux Noirs assis à l'arrière de la Chevy étaient tournés, regardant la voiture de police. La Chevy accéléra soudain et vira vers l'ouest, dans une rue latérale, faisant hurler les pneus.

Maguire alluma ses feux bleu et rouge, mit sa sirène en route et fila à sa poursuite. Dans le rétroviseur, il vit Magic et Linda tout proches derrière.

« Rou-Rou », chantait la rue. Le chœur se fit rugissement lorsque la brigade Maguire colla à la Chevy.

Il vira d'un coup sec sur la gauche pour suivre les fuyards qui donnèrent dangereusement de la bande en passant devant l'épicerie *Chez Annie.*

Quand il vit ce qui l'attendait plus loin, il se frappa le front de la main gauche.

— Le Trou, grogna Maguire. Ce putain de bon Dieu de Trou.

Le conducteur de la Chevy pila si brutalement en plein milieu de la rue, brûlant ses pneus, que Maguire percuta de plein fouet son pare-chocs arrière.

Les voleurs abandonnèrent la voiture et foncèrent vers la foule de Noirs qui grouillait sur le trottoir en face du Trou.

— Arrêtez! hurla Maguire en dégainant son 38.

Nul ne fit attention à lui.

Maguire et Martinez se mirent en position classique, fléchis sur les genoux, tenant leur arme des deux mains. Une fraction de seconde, le canon du revolver de Maguire se trouva dans l'alignement du milieu des épaules du dernier des quatre voleurs qui couraient en file indienne. L'homme portait un fusil automatique, peut-être un Mac-10.

L'instant suivant, la foule s'ouvrait comme une éponge et absorbait les quatre hommes.

Les rangs se resserrèrent tandis que Maguire approchait.

— Écartez-vous ou je tire! hurla l'inspecteur.

Personne ne bougea. L'hostilité de la foule formait un mur de protection autour du Trou et des quatre hommes qui y avaient plongé.

— Y a pas mal d'artillerie dans le coin, chef, murmura Magic en prenant position à la gauche de Maguire. Dans la faible lumière, Maguire pouvait distinguer des armes dans la foule. Et parmi ceux qui se trouvaient sur les balcons.

— Hé, Magic, appelèrent des hommes dans la foule, apostrophant le flic noir, pourquoi tu travailles pour le Blanc?

— Parce que c'est pas un dégonflé.

— Tire-toi ou tu es mort.

Le reste de l'équipe Maguire était arrivé sur les lieux, armes à la main.

— Vous voulez pas qu'on déclenche une émeute, chef? demanda calmement Magic.

— Non, je crois qu'on peut s'en passer.

Maguire ordonna à ses hommes de regagner leurs voitures. La foule les hua tandis qu'ils se repliaient. Quelqu'un jeta une brique qui cabossa un peu plus le capot de la voiture de Maguire.

Il était plus de minuit, mais Maguire avait l'habitude des heures supplémentaires. Il faisait double service ce soir-là. Comme on était à court d'effectifs, on lui demandait fréquemment de superviser deux secteurs de la ville situés à vingt minutes l'un de l'autre. Ce soir-là, il devait aller contrôler la brigade de quatre voitures qui patrouillaient sur Coconut Grove.

Cela faisait dix heures qu'il avait pris son service, songeait-il. Et pour quoi donc? Des clous. La tragique mort, dans un seau de pisse, d'un bébé dont on ne retrouverait sans doute jamais les parents. Une seule et unique arme saisie dans une ville qui en comptait, en moyenne, sept par famille. Et une poursuite inutile de quatre voleurs avalés par le Trou. Le nombre des interpellations et arrestations opérées par Maguire était l'un des plus élevés de toute la police. Au cours du seul mois écoulé, il avait enregistré cinquante-sept délits divers, trois crimes et onze voies de fait à caractère sexuel.

Pourtant, même les nuits où il réussissait à coincer les malfrats, Maguire se sentait souvent envahi par un sentiment d'impuissance frisant le désespoir. Nuit après nuit, son équipe et lui avaient risqué leur vie pour des clopinettes. Presque tous les matins, avant sa prise de service, il devait se rendre au tribunal pour témoigner contre quelques voyous au petit pied et autres revendeurs de drogue des bars à Mariels et des ghettos

70

– à peine quelques petites branches à la lisière de la jungle.

Les hommes qui avaient disparu dans le Trou avaient piqué huit cents dollars – guère plus que l'argent de poche que des gros bras comme Julio Parodi pouvaient consacrer à une seule pute.

Jay Maguire n'avait pas besoin d'un doctorat en sociologie pour comprendre les raisons qui poussaient les gosses des taudis à se droguer.

Si l'administration américaine parlait sérieusement lorsqu'elle prétendait éradiquer cette peste, il lui faudrait balancer du napalm sur les champs de pavot et inonder de phytotoxiques les plantations de marijuana, et au diable les réactions des pays producteurs de saloperie.

Il fallait donner l'ordre à l'aviation d'abattre tout appareil non identifié approchant de la Floride du Sud. On conseillerait à la marine d'oublier la limite des eaux territoriales, de donner la chasse aux bateaux-mères des trafiquants et de les faire disparaître de la surface de la mer. Et il fallait boucler à perpète les Julio Parodi.

Maguire doutait qu'on en arrive à l'une quelconque de ces mesures.

« Si vous ne pouvez les écraser, mettez-vous de leur côté »; telle était l'attitude de certains des collègues de Maguire. Et lorsqu'il voyait Parodi se comporter en propriétaire de la ville, il se demandait s'ils n'avaient pas raison. On pouvait doubler son salaire en fermant les yeux au bon moment. Voir ce flic avec sa Rolex sertie de diamants. Il avait entendu parler d'un gars de la police de la route qui avait encaissé plus de deux cents sacs en liquide en laissant filer un passeur transportant un jerrycan plein d'héroïne pure. Mais Maguire n'avait pas encore abandonné.

Martinez siffla doucement en voyant sortir de la galerie marchande de Mayfair, sur des talons de quinze centimètres, une grande blonde en mini-jupe de cuir et en bas résilles.

– Laisse tomber, Wilson, dit Maguire. C'est un travelo. Il avait l'habitude de traîner au *Cactus Lounge* de Biscayne.

Ils redescendirent vers South Bayshore Drive, où l'attention de Maguire fut attirée par une grosse voiture qui arrivait en sens inverse à quatre-vingt-dix ou cent dans une zone où la vitesse était limitée à cinquante-cinq.

71

Il alluma son phare gyroscopique, passa dans la voie de gauche et fonça droit sur la voiture lancée à pleine vitesse. La Rolls réussit à s'arrêter à quelques centimètres du pare-chocs amoché de Maguire. Aucune confusion possible, avec la couleur champagne de la Corniche. Sur le siège avant, deux hommes, dont Mama Benitez.

Maguire fit une rapide marche arrière puis avança jusqu'à la hauteur du siège arrière de la Rolls.

Julio Parodi regardait droit devant lui, tirant sur son cigare, laissant à son chauffeur le soin de discuter avec les flics.

Maguire fit signe au Cubain de baisser sa vitre. Parodi fit mine de ne rien voir.

— Passe-moi la lampe, demanda Maguire à son coéquipier. Il saisit la lourde lampe métallique qu'il utilisait parfois comme matraque et cogna sur la vitre blindée de Parodi. Cette fois, Parodi daigna le remarquer.

— Que puis-je faire pour vous, monsieur l'agent? demanda-t-il, plein d'urbanité, après avoir manœuvré le bouton électrique de la vitre.

— Je vais vous le dire! gueula Maguire. Vous pouvez dire à ce singe devant de conduire doucement ce tas de ferraille!

Maguire rejoignit son appartement de célibataire du Grove aux premières heures du jour. Il y manquait manifestement une main féminine : lit défait, pile d'assiettes sales dans l'évier, boîtes de bière vides dans la salle de séjour, voisinant avec des cadavres de bouteilles.

Il se tailla une tranche de fromage dans le morceau de cheddar, la glissa entre deux tranches de pain, ouvrit une boîte de bière et s'affala dans un fauteuil. Il tripota le bouton de la radio et tomba finalement sur les informations.

On parla d'abord de l'ouragan que les météorologues baptisaient Celia et qu'on annonçait au large des côtes de la Floride. « Et voici maintenant les dernières nouvelles du meurtre du sénateur Fairchild », annonça joyeusement le présentateur.

Alors, c'est un meurtre maintenant, pensa Maguire.

« La chasse à l'homme se poursuit dans tout Porto Rico à la recherche des ravisseurs du sénateur Joel Fairchild, recherche étendue jusqu'à Miami où les enquêteurs pensent qu'un ou plusieurs des ravisseurs ont pu se réfugier. Le groupe terroriste *Macheteros* vient, dans un nouveau communiqué, de formuler des menaces de représailles contre ce qu'ils qualifient d'intensification de la répression. Une organisation proche des *Macheteros*, le F.A.L.N., a revendiqué aujourd'hui un attentat à la bombe commis contre le Citicorps Building à Manhattan et au cours duquel deux personnes ont été tuées et plus de quarante blessées. Un porte-parole du F.B.I. a déclaré que tous ces événements confirment que le mobile de l'affaire Fairchild est la ferme prise de position du sénateur contre le terrorisme portoricain. »

— Qu'est-ce que vous en savez, cervelles de piaf? murmura Maguire pour lui-même en éteignant la radio.

Il se trouvait dans la salle de bains lorsque se fit entendre la sonnerie stridente du téléphone. Il hésita un instant avant d'aller décrocher, dans la chambre.

— Maguire, grommela-t-il dans l'appareil.

— Inspecteur Maguire? Excusez-moi de vous appeler si tard. J'ai essayé de vous joindre toute la journée.

— Ouais.

— Je m'appelle Robert Hockney et je dirige le bureau de Washington du *New York World*.

— Je ne parle pas aux journalistes passé minuit.

Le ton de Maguire indiquait qu'il ne souhaitait parler aux journalistes à aucun autre moment.

— J'étais un ami du sénateur Fairchild, expliqua Hockney avec précaution. Ma femme fait partie de l'équipe de la commission de la Sécurité intérieure. Nous étions avec le sénateur à San Juan la nuit où il a été tué.

— Et alors?

— Eh bien, j'ai pensé que vous auriez peut-être quelque chose à me dire.

— Vous devriez vous adresser aux flics de San Juan.

— Je veux parler de l'enquête sur la drogue.

Maguire demeura quelques instants silencieux et Hockney, intensément attentif au bout de la ligne, à Washington, craignit de s'être trompé et d'avoir tout gâché. Puis l'inspecteur demanda :

— Qu'est-ce que vous en savez? et Hockney sut qu'il ne s'était pas trompé.

— Ma femme travaille pour la commission, dit-il, évitant de répondre à la question.

— Le sénateur m'avait promis de n'en parler à personne de la commission à ce stade de l'affaire, dit Maguire dont la colère montait. Pas de fuites, il m'avait promis.

— Eh bien, je crois qu'il faut pousser plus avant maintenant, le pressa Hockney, aussi délicatement qu'il le put.

— Qu'est-ce que vous voulez dire?

— Je disais que j'aimerais faire un saut à Miami pour vous parler. Je ne parle pas de publier quoi que ce soit – pas avant que vous me donniez le feu vert. Je crois que je pourrais vous être utile.

— Et puis quel genre de journaliste êtes-vous?

— Un journaliste honnête, je crois. J'ai fait une série d'articles sur le K.G.B. il y a environ deux ans; vous les avez peut-être lus.

— C'est vous le type qui a ramené ce transfuge soviétique – comment s'appelle-t-il?

— Barisov. Viktor Barisov. Oui, c'est moi.

— J'ai lu quelque chose sur la question. Maguire fit une pause puis demanda : Quand venez-vous?

— Demain, ça vous va?

— Disons mercredi. C'est mon jour de repos.

3

Le bureau de Washington du *New York World* était situé
dans un quelconque immeuble de béton et de verre de la 14^e
Rue, à mi-chemin entre le National Press Building et l'amas
scrofuleux d'instituts de massage et de cinémas porno concen-
trés à quelques pâtés plus au nord. Hockney pénétra dans son
bureau aux alentours de dix heures après avoir pris un petit
déjeuner prolongé au *Hay-Adams,* en compagnie de Dick
Roth, un collègue de Julia à la commission sénatoriale de la
Sécurité intérieure. Roth était l'une des rares personnes à
Washington qui, pour Hockney, paraissait ne pas prêcher pour
sa paroisse. Il vivait modestement avec femme et enfants dans
une maison de banlieue, à Bethesda. C'était lui l'auteur des
plus percutantes analyses de la commission et Hockney avait la
certitude que Roth devait détenir des informations sur les
rapports qui liaient le sénateur Fairchild au flic de Miami.

Hockney fut fort surpris lorsque Roth lui expliqua, entre
les toasts et le café, qu'il était lui-même perplexe.

– C'est curieux, avait dit Roth. Ce n'était pas le genre de
Fairchild de garder ce genre d'affaire pour lui. En fait, il était
toujours nerveux lorsqu'un inconnu l'appelait. Ce Maguire
avait dû l'accrocher sérieusement. Roth demeura songeur un
instant puis ajouta : tu veux que je te dise, Bob? Avec tous ces
coups de fil passés entre Washington et Miami, il est plus que
probable qu'une oreille indiscrète se soit collée à l'écouteur.

— Tu veux dire que le téléphone du sénateur était sur écoute?

— Pas forcément. Tu vois, bon nombre de ces appels interurbains sont automatiquement ramassés – soit par notre propre Agence nationale pour la sécurité, soit par ce gros aspirateur électronique installé par les Soviétiques sur le toit de leur ambassade. Pour filtrer la camelote, leurs ordinateurs sont programmés afin qu'ils puissent isoler certains mots clés – des centaines, des milliers peut-être. Lorsque quelqu'un prononce un mot clé, les magnétophones se déclenchent aussitôt.

— Tu veux dire que si je t'appelais de New York pour te dire que je sors de table après un déjeuner avec Teófilo Gómez, de la délégation cubaine, nous serions enregistrés?

— Presque à coup sûr. Bien sûr, notre A.N.S. ramasse tellement de camelote qu'il faut probablement des mois pour faire le tri.

Hockney songea que si un indiscret avait prêté une oreille attentive aux conversations de Fairchild avec Miami en bricolant les micro-ondes, il était bien possible que sa brève conversation personnelle avec Jay Maguire avait été enregistrée.

Il trouva le bureau du *World* dans son habituel état de joyeuse pagaille. Il ramassa le courrier accumulé dans son casier, à la réception, et slaloma entre les bureaux de la grande salle jusqu'à la boîte vitrée qui, dans un coin, lui servait de bureau.

— J'adore ce bronzage! lui lança Jack Lancer paresseusement appuyé contre une cloison. Le jeune journaliste était assez beau garçon, dans le genre échalas décontracté. Il portait un blue-jean repassé – archi-repassé – et une chemise écossaise. Sa cravate pendait, de façon aussi nonchalante que possible.

— Salut et bienvenue! lui lança Lancer. Étant donné que Lancer avait affiché, ces temps derniers, une attitude ironique et froide à l'égard de son patron, affectation qui frisait la franche grossièreté, cette note de bonhomie inquiéta Hockney.

— J'espère que la garde du fortin s'est bien passée, fit Hockney.

— Et comment! J'ai amené dîner à la M.B. toutes les filles que je connaissais. Sur ta note de frais. Puis Lancer ajouta : Len Rourke t'a appelé trois fois. Il veut que tu le rappelles d'urgence.

Hockney se dirigea, sans hâte apparente, vers son bureau. Il devinait ce que le rédacteur en chef avait derrière la tête. Ce qui expliquait la bonne humeur de Jack Lancer.

– Alors, quoi de neuf aujourd'hui? lança-t-il à Lancer d'un air détaché.

– Eh bien, je crois que ton histoire Fairchild pourra encore occuper quelques premières pages, dit Lancer. Le directeur du F.B.I. doit faire une déclaration cet après-midi.

– Euh-Euh.

– Mais la grosse affaire, c'est le Nicaragua.

Hockney s'efforça de ne pas grogner. Depuis des mois, Lancer allait et venait à droite, à gauche – et même, depuis quelque temps, se rendait directement à New York pour voir Len Rourke – avec de savoureuses histoires sur un prétendu complot de la C.I.A. destiné à renverser le régime révolutionnaire du Nicaragua.

– Écoute, poursuivait Lancer. J'ai un tuyau de première. Le Pentagone aurait reçu des instructions pour préparer une invasion. Une grosse opération qui commencerait par un bombardement des aérodromes du Nicaragua.

– Quelle est la source? s'enquit Hockney, se demandant si Lancer tenait ce dernier scoop de ses amis de la Coalition pour une entente continentale, un lobby procastriste, organisateur de séminaires à l'intention des journalistes et des parlementaires.

– Pas maintenant, répondit Lancer en secouant la tête.

– Je peux difficilement avaler cette histoire d'invasion, commenta Hockney.

– Mais c'est évident, bordel, objecta Lancer. Le gouvernement en place meurt de trouille de perdre les prochaines élections. Ils ont démoli l'économie, ils essayent de s'arracher les couilles entre eux et ils ressentent de sacrées démangeaisons dans la queue. Ils crèvent de jalousie devant ce que les Britanniques ont fait aux Argentins et les Israéliens aux Palestiniens et ils veulent montrer qu'eux aussi sont virils.

– Tu devrais tenir un meeting, dit Hockney. Mais pour parer à toute nouvelle diatribe, il ajouta : une partie de ce que tu dis tient debout. Je veux bien en croire une partie. Mais si tu veux faire toute une histoire de ce plan d'invasion, il te faudra présenter des preuves irréfutables. Et, de préférence, des sources contrôlables.

– Je suis dessus, répondit Lancer, affichant toujours son sourire supérieur.

Le téléphone se mit à sonner; Lancer sortit, Hockney décrocha.

– Tu ne devrais pas avaler ton petit déjeuner si vite, Bob, dit Len Rourke en guise de préambule. Tu risques des brûlures d'estomac.

Hockney jeta un coup d'œil à la pendule murale. Dix heures et quart passées.

– J'étais sur l'affaire Fairchild.

– C'est pour ça que je t'appelle. Des tas de lecteurs se plaignent de ton premier papier expédié de Porto Rico. Ils veulent la preuve que les Cubains étaient bien dans le coup.

Hockney devina que les « lecteurs » les plus véhéments devaient être ceux de la rédaction du *New York World*.

– Et Fidel a catégoriquement démenti, poursuivit Len Rourke.

– Ouais. Et tu t'attendais à quoi?

– Je suis en train de te dire que tu pousses la crédulité trop loin en essayant de faire croire que les Cubains seraient dans un coup aussi gros que l'enlèvement et l'assassinat d'un sénateur américain. Je veux que tu laisses tomber toutes ces spéculations jusqu'à ce que tu aies dégoté quelque chose de solide.

A travers la vitre de son bureau, Hockney put voir Jack Lancer se diriger vers la sortie.

– Je m'en occupe, dit sèchement Hockney. Au fait, je pars pour Miami demain. Une piste à suivre...

– Tu es censé être le chef de notre bureau à Washington, pas notre spécialiste du bronzage, fit aigrement observer Len Rourke.

– J'ai déjà discuté de ça avec Ed Finkel.

Le directeur administratif du *World*, Ed Finkel, n'avait pas fait obstacle aux projets de Hockney. Depuis qu'il se trouvait à Washington, Hockney avait tenté à une ou deux reprises de conclure un traité de paix avec le rédacteur en chef. Il lui avait obtenu une invitation à dîner à la Maison-Blanche, organisé un cocktail en l'honneur de Len Rourke, cocktail auquel avaient assisté la moitié du Cabinet et une douzaine de sénateurs. Ces efforts – qui avaient démontré l'*entrée* réussie de Hockney dans la capitale, de même que la puissance du journal lui-même –

paraissaient n'avoir qu'accentué l'animosité de Finkel à son endroit.

– Je crois que tu devrais mettre Jack Lancer sur l'affaire de Porto Rico et t'occuper de ton bureau, dit le rédacteur en chef.

– Je préférerais suivre l'affaire Porto Rico moi-même, Ed. Je ne serai absent qu'un jour, deux maximum.

– Comme tu voudras. Puis, d'une voix plus avenante, Len Rourke ajouta : je vais te dire ce que je vais faire, Bob. Je vais nommer Jack Lancer, ici, à ta place jusqu'à ton retour. Tu es d'accord?

– Ma foi, Jack est un assez bon journaliste. Mais je ne crois pas qu'il ait l'étoffe d'un patron.

– Justement, un peu de pratique ne lui fera pas de mal.

Hockney jugea inélégant de soulever de nouvelles objections. Après tout, il ne partait que pour un jour ou deux. Mais l'avertissement n'était pas tombé dans l'oreille d'un sourd : Len Rourke saisirait la première occasion pour installer quelqu'un d'autre – peut-être Jack Lancer – à titre permanent dans son bureau. Avant de partir déjeuner, il rassembla toutes ses notes sur l'affaire Fairchild et les mit sous clé.

Il passa une bonne partie de l'après-midi à tenter de nouer les fils épars, ces fils que la mort du sénateur Fairchild avait rompus. Il rédigea un bref portrait de l'homme qui avait succédé à Fairchild à la présidence de la commission sénatoriale de la Sécurité intérieure – un progressiste du Connecticut qui avait fait preuve d'une absence assidue à la plupart des séances.

« Pas un chasseur de sorcières, celui-ci », songea Hockney. Il pensait que la masse de travail pesant sur les épaules de Julia et Dick Ross allait, selon toute vraisemblance, s'alléger rapidement.

Il feuilleta quelques dossiers d'archives sur les précédentes flambées de terrorisme à Porto Rico et fut impressionné par la force de l'engagement de certains des révolutionnaires. Il lut, dans une vieille coupure de presse, qu'un terroriste portoricain s'était fait sauter les mains en tentant de fabriquer une bombe. Lorsque les flics étaient arrivés, ils l'avaient trouvé en train de déchirer son carnet d'adresses secrètes avec ses moignons sanglants, et d'en faire disparaître les pages dans les toilettes. Hockney commença à noter les cas où l'on avait établi un lien avec les Cubains. Il apprit qu'en 1973, l'homme qui était alors directeur du F.B.I. avait juré que cent trente-cinq terroristes portoricains avaient été formés à Cuba. Peu à peu, Hockney reconstitua toute une série d'antécédents, y compris les noms des chefs portoricains qui s'étaient rendus à La Havane. D'utiles munitions pour une future querelle avec Len Rourke, songea-t-il.

Hockney consacra ensuite une partie de son temps à la relecture d'articles concernant les affaires courantes. Jack Lancer entra, son blouson jeté sur l'épaule, tenant en main un article débordant de scepticisme et qui faisait état d'une conférence du Département d'État sur l'accroissement de la présence militaire soviétique au Nicaragua.

— C'est toujours le même nuage de fumée qu'ils lâchent chaque semaine, commenta Lancer. Même le porte-parole ne croit plus à ce qu'il raconte. Les journalistes qui se trouvent sur place disent que ces aérodromes prétendument construits par les Soviétiques sont à peu près aussi dangereux qu'une colonie de vacances.

— Okay, admit Hockney, reportant son attention sur une autre nouvelle information où l'on apprenait que trois hauts fonctionnaires avaient demandé des réductions d'impôts exorbitantes.

— Tiens, ça ça va t'intéresser, poursuivit Lancer.

Hockney ramassa la feuille qui atterrit sur son bureau : le texte d'une déclaration du directeur du F.B.I. Selon celui-ci, le F.B.I. mobilisait toutes ses forces disponibles pour la chasse aux tueurs du sénateur Fairchild. Il déclarait également que le Bureau n'avait aucune preuve d'une ingérence étrangère dans l'affaire Fairchild.

— Et voilà pour la grande théorie du complot, dit Lancer. A moins que tu saches une chose que pourrait ignorer le chef du F.B.I.

— Il se borne à affirmer qu'ils n'ont encore coincé personne, remarqua Hockney, glacial.

Après le départ de Lancer, il composa le numéro de Frank Parra au quartier général du F.B.I. à San Juan. On lui répondit, poliment mais fermement, que M. Parra était occupé et qu'il le serait toute la journée.

Il prenait un tardif repas avec Julia dans leur cuisine quand arriva l'appel de Porto Rico.

– Pas de nom, d'accord? dit Parra. Vous reconnaissez ma voix?

– Bien sûr.

– Je n'ai pas le droit de vous parler, déclara l'agent du F.B.I. Vous êtes dangereux.

– Et la déclaration de votre patron aujourd'hui?

– C'est la version officielle. Ou vous l'adoptez, ou vous vous retrouvez sur le cul. Comme au bon vieux temps de J. Edgar [1].

– Je ne comprends pas. Vous avez eu des tuyaux?

– Pas encore. Mais nous sommes sur la bonne piste. Tous les deux. Aucun des agents infiltrés dans les groupes locaux ne sait quoi que ce soit. Vous me suivez? C'est un coup de l'extérieur, pas de doute.

– Il se peut que j'aie quelque chose, dit Hockney. J'en saurai plus dans le courant de la semaine.

– Okay. Faites-le-moi savoir. Mais ne m'appelez pas à mon bureau. Soyez gentil – vous savez ce qu'on dit? « Si vous n'êtes pas gentil, soyez prudent. Si vous n'êtes pas prudent...

– Ne vous en prenez qu'à vous », finit Hockney.

MIAMI

L'aéroport international de Miami grouillait de Latino-Américains. Hockney, sa housse à complets sur l'épaule, sa serviette au cuir fatigué à la main, se fraya un passage dans la foule excitée. Hockney parvint jusqu'au bus jaune de Hertz qui le conduisit au parking où attendait sa petite voiture de location.

Sur le chemin de l'aéroport au nouvel *Holiday Inn,* dans Brickell Avenue, Hockney remarqua combien la ville avait changé depuis son dernier passage, quelque deux ans plus tôt. Miami n'avait rien d'une ville en ruine. De toute part s'élevaient de somptueux immeubles.

---

1. J. Edgar Hoover, qui dirigea le F.B.I. d'une main de fer, pendant quarante-huit ans, de 1924 à 1972. *(N.d.T.)*

De sa chambre d'hôtel, Hockney appela Jay Maguire comme ils en étaient convenus.

Le flic parlait d'une voix rauque et basse, comme s'il était enrhumé.

— Votre coup de fil me tire du lit, expliqua Maguire. J'étais de service jusqu'à quatre heures.

— Du sérieux?

— Ça a commencé par un banal accident de la circulation. Un gars qui a enfoncé le pare-chocs d'un autre gars. Les deux types ont commencé à s'engueuler. Ensuite, ils ont sorti des flingues et se sont mis à tirer. Les gens, sur le trottoir, s'en sont mêlés. Les deux mecs sont morts et un flic a eu les tripes au vent.

— Mon Dieu!

— Rien d'exceptionnel. Vous verrez. On peut dire que cette ville est un camion de nitro qui fonce sur une route défoncée. On attend d'un instant à l'autre la secousse qui va tout foutre en l'air. Écoutez, laissez-moi vingt minutes pour rassembler mes esprits. Vous avez une voiture?

— Oui.

— Vous pensez pouvoir trouver la marina de Miami?

— J'ai une carte.

— Bon. Il y a un coin qui s'appelle *Dockside Terrace.* Dites-leur que vous m'attendez.

On conduisit Hockney à une table près du piano et il s'installa dans un fauteuil d'osier avec un haut dossier en roue de paon. Autour de lui les serveuses s'empressèrent tandis qu'une blonde au long nez, qui ressemblait vaguement à Meryl Streep, chantait du country devant une salle à peu près vide. Un homme mince, au nez cassé, arriva, en T-shirt rouge et pantalon noir, et la chanteuse se pencha pour l'embrasser sur la joue.

— Qu'est-ce que vous buvez? demanda l'homme à Hockney.

— Oh, une bière peut-être.

Hockney se trouvait quelque peu perdu.

Maguire commanda un Black Label on the rocks.

Lorsque la serveuse revint, ils firent silence tandis qu'elle posait les boissons sur la table. Puis Maguire demanda :

— Qu'est-ce que vous pensez du sénateur Fairchild?

— Je pense qu'il menait une enquête sacrément importante, répondit Hockney avec prudence.

– Moi aussi, dit Maguire en hochant la tête. C'est pourquoi je l'ai appelé après son passage à la télé; il venait de déclarer qu'il voulait faire toute la lumière sur les filières cubaines de la drogue. Il avala une grande lampée de son scotch et poursuivit : avant d'aller plus avant dans ce truc, faut que je vous dise que j'ai un problème avec vous. J'ai appris des tas de choses au Vietnam, et notamment que les médias de ce pays mettent à côté de la plaque. J'ai fait quelques vérifications en ce qui vous concerne et un ou deux types que je respecte disent que vous avez changé. Il se trouve que mon coéquipier est un de vos admirateurs. C'est un Cubain. C'est aussi un gars qui lit. Il a lu votre bouquin sur le transfuge du K.G.B. et il prétend que c'est sa bible. Mais on va se foutre dans un truc dont je ne lui ai même pas parlé, alors faut que je sois certain que vous savez vous taire quand il faut.

– Je ne crois pas que j'aurais pu écrire une des histoires qui me tenaient à cœur si je n'avais pas protégé mes sources, dit Hockney calmement. Cela va sans dire.

– Bon, je vais vous expliquer franchement une chose. Si vous ne maniez pas cette affaire avec des pincettes, elle pourrait bien se terminer par notre mort à tous les deux.

Maguire demeura un instant silencieux pour s'assurer que Hockney comprenait bien qu'il ne s'agissait pas d'un pur effet de manche.

– Vous voulez parler de ce qui est arrivé au sénateur, demanda Hockney.

– Peut-être, répondit Maguire. Mais je vais vous dire autre chose. J'ai appelé le sénateur à propos d'une affaire – une affaire de drogue, vu? Il y a quelque temps, la police avait un IC qui travaillait sur l'affaire...

– Un IC?

– Un indic. On appelle ça un IC ici. Quoi qu'il en soit, quelqu'un a averti le suspect qu'il y avait un mouchard dans son organisation. L'indic a disparu. Nous pensons avoir découvert le corps il y a environ une semaine.

– Vous pensez?

– On avait balancé le corps dans un canal au sud-ouest de Dade, et les alligators en avaient fait leur casse-croûte. Il ne nous est resté qu'un pouce droit pour relever des empreintes digitales, et pas assez pour qu'on l'identifie formellement. Ils lui avaient fait sauter la gueule avec un fusil de chasse.

83

— Je vois, dit Hockney, en avalant une gorgée de bière.

— Ça vous intéresse toujours?

— Et comment.

— Bon. Vous voulez peut-être quelque chose de sérieux à boire. Maguire avala le reste de son verre et fit signe à la serveuse.

— Bonne idée, dit Hockney.

Par épisodes, s'arrêtant deux ou trois fois pour faire remplir son verre, Maguire rapporta à Hockney l'histoire d'un homme d'affaires et activiste politique cubain du nom de Julio Parodi.

— Regardez par la fenêtre de votre hôtel, dit le flic, et vous verrez deux nouveaux gratte-ciel construits en partie avec le fric de Parodi et un troisième dont il est presque totalement propriétaire. C'est un gros bonnet. Il règne sur un empire, ici à Miami. Le *Numero Uno* d'une bande de cinglés d'extrême droite qui s'appellent la Brigade Bleue. Et tout ça repose sur la coke. Les banques de Parodi blanchissent le fric de la drogue et il décide lui-même des gros envois depuis la Colombie. J'ai entendu dire qu'il possédait un gentil petit château sur l'avenue des Millionnaires, à Medellín.

— Si vous en savez tant que ça, glissa Hockney, pourquoi n'avez-vous pas pu l'inculper?

— Allez donc demander ça au F.B.I. et autres boîtes. De temps en temps, nous avons un tuyau. Mais ça ne nous mène jamais nulle part. Il se passe de drôles de choses. La preuve disparaît, ou l'indic, ou encore les plans changent à la dernière minute. Si vous voulez mon avis, je crois que cet oiseau-là est protégé.

— Protégé par qui?

— Par la C.I.A., répondit Maguire avec un coup d'œil à Hockney. Vous connaissez pas mal de gens à l'Agence, non?

— Quelques-uns.

— Vous connaissez un nommé Whitman?

— Je ne crois pas, dit Hockney en secouant la tête.

— Whitman est le chef de poste de la C.I.A. à Miami, expliqua Maguire. Le vrai chef de poste. Pas celui qu'on met dans l'annuaire pour les touristes et les dingues qui veulent téléphoner. C'est aussi un ami de Parodi. J'ai une photo de lui.

Maguire sortit son portefeuille et montra à Hockney une

photo un peu floue de deux hommes de forte stature, épais, assis côte à côte sur le siège avant d'une voiture, sous un palmier.

– Je sais qu'il y a quelques sales types à l'Agence, poursuivit Maguire. Comme ceux qui se sont vendus à Kadhafi. Je sais aussi que Parodi émargeait au budget de la C.I.A., depuis l'affaire de la baie des Cochons. Maintenant, je ne sais pas si la C.I.A. dirige son racket de drogue, mais elle est dans le coup. Qu'est-ce que vous en dites?

– C'est ce que vous avez raconté au sénateur? demanda Hockney, troublé par cette soudaine apparition de la C.I.A. Il ne voyait pas comment rattacher tout cela à ce qui s'était passé à Porto Rico.

– Vous ne connaissez pas la meilleure, reprit Maguire. Parodi est également lié à Castro. Il se rend à Cuba. Quelquefois, il fait simplement un saut à bord de son avion personnel, depuis Fort Lauderdale. D'autres fois, il passe par Mexico. Ça veut bien dire que les Cubains lui font confiance, non?

– Il me semble, oui.

– C'est curieux pour un fanatique d'extrême droite, anticastriste, non?

– Il y a des trucs difficiles à avaler dans cette affaire, dit Hockney. Vous ne prétendez tout de même pas que les autres boîtes gouvernementales – la C.I.A., le F.B.I. – ignorent les voyages de ce type-là à Cuba, non?

– Sais pas, répondit Maguire. J'ai mes sources.

Hockney fit la grimace. Il ne faisait pas bon ménage avec le scotch et il regretta de ne pas s'en être tenu à la bière. Il avait le sentiment de se risquer dans des sables mouvants où se mêlaient Cubains, C.I.A., trafiquants de drogue, fanatiques de droite et il se demandait si tout cela avait un semblant de réalité ou s'il s'agissait du délire d'un flic de la circulation frustré. Mais compte tenu de la sobriété avec laquelle Jay Maguire traçait les grandes lignes de l'histoire – bien qu'il eût descendu environ une demi-bouteille de scotch –, Hockney était peu enclin à le croire victime d'hallucinations.

Les clients du soir commençaient à envahir le restaurant.

– Je vais vous dire, dit Maguire. La Brigade Bleue organise une sorte de manifestation demain. Si vous voulez, vous pourrez voir M. Parodi dans son *ambiente*.

– Ça me plairait assez.

Au-delà de leurs voitures s'étendaient, parmi les arbres, de profondes zones d'ombre.

– Ne venez pas traîner par ici après la tombée de la nuit, conseilla le flic à Hockney. C'est un coin à poules et à *schims.*

– A *schims?*

– A travelos, quoi. Ne me dites pas que vous n'en avez pas, dans le Nord.

Hockney se réveilla en sursaut alors que la lumière inondait sa chambre d'hôtel. Il avait fini la soirée avec Maguire dans un bar appelé *Chez Ronnie,* où la musique – du jazz à la samba, de Cole Porter à Stephen Sondheim – était bien meilleure que ce qu'il avait entendu depuis pas mal de temps. Le nombre de décibels était impressionnant; tout autour de la scène courait une sorte de rayonnage, sur lequel se trouvaient des boîtes de bière et de soda pleines de petits cailloux et que les clients étaient invités à secouer comme des maracas.

Sa gueule de bois n'aidait pas Hockney à se faire une idée précise de ce que Maguire lui avait dit. Mais une chose au moins était claire : si seulement dix pour cent de ce que lui avait dit le flic était exact, ce ne serait pas très malin de sa part de se pointer à la manifestation de Parodi avec une escorte de police. Feuilletant l'annuaire, il trouva le numéro de la banque de Parodi.

Le temps qu'il obtienne une réponse, il était neuf heures et demie. Il se présenta et on le laissa en attente, à écouter des bruits qui auraient pu être ceux de la bande originale de *2001,* avant de lui passer un autre poste. Il jugea qu'une ligne directe devait relier le domicile de Parodi à la banque.

Finalement, une voix d'homme lui demanda ce qu'il voulait.

– Je voudrais interviewer le Señor Parodi pour le *New York World.*

– Le Señor Parodi n'accorde pas d'interview.

– Il ne s'agirait pas d'une interview officielle. J'aimerais lui parler de la Brigada Azul. (Il jeta un coup d'œil sur les titres du *Miami Bugle* jeté sur son lit au-dessus d'une pile de

86

journaux.) Et de la question de l'immigration, ajouta-t-il vivement.

Le gros titre du *Bugle* annonçait la tempête déclenchée dans la Petite Havane par l'expulsion de deux prétendus réfugiés cubains arrivés à Key West en bateau. Il pensa qu'il s'agissait là du motif de la manifestation de la Brigade Bleue.

– Voulez-vous attendre un instant, demanda la voix.

Hockney dut subir une musique particulièrement bruyante avant qu'on lui apprenne :

– Le Señor Parodi peut vous recevoir après la manifestation. Soyez au mémorial de la baie des Cochons, à l'angle de Calle Ocho et de la 13ᵉ, à sept heures.

Maguire et son partenaire croisaient le long de la 8ᵉ sud-ouest, derrière une colonne de manifestants cubains qui s'étendaient sur cinq ou six pâtés de maisons. Seuls une centaine étaient des supporters de la Brigada Azul, aisément identifiables, pour la plupart, à leur accoutrement paramilitaire – de bérets, de treillis de camouflage, bottes de combat – et à la violence de leurs slogans. Maguire pouvait apercevoir une immense effigie de Castro en papier mâché, pendue par les pieds à une potence de bois.

La Brigada Azul avait trouvé une cause populaire. L'administration Newgate, qu'inquiétait le flot d'immigrants en provenance de toute l'Amérique latine, avait décidé d'y mettre un frein. Endiguer la marée qui venait du Mexique était une tâche désespérée. Les étrangers, entrant illégalement par bateau depuis les Caraïbes, constituaient un pari plus faible à gagner, quoique plus limité. L'administration avait commencé par arrêter et faire expulser des Haïtiens qui fuyaient une vie de pauvreté et de cruauté sous le régime de Duvalier. Maintenant, sensible aux rumeurs selon lesquelles Castro exportait ses criminels, ses aliénés et ses agents secrets aux États-Unis sous couvert de « Flottes de la liberté », le président Newgate avait ordonné aux Services de sécurité et aux gardes-côtes de renvoyer les réfugiés cubains qui ne pouvaient être considérés comme dissidents politiques ou qui n'étaient pas automatiquement autorisés à résider aux États-Unis du fait que des parents s'y étaient légalement installés. Rien de surprenant à ce que la communauté cubaine de Miami fût en émoi. Même le sérieux et modéré *Diario de las Americas*, le principal organe de langue espagnole, se plaignait que l'on demande maintenant aux agents fédéraux de se conduire « comme une branche de la police secrète communiste ».

Sensible à l'effervescence de la Petite Havane, Murchison, le chef de la police, avait ordonné à ses hommes de se montrer discrets. Les rapports entre la police et la communauté cubaine demeuraient bons malgré l'irruption de ces gens que Maguire appelait les Mariels. Le chef de la police avait autorisé la manifestation, à deux conditions. La première était que les manifestants demeureraient sur une seule des quatre voies de la Calle Ocho en se rendant au mémorial de la baie des Cochons et la seconde qu'ils tiendraient leurs calicots et pancartes à la main – sans les fixer à des hampes susceptibles de servir d'armes en cas d'affrontements.

Maguire pouvait constater qu'en règle générale, on ne tenait pas compte de ces deux conditions. Des manifestants de la Bridage Bleue brandissaient des calicots fixés à des hampes métalliques, aussi mortelles que des lances. Et le cortège débordait sur toute la largeur de la chaussée, bloquant la circulation.

Un adolescent aux cheveux ras, en blouson de cuir, se retourna et se mit à avancer, le dos tourné aux marcheurs, face à la voiture de police, arborant un sourire crâneur.

– Hé, dit Maguire. Hé, ce gamin ne m'a pas montré son doigt?

L'adolescent au blouson de cuir se mit à rameuter les manifestants autour de lui.

– Qu'est-ce qu'il raconte? demanda Maguire.

– Il dit qu'ils devraient se débarrasser des flics.

La main de Blouson de Cuir se tendit de nouveau, le médius pointé, et il refit son geste obscène.

– Hé, toi! appela Maguire par la portière. Espèce de petit pédé, si je vois encore ça, c'est autre chose que mon doigt que tu vas avoir dans le cul.

Toujours souriant, Blouson de Cuir se retourna et disparut protégé par la foule des manifestants.

L'une des banderoles représentait un petit cochon galeux portant les lettres I.N.S – le sigle du service d'immigration – traîné en laisse par un Fidel barbu, tirant sur son cigare.

D'autres slogans n'avaient rien à voir avec le mot d'ordre de la manifestation. « LIBÉREZ CUBA TOUT DE SUITE » et « LIBÉREZ LE NICARAGUA » : des thèmes chers à la *Brigada Azul*.

On était à huit ou neuf pâtés de maisons de l'objectif de la manifestation : la minuscule *placita* au coin de la 13e Avenue où brûlait la flamme éternelle en souvenir des martyrs de la baie des Cochons. Aucun incident jusque-là, mais Maguire sentait monter la tension en suivant le comportement du groupe où se trouvait Blouson de Cuir. Des durs dont on pouvait aisément deviner, à leurs allures, à leurs provocations, qu'ils voulaient en découdre. Le flic voyait bien, également, que certains étaient armés. Il repéra une bosse révélatrice dans le dos de Blouson de Cuir, sous son jean, là où il avait glissé son pistolet à hauteur de ceinture.

Blouson de Cuir sortit de la foule, fit tournoyer son bras comme un lanceur de base-ball et expédia une boîte de soda sur la vitre baissée de la voiture de police, côté conducteur. Le gamin avait bien visé. Maguire esquiva juste à temps et la boîte alla rouler sur la banquette arrière.

— Merde, jura Maguire en remontant la vitre. Il vit Blouson de Cuir se mêler une fois encore à la foule.

— Dis-moi, Wilson, demanda-t-il à son coéquipier. Ce sont des gens de ta race. Ils aiment bien les flics, non? Alors pourquoi ai-je l'impression de me trouver dans Liberty City?

— Ces types de la *Brigada Azul* sont des dingues, répondit Martinez en se frappant le front.

Tout ce que Maguire put obtenir comme explication.

Blouson de Cuir se mit à danser devant la voiture de police, ne s'arrêtant qu'à quelques dizaines de centimètres. Puis il se racla la gorge, gonfla ses joues et cracha sur le pare-brise un long jet de salive qui dégoulina lentement, visqueux comme du blanc d'œuf.

Maguire, la main sur la poignée de la portière, inspira profondément, prêt à bondir.

— Te laisse pas piéger, Jay, l'avertit Martinez. C'est ce qu'il veut.

— A quoi il joue? Il essaye de déclencher une émeute?

Avant que le coéquipier de Maguire eût pu répondre, ils entendirent un grand bruit derrière eux. L'un des copains de Blouson de Cuir avait enfoncé la lunette arrière avec l'extrémité ferrée d'une hampe, brisant la vitre renforcée. Les éclats acérés, comme les branches d'une étoile, furent projetés à l'intérieur.

La patience de Maguire céda en même temps que la lunette arrière et il bondit de la voiture, faisant tournoyer sa longue lampe comme une matraque. Dans la foule qui se pressait autour de lui, il ne put reconnaître le Cubain qui avait brisé la vitre. Mais il vit Blouson de Cuir qui disparaissait parmi les manifestants et il bondit à ses trousses, l'agrippant par le col.

– *¡Me cago en tu madre!* hurla le gamin.

– A plat ventre, gueula Maguire. A plat ventre, salopard!

Il essayait de trouver une prise, de contraindre le gamin à se mettre à plat ventre. Mais celui-ci, gigotant et se tortillant, réussit à se libérer et à disparaître dans la foule. L'inspecteur se retrouva avec le blouson de cuir à la main, face à un mur compact d'hommes de la *Brigada Azul* qui ne bougèrent pas d'un pouce, lui interdisaient le passage.

Il regagna la voiture sans hâte. Martinez, qui le couvrait, était tout pâle. Il y eut des vociférations, puis le martèlement des poings sur le toit de la voiture que certains commençaient à secouer.

Maguire pianota un message aux autres voitures de sa brigade sur son T.N.M. – le terminal numérique mobile. L'écran de l'ordinateur, monté entre les deux sièges, permettait à l'agent de service de vérifier une plaque minéralogique suspecte en quelques secondes. Mais le T.N.M. constituait aussi un moyen de communication avec le central ou d'autres unités sans rompre le silence radio. C'est pourquoi Maguire utilisa son T.N.M. au lieu de la radio du bord pour entrer en communication avec le reste de sa brigade. Les fréquences radio de la police étaient un secret de polichinelle à Miami – comme dans la plupart des autres villes – et les criminels, trafiquants de drogue et autres terroristes – sans compter les journalistes du *Bugle* – les écoutaient fréquemment lorsqu'ils voulaient savoir sur quoi travaillaient les flics. « Q.R.X. à 51, 52, 53 ». Tandis qu'il pianotait, les chiffres et les lettres en majuscules s'affichaient en vert clair sur l'écran de contrôle.

« Mon Q.T.A. est *Centro Vasco Restaurant*, 8e et 22e. »

« Q.T.A. » était le code utilisé par la police pour indiquer le lieu où se trouvait l'agent ayant besoin d'aide.

Les lettres « Q.S.L. », qui signifiaient « Bien reçu », s'allumèrent rapidement par trois fois sur l'écran de Maguire. Les autres voitures de la brigade arrivaient.

Dans le rétroviseur, Maguire vit l'un des amis de Blouson de Cuir qui tripotait le bouchon du réservoir, essayant de l'ouvrir.

— En arrière! hurla-t-il en pointant son 38 par-dessus son siège. En arrière, nom de Dieu!

Le gamin ne s'en soucia guère. Il réussit à soulever le bouchon et Maguire vit les étincelles d'une allumette qu'on grattait. Aucun doute quant aux intentions.

Maguire passa en marche arrière et recula dans la foule, faisant hurler son avertisseur et sa sirène. Pris de panique, les manifestants trébuchèrent les uns sur les autres, tombèrent, se piétinèrent. Martinez ouvrit sa portière et la maintint ouverte. Le coin de la portière frappa le gamin aux allumettes entre les épaules tandis qu'il essayait de fuir et il fut projeté, hurlant, sur le sol.

À la vue du blessé, la colère de la foule, autour de la voiture, augmenta encore. Maguire, sans plus s'inquiéter des indiscrétions, appela le central sur son talkie-walkie.

— Trois-cinquante, Trois-cinq-zéro, dit-il, déclinant son identité. Dites à la Force Deux de se manier le train. Ça tourne à l'émeute.

— Q.S.L.

— Hé, Jay.

Maguire regarda dans la direction qu'indiquait Martinez et vit que le défilé, devant lui, s'allongeait soudain. Les manifestants refluaient sur la seule voie de gauche. Les policiers pouvaient passer.

Un demi-pâté de maisons plus loin, Maguire comprit. Les trois autres voitures de sa brigade descendaient Calle Ocho dans leur direction, occupant trois des voies de l'avenue.

Andy Riggs, le gradé noir de l'équipe Maguire, se pencha par la portière et leur fit signe, pouce levé.

— Hé, Magic, dit Maguire en lui retournant son salut, je n'aurais jamais cru qu'un grand nègre comme toi me ferait l'effet de la Cavalerie.

— Va te faire foutre, Blanche-Neige, lui hurla Magic avec un sourire.

Tout était relativement calme autour de l'estrade dressée près du mémorial de la baie des Cochons. Hockney, écrasé au milieu du troisième rang de la foule, ignorait tout des incidents de la Calle Ocho. Tous les discours furent prononcés en espagnol; il n'en saisit que quelques mots. Mais il fut fasciné par la prestation de l'homme puissamment bâti qui tenait à présent le micro. Julio Parodi, vêtu d'un costume trois pièces en soie qui escamotait quelque peu son embonpoint, portant chaussures de croco, bagues et l'inévitable grosse montre en or, gesticulait avec tant de véhémence, en haranguant la foule, que son visage en ruisselait de sueur. De temps à autre, il s'épongeait le front avec la pochette écarlate qu'il retirait de sa poche de poitrine.

La foule applaudit, Parodi s'inclina légèrement et descendit de l'estrade. Aussitôt, il se trouva flanqué de deux gorilles à la veste ample et dont les yeux scrutaient la foule. Des hommes qui n'avaient rien à voir avec les nostalgiques vieillissants et les jeunes fanatiques qui formaient l'essentiel de l'auditoire.

L'un d'eux arrêta Hockney qui, jouant des coudes, s'était frayé un chemin jusqu'à Parodi. L'homme, du plat de la main posé sur la poitrine du journaliste, le repoussa.

— M. Parodi? dit Hockney, s'adressant au patron des gardes du corps. (Il n'aimait pas qu'on le bouscule.) Je suis Bob Hockney.

— *Mucho gusto*, dit Parodi, repoussant l'arme qu'il dissimulait pour donner à Hockney une poignée de main de vétéran de la politique : assez ferme pour ne pas sembler molle mais pas assez vigoureuse pour se traduire par une crampe si on la répétait des centaines de fois.

— Voulez-vous m'excuser un instant, dit Parodi. Il y a eu une légère agitation et il faut que j'explique quelque chose à l'officier de police.

Les gardes du corps de Parodi lui frayèrent un chemin dans la foule des Cubains et Hockney le vit discuter brièvement avec un homme aux yeux tristes et las, dans un vieux costume aux revers larges démodés.

— Maintenant, nous pouvons y aller.

— Quelque chose de grave? demanda Hockney en se hâtant, à un pas derrière le Cubain.

— Rien de sérieux, non. Quelques jeunes au sang un peu

chaud ont chatouillé les flics. Nous demandons qu'on nous comprenne, c'est tout. Les esprits sont échauffés. Nous sommes des anticommunistes. Nous croyons en la loi et en l'ordre.

Hockney resta bouche bée devant l'extraordinaire apparition : une Rolls couleur champagne.

Parodi lui fit signe de s'installer sur le siège arrière.

— Et maintenant, si vous le voulez bien, dit le Cubain, j'ai pensé que nous pourrions bavarder dans un endroit plus agréable.

Ils s'installèrent dans un coin tranquille du *Mutiny Room* et une fille aux cheveux blond vénitien, en chapeau de paille et vêtue d'un chemisier qui laissait ses épaules nues, leur apporta des boissons – daiquiri pour Hockney, scotch sec pour le Cubain. La seule table à portée de voix était occupée par deux des hommes qui avaient conduit Parodi à la manifestation. Hockney en vit deux autres, assis seuls à d'autres tables, penchés sur leurs journaux malgré la pénombre de la salle.

— Je vous écoute, dit Parodi.

— Eh bien, commençons par la manifestation. C'était pour quoi?

— C'est simple. Je suis arrivé dans ce pays comme réfugié, vu? Je veux défendre les droits de tous ceux qui peuvent s'échapper de Cuba pour venir aux Etats-Unis comme moi. Nous ne sommes pas des Haïtiens, bon Dieu. Je vais vous dire, je crois que Fidel va laisser sortir davantage de monde parce qu'il n'arrive plus à contrôler la situation à Cuba.

— Vous voulez dire qu'il va y avoir un nouvel exode par bateau? Un nouveau Mariel?

— Peut-être. Et imaginez la réaction dans le monde si l'Oncle Sam, qui est censé être à la pointe du combat contre le communisme, renvoyait des gens qui tentent d'échapper au système communiste. Nous ne pouvons pas laisser faire ça. Vous avez écouté mon discours tout à l'heure?

— Je n'ai pas tout compris, avoua Hockney.

— Bon. Je veux que vous sachiez que je recueille des fonds destinés à permettre à des Cubains de quitter leur pays. Je casque vingt-cinq mille dollars de ma poche. Ça fait du fric.

C'est destiné à affréter des bateaux pour faire sortir des gens de l'île, et personne à Washington ne nous arrêtera.

– Je vois que vous êtes déterminé.

– Écoutez, la communauté cubaine du coin est probablement la force anticommuniste la plus déterminée de tout le pays. Washington devrait en être satisfait. Nous sommes prêts à combattre. Nous l'avons prouvé à la baie des Cochons. Nous sommes prêts à recommencer. Nous nous battrons à Cuba, nous nous battrons au Nicaragua, nous nous battrons partout où l'on peut frapper Castro. Cigare?

Hockney accepta le cigare dont la taille avoisinait celle d'un missile intercontinental. Il examina la bague, Montecristo.

– Vous fumez des Havane? demanda Hockney.

– Je ne fais pas de discrimination à l'égard du peuple cubain, répondit Parodi. Seulement des salopards qui l'oppriment.

– Vous venez de parler du Nicaragua, l'encouragea Hockney.

– Sûr! Nous avons des Nicaraguayens dans la *Brigada Azul*, des patriotes qui veulent chasser les communistes. Ils s'entraînent dans nos camps. Si vous voulez, vous pouvez venir jeter un coup d'œil.

Hockney fut surpris de la spontanéité de Parodi, de la ferveur de ses opinions anticastristes. L'homme était bien différent – semblait-il – de l'intrigant dépeint par Maguire.

– Ma foi, oui, répondit Hockney. J'aimerais beaucoup visiter l'un de vos camps.

– Je vais essayer d'arranger cela pour demain. Et je vais vous dire autre chose : même Langley[1] n'a pas mieux en Amérique centrale.

Le Cubain accompagna cette dernière remarque d'un clin d'œil qui, avec sa paupière tombante, déformait son visage de façon déplaisante.

Hockney commençait à se sentir nettement mal à l'aise. Il décida de se lancer :

– On raconte que Castro est mêlé au trafic de drogue dans cette ville.

—————————
1. Ville de Virginie, près de Washington, où se trouve le siège de la C.I.A. (*N.d.T.*)

– Possible, répondit Parodi, apparemment indifférent.

– Des gens prétendent aussi que votre banque a servi à blanchir de l'argent de la drogue.

Parodi ne se départit pas de son sourire courtois mais il agrippa le poignet de Hockney qu'il serra comme un garrot.

– Amenez-moi le premier connard qui fait courir ce bruit, siffla le Cubain, que je l'arrange. Vous tenez sans doute cela d'un de ces snobinards d'Anglos qui sont toujours à essayer de mettre dans la merde le premier Cubain qui fait son trou – ou ce qu'il pense être son trou. Si vous voulez des tuyaux sur l'art de blanchir le fric de la drogue, allez donc chez ces morveux de banquiers anglos – il cita quelques noms – et vous verrez qu'ils y sont plongés jusqu'aux yeux. Il n'y en a *pas un* de propre.

En attendant que le Cubain se calme, Hockney se rendit compte qu'il était allé trop loin.

Il fut heureux de l'interruption provoquée par deux femmes qui traversaient la salle, en faisant onduler leurs formes. Elles vinrent à la table de Parodi. Il remarqua que la plupart des hommes – y compris les deux taciturnes derrière leur journal – avaient les yeux braqués sur elles.

La brune aux longues jambes portait une robe du soir qui lui découvrait la plus grande partie du dos. L'ensemble-pantalon de la rousse lui moulait les seins et les cuisses. L'écharpe, autour de son cou, étincelait de ce qui parut être à Hockney des diamants et des rubis. Si c'étaient des imitations, elles étaient parfaitement réussies.

Parodi fit un signe de son cigare et elles s'installèrent dans des chaises vides, de part et d'autre des deux hommes.

– Gloria, dit-il en présentant la rousse.

A sa façon de caresser le dos du Cubain, on comprenait qu'ils étaient intimes. Sous l'éclairage de la lampe, Hockney jugea que si elle retirait l'excès de rouge, effaçait l'ombre qui soulignait ses yeux et défaisait ses cheveux, elle serait vraiment très belle. Son petit nez retroussé lui donnait un air de chaton.

– Mon amie Sonia, dit la rousse, présentant l'autre fille.
La brune paraissait également très jeune, mais à son sourire terne et à son élocution lente, Hockney devina qu'elle se droguait.

– Bob est journaliste, annonça Parodi.
Gloria fit la moue et Hockney demanda :

— Vous avez quelque chose contre les journalistes?

— Ils puent, répondit Gloria en toute franchise. Il y a quelques semaines, des mecs d'une chaîne de télé ont envahi le couloir d'un hôtel. Ils l'ont eue leur sale histoire. Ils ont aussi fait boucler quelques filles.

Elle ouvrit son sac de croco et y prit une pilule qu'elle avala.

— Il y a une réception chez moi, dit le Cubain à Hockney. Vous êtes invité si ça vous dit.

— Je vous remercie, répondit Hockney, mais madame dit quelle n'aime pas les journalistes.

— Elle plaisante, dit Parodi.

Mais, dans les yeux de Gloria, Hockney vit qu'elle ne plaisantait pas. Il y lut moins la répugnance que la crainte.

— Un autre soir, conclut-il.

Il se sentait un peu ridicule en partant. Il se faisait l'effet d'un de ces journalistes de feuilles à scandale qui, écrivant un papier sur les salons de massage et autres cercles du vice, régalaient les lecteurs de tous les détails jusqu'au moment où — prétendaient-ils — « J'ai demandé qu'on m'excuse et je suis parti ».

Lorsque Hockney appela Maguire à l'heure du petit déjeuner, celui-ci lui demanda d'un ton glacial :

— J'espère que vous vous êtes bien amusé.

— Vous n'êtes pas froissé, non? demanda Hockney, inquiet de la sécheresse du flic. Je vous avais dit que je voulais voir Parodi de près.

— Je ne suis pas froissé, répondit Maguire d'un ton toujours sec. Seulement, pendant que vous écoutiez les discours, moi j'ai failli me faire arracher les couilles par ces connards des Brigades Bleues. C'est passé à la télé. Brutalités policières, qu'ils appellent ça. Ils se sont pointés avec leurs caméras juste à temps pour prendre quelques flics, matraques à la main. Mais, bien sûr, ils ont raté le mec qui a essayé de glisser une allumette dans le réservoir de ma voiture.

Hockney tenta quelques bruits de bouche apaisants, que le flic ignora.

— Qu'est-ce que vous avez fait de notre ami? demanda Maguire.

— Je suis perplexe. Il parle comme un croisé de la Guerre Froide. Il va m'emmener voir un de ses camps d'entraînement.

— Faites gaffe, ou ils vont prendre votre cul pour cible, l'avertit Maguire.

Ils convinrent de s'appeler en fin de journée.

Ce curieux vendredi laissa à Hockney l'impression que quelque chose de sérieux se tramait. Il appela le bureau pour dire qu'il serait de retour à la fin de la semaine. Jack Lancer étant sorti pour un reportage, il se fit passer Len Rourke à New York.

— Ne te presse pas, Bob, lui dit le rédacteur en chef. Jack s'en tire très bien. Et toi? Tu as trouvé quelque chose?

— Je suis dessus, ne put que répondre Hockney.

— Eh bien, prends tout ton temps.

A la façon dont Rourke dit cela, Hockney eut le sentiment qu'il aurait dû s'envoler pour Washington la veille. Il se passait quelque chose, à coup sûr.

Comme les jours précédents, il appela Julia.

— Ton ami de Porto Rico a essayé de te joindre, lui dit-elle. Il n'a pas dit son nom, mais il prétend que tu sauras qui c'est.

— Je le sais, confirma-t-il.

Ce ne pouvait être que Frank Parra, l'homme du F.B.I.

— Il m'a dit de te dire qu'on l'avait mis sur la touche. A New York.

— Oh, bon Dieu!

Pour Hockney, Parra était le seul homme qui pouvait mener à bien l'affaire Fairchild, côté Porto Rico. Il se demanda si l'agent du F.B.I. avait été muté parce que ses patrons avaient appris qu'il avait parlé à un journaliste du *World*.

Parodi tint sa promesse pour le camp d'entraînement. Il vint le chercher en personne à l'hôtel, un peu après dix heures, avec Rolls champagne et chauffeur bestial. Hockney prit son appareil photo, un appareil miniature, invisible dans la poche de sa veste de toile.

— Vous permettez que je prenne des photos? demanda-t-il au Cubain, une fois au camp entouré de barbelés et situé sur une propriété privée au bord des Everglades.

— Prenez toutes les photos que vous voudrez, répondit

Parodi. Nous voulons que les gens sachent que c'est du sérieux.

En fait, il apparut qu'il ne fallait pas prendre l'offre du Cubain trop à la lettre. On lui laissa photographier un groupe d'exilés cubains et nicaraguayens pataugeant dans les marécages et tirant sur des cibles métalliques qui jaillissaient des broussailles lorsqu'on appuyait sur un bouton. Une des cibles ressemblait à Fidel, l'autre à un guérillero noir armé d'un fusil. Au cours de ces exercices, les recrues de la Brigade Bleue — dont d'anciens soldats de la Garde nationale de Somoza — utilisaient des Colt Ar-15 qu'on pouvait se procurer, à bon compte et légalement, chez de nombreux armuriers de la Floride du Sud.

On ne permit pas à Hockney de photographier un second groupe qui s'entraînait avec des armes spéciales : fusils d'assaut munis de lance-grenades, système de visée laser ou balle à pointe vert pomme qui, selon l'instructeur, pouvaient traverser un véhicule blindé.

Parodi emprunta un fusil à un instructeur et le pointa sur la poitrine de Hockney. Le journaliste baissa les yeux et vit un petit cercle de lumière rouge sur le côté gauche de sa chemise.

— La tache rouge est l'endroit où frappe la balle, dit Parodi en souriant. Ces lasers sont particulièrement dissuasifs. Je vous le dis, un mec y réfléchit à deux fois avant de vous attaquer quand vous lui montrez cette petite tache rouge.

— Je le crois volontiers, reconnut Hockney en déglutissant pour faire passer une soudaine amertume dans sa gorge.

Puis Parodi lui fit visiter un bâtiment transformé en gymnase.

— C'est là que nos gars s'entraînent au corps à corps et aux trucs mortels. La clé au bras de Chavante, la vrille à l'aine du Gange, le tire-bouchon cantonais. Tenez, donnez-moi un grand coup de poing.

— Quoi?

— Allez-y, frappez-moi.

Hockney regarda son hôte, hésitant. Malgré sa carrure et son corps massif, Parodi paraissait incurablement hors de forme. Il n'avait vraiment pas l'air d'un para-commando.

— Allez-y, le pressa le Cubain.

Hockney balança une droite. En un éclair, son coude droit

se retrouva sous la main gauche étendue du Cubain qui saisit, de sa main droite, le poignet du journaliste, lui immobilisant le bras. Parodi ne força pas, mais Hockney poussa un cri de douleur. L'autre avait dû lui déboîter le coude, pensa-t-il.

Parodi relâcha sa prise et tapota la joue de Hockney, comme il l'aurait fait pour un gosse, ou un chien.

– C'est le coup favori des lutteurs *panmo*, au Brésil, expliqua-t-il tandis que le journaliste se frottait le coude. Le meilleur moyen que je connaisse pour casser le bras d'un type. Le coude n'est pas fait pour supporter une telle pression.

Alors qu'ils retournaient à la Rolls, Parodi lui fit un clin d'œil et dit :

– J'ai appris ça à l'Agence.

Hockney avait compté une vingtaine d'hommes au camp d'entraînement.

– Vous croyez vraiment que vous allez renverser Castro ou les sandinistes avec deux douzaines de combattants? demanda-t-il à Parodi en rentrant sur Miami.

– Vous n'avez pas lu Mao? lui répondit le Cubain. Une étincelle peut embraser toute la plaine.

La douleur dans le bras de Hockney s'était estompée et il se risqua à poser une autre question explosive.

– Julio, vous ne craignez pas que Fidel ait infiltré votre organisation? J'ai entendu dire qu'on trouvait des agents de la D.G.I. dans la plupart des groupes d'exilés.

– C'est en partie vrai, répondit aimablement Parodi, sans hésitation. Mais nous aussi nous avons nos agents. Tout un réseau à l'intérieur de Cuba, qui attend notre signal pour se soulever.

– Votre propre réseau? Vous voulez dire la *Brigada Azul*? Ou la C.I.A.?

Pour toute réponse, Parodi cligna de l'œil – un clin d'œil qui lui donnait l'air de partager une énorme obscénité avec son interlocuteur. Puis le Cubain dit :

– Il y a des choses dont il vaut mieux ne pas parler. C'est le vice national des Cubains. Trop parler. *Se hace correr la bolla.* Vous savez ce que ça signifie?

Hockney secoua la tête.

– Nous faisons courir les bruits aussi vite qu'un putain de ballon de foot sur un terrain.

Sa visite dans les Everglades avait au moins fourni quelque chose, songeait Hockney en rentrant à son hôtel. Il jeta sur le papier un court article, coloré, sur la Brigade Bleue et sur Julio Parodi, l'expédia à New York, avec le rouleau de pellicule de photo. Ce n'était pas un chef-d'œuvre littéraire, même s'il y avait consacré tout un paragraphe à la description de l'odeur particulière des palétuviers pourrissants. Et il se rendait parfaitement compte qu'il se trouvait détourné de son objectif initial : découvrir le lien, si tant était qu'il en existât un, entre la mort du sénateur Fairchild et l'objet des soupçons de Jay Maguire.

Il continuait à se demander pour quelle raison Parodi avait monté tout ce cinéma à son intention. Il ne manquait que les haut-parleurs pour annoncer au monde entier qu'il montait une opération pour le compte de la C.I.A. Était-ce simplement une manifestation du « vice national cubain » ou Parodi faisait-il étalage de sa couverture? Hockney songea qu'un bon moyen de connaître la réponse était de la demander à l'ami de Parodi à la C.I.A., le gros homme de la photo que Jay Maguire lui avait montrée. Après deux coups de fil à ses contacts à Washington, il obtint un numéro qui se trouva être celui de la société de bois de charpente Gator. La voix féminine qui lui répondit prétendit n'avoir jamais entendu parler d'un M. Whitman. Hockney s'y rendit en voiture – une bâtisse écrasée, presque sans fenêtres, qui ressemblait à une énorme boîte de pilules. Le gardien lui refusa l'entrée, prétendant, lui aussi, qu'il n'existait pas de M. Whitman à la société de bois de charpente Gator. Hockney se rendit compte que s'il voulait connaître le fin mot de l'histoire, il lui faudrait faire appel à ses contacts de l'Agence à Washington.

Maguire passa environ une heure hors service ce soir-là à manger des *chuletas de cerdo* avec Hockney au *Centro Vasco*. Hockney se rendait parfaitement compte que le flic se montrait plus réservé avec lui. Il le sentait tendu et crispé. Le sentiment de frustration de Hockney ne fit que croître au cours du repas, le flic ne répondant à ses questions que par monosyllabes ou n'y répondant pas du tout.

– Jay, finit par éclater Hockney, je sais que vous m'en voulez pour une raison que j'ignore. Peut-être parce que vous croyez que Parodi m'a pris pour un pigeon. Eh bien, ce n'est pas le cas. Je ne sais plus quelle piste suivre, c'est tout. Il faut me mettre dans la bonne direction. Je sais que vous me cachez quelque chose. Si vous ne parlez pas, je ne pourrai vous être d'aucune utilité.

La réponse de Maguire le surprit.

— Vous n'avez jamais pensé aller à La Havane? demanda le flic sans lever les yeux des restes de son riz aux haricots.

— Je ne sais pas si on me laisserait entrer, répondit Hockney. Je n'ai jamais demandé de visa.

— Je peux vous donner une adresse, dit Maguire. Un coin de La Havane où se rend Parodi.

— Vous avez un morceau de papier?

Hockney fouilla dans ses poches. Un journaliste sans rien pour écrire : ridicule. Finalement, il trouva un reçu de sa banque dans son portefeuille.

— Je suis désolé, c'est tout ce que j'ai, dit-il en le tendant à Maguire.

— Ça ira, répondit le flic. Considérez ça comme un acompte.

Maguire gribouilla une adresse au dos du reçu, en grosses lettres maladroites, comme celles d'un écolier, avec de grandes boucles aux y et aux g.

— Ne me demandez pas d'où je la tiens, l'avertit l'inspecteur. Mais si vous avez un moyen de la vérifier, faites-le.

4

MIAMI

Arnold Whitman haïssait les dimanches soir. Les jours calmes, les dimanches où il n'était pas de service, ne jouait pas au golf ou ne recevait personne à dîner, il entrait en lui et y faisait le bilan de sa vie, concluant chaque fois que les pertes excédaient les gains.

Assis dans sa Saab, vieille de cinq ans, occupant la file centrale de la voie Rickenbacker, Whitman attendait que le pont s'abaisse. Il regarda passer un yacht à la coque rose vif qui glissait vers le soleil couchant. Une blonde toute en courbes saluait les automobilistes bloqués sur la chaussée, pour son plus grand plaisir.

— Va t'faire foutre, murmura Whitman.

Arnold Whitman n'était pas seulement obèse, mais énorme, bâti comme un bouddha de un mètre quatre-vingt-dix, le sommet de son crâne chauve accentuant encore la ressemblance.

Lorsque l'Agence lui avait proposé le poste de chef de station à Miami, il avait sauté sur l'occasion. En partie parce qu'il se sentait envahi d'une chaude nostalgie lorsqu'il évoquait le temps où il entrait en plastronnant dans un Sloppy Joe, une quelconque gargote; il y prenait son petit déjeuner après une nuit passée à organiser un raid sur Cuba. Époque où il croyait, avec une ferveur de missionnaire, qu'il pouvait changer le cours de l'Histoire. Au début des années soixante, il avait joué de la communauté cubaine en exil comme l'on joue de la harpe. La piètre couverture qu'utilisait alors l'antenne de la C.I.A. en Floride du Sud – société de bois de charpente Gator – datait du bon vieux temps.

Mais le boulot à Miami présentait un autre attrait : un glissement progressif vers une douillette retraite au soleil. Le sort en avait décidé autrement. Miami était devenue la Casablanca des Caraïbes. Tous les services secrets du continent – et d'autres – y étaient occupés par de ténébreuses intrigues. Des émigrés de tout le monde latin conspiraient dans ses bars et ses boîtes de nuit, mêlés à des trafiquants de drogue, à des marchands d'armes, à des financiers véreux. Et, par-dessus tout ça, l'administration Newgate semblait y mener une guerre secrète contre Cuba. D'aucuns, à Langley, semblaient considérer qu'il serait facile de reprendre les anciens contractuels de la communauté cubaine, qui n'émargeaient plus au budget de la Compagnie depuis que la Maison-Blanche de Nixon, en 1973, avait ordonné à la C.I.A. de boucler pour de bon ses bases des Keys de Floride. Whitman savait, mieux que quiconque, combien les choses avaient changé. Il était allé visiter quelques-uns des repaires où l'Agence, naguère, planquait sa flotte particulière de bateaux aux moteurs gonflés, utilisés lors des débarquements clandestins à Cuba.

Whitman avait découvert que bon nombre des anciens collaborateurs de la C.I.A. de la Petite Havane n'avaient pas pardonné à leurs anciens employeurs de les avoir abandonnés. Même ceux qui avaient conservé leur enthousiasme pour la « libération » de Cuba, ou tout au moins pour aller tirer la barbe de Fidel, avaient de sérieuses raisons personnelles de ne pas se retrouver dans le coup. Ils avaient vieilli, ils avaient des gosses, ils avaient pris de la bouteille. Beaucoup avaient monté leur propre affaire et vivaient dans des maisons de trois cent mille dollars à Coral Gables. Plus d'un se trouvait mouillé dans des trafics de drogue.

Whitman ne jugeait pas le commerce de la drogue comme particulièrement immoral. Il connaissait des tas d'exilés de droite pour lesquels le trafic se justifiait parfaitement dans la mesure où il permettait de soutenir leur combat politique. Il savait que dans la vieille Havane, du temps de Batista (et de Meyer Lansky), on ne stigmatisait guère la drogue. On trouvait aussi facilement de la cocaïne que du Chivas Regal. Il avait entendu dire que de riches Cubains s'en frottaient les organes sexuels dans l'espoir – peut-être vain – que ses vertus aphrodisiaques réputées en seraient accrues.

Arnold Whitman pouvait donc à l'occasion travailler avec des trafiquants de came, pour peu qu'ils aient assez à offrir. Cette attitude s'était traduite par une sérieuse friction avec son homologue du F.B.I. à Miami lorsqu'il avait demandé au Bureau de cesser de surveiller un de ses agents.

– Mais nous savons que ce type est l'un des plus importants pourvoyeurs de cocaïne de la Floride du Sud, avait objecté l'homme du F.B.I.

– La coke passe, de toute façon, avait expliqué Whitman patiemment. L'occasion de nous infiltrer dans les réseaux de renseignement de Castro ne se présente qu'une fois tous les dix ans.

Ce qui inquiétait le plus Whitman, dans l'utilisation des criminels comme agents, c'était que, psychologiquement, on ne pouvait espérer d'eux qu'ils demeurent loyaux à un seul employeur; on risquait toujours de les voir partir avec la caisse. « La caractéristique d'un espion ou d'un agent double, avait un jour déclaré Whitman lors d'un cours dispensé à de jeunes stagiaires du service de renseignement, c'est l'abus de confiance. La difficulté, lorsqu'on manipule un agent double, c'est qu'une fois habitué à trahir la confiance de ses proches – ceux pour qui il travaille – il peut juger tout aussi simple, sentimentalement parlant, de vous trahir, *vous.* »

L'homme qu'allait rencontrer Whitman était tout à la fois un trafiquant de drogue et un agent double, un expert en trahison dont la raison de vivre semblait être de poignarder dans le dos les gens qui lui faisaient confiance. Whitman pensait que ce que pouvait offrir cet agent valait la peine d'en courir le risque. Il n'avait guère été fréquent, au cours des dernières années, que l'Agence tombe sur une source ayant des contacts personnels avec des chefs des services de renseignement de Castro, sur un homme à qui ces chefs fissent confiance au point de l'utiliser dans leurs opérations les plus délicates. Lorsqu'on tombait sur une pareille source, on ne la perdait pas, et, bon sang, on ne permettait pas à quelques flics stupides de la police de Miami de la mettre à l'ombre pour avoir passé un peu de coke.

105

En plus, on pouvait compter sur lui pour ne pas faire apparaître son nom dans les journaux.

Sur le siège, à côté de Whitman, s'étalait la copieuse édition du dimanche du *New York World,* ouvert sur un titre : « LA C.I.A. ENTRAÎNE EN FLORIDE DES EXTRÉMISTES DE DROITE EN VUE D'ENVAHIR LE NICARAGUA ET CUBA ». L'article, illustré d'incroyables photos de membres de la *Brigada Azul* pataugeant dans les Everglades ou tiraillant sur des mannequins métalliques, remplissait presque une page. Whitman avait commencé – comme toujours lorsqu'il lisait un article – par le nom du journaliste. Immédiatement, il avait reconnu la signature : Robert Hockney, le type du *World* qui avait essayé de lui téléphoner à la société de bois de charpente Gator.

Le plus incroyable, pensait Whitman, c'est qu'apparemment Julio Parodi avait pris Hockney par la main pour lui faire visiter toutes les installations. Le fait que Parodi ouvrît sa grande gueule devant la presse confirmait Whitman dans son impression qu'il lâchait trop la bride à l'agent cubain. Parodi faisait de plus en plus montre de futilité et de désinvolture; par exemple dans la manière dont il avait décidé, lui, de leur lieu de rencontre ce soir. Whitman décida qu'il lui faudrait apprendre au Cubain la discipline et le respect de la hiérarchie.

Le lieu de rendez-vous choisi par Parodi était typique du bonhomme : cela permettait de comprendre facilement pourquoi il avait éveillé les soupçons de la police de Miami. On se demandait même comment on ne l'avait pas encore piqué lors de ses contacts avec Castro. Ils avaient rendez-vous chez *Stefano,* un restaurant-discothèque italien. Whitman distinguait l'enseigne lumineuse, sur sa droite. Fidèle à son image, Parodi avait garé sa Rolls champagne devant la porte : presque une campagne publicitaire! En descendant de sa voiture, Whitman repéra l'homme de main de Parodi qui traînait dans le coin en tirant sur une cigarette.

En passant devant le bar triangulaire, Whitman vit quelques filles solitaires – dont l'une était particulièrement séduisante –, elles buvaient en attendant que l'endroit se remplisse. L'orchestre n'arriverait que plus tard, mais, aux oreilles de Whitman, le niveau de décibels de la hi-fi parut suffisant pour lui rompre les tympans avant qu'il atteigne la table où se trouvait Parodi.

106

– On n'est pas là pour écouter du disco, récrimina le chef d'Antenne de la C.I.A. en se penchant sur la table pour se faire entendre.

Parodi portait sa tenue de combat : costume de soie blanc cassé, chemise cramoisie ouverte sur des chaînes en or et une touffe de poils gris frisés.

– Je suppose que vous avez lu le *World,* dit Whitman en laissant tomber sur la table les pages « reportages ». A quoi jouez-vous, bon Dieu, à faire du pied aux journalistes?

– Le type était à la recherche d'une histoire, répondit Parodi d'une voix aimable. Je lui ai donné une histoire. Ça l'a empêché de fureter plus loin.

– Vous êtes cinglé, dit Whitman en secouant la tête.

– Écoutez, tout le monde est content. Les gamins de la brigade sont contents : ils ont leur photo dans le journal. Mes amis de l'île sont contents : cela prouve que je suis un gros bonnet parmi les dingues anticastristes. Alors, qu'est-ce qui vous chagrine?

– Arrêtez de déconner.

Whitman ne jurait pas souvent, et, lorsqu'il jurait, on aurait pu croire qu'il essayait de parler la bouche pleine.

– Regardez ce titre, insista-t-il. Le nom de la C.I.A. qui s'étale sur toute cette merde. Nous allons avoir sur le dos les commissions sénatoriales et les journalistes. Ils sont fous de rage, à Langley.

Parodi livrait à la circoncision un de ses cigares géants, usant d'un extraordinaire appareil qui ressemblait à des ciseaux en or. Sa décontraction commençait à taper sur les nerfs de l'homme de la C.I.A.

– Je ne vois pas où est le problème, répondit le Cubain après avoir coupé et humecté le bout de son cigare à sa convenance. Nous savons l'un et l'autre que ce n'est pas la C.I.A. qui dirige ce camp. Le camp m'appartient. La brigade m'appartient.

– Et vous nous appartenez, coupa Whitman. Si vous commencez à l'oublier, vous ne vaudrez plus un pet de lapin.

Il se tut en voyant le garçon approcher.

– Qu'est-ce que vous buvez? demanda Parodi, jouant les hôtes attentifs.

– Un daiquiri. Pas trop sucré. *Poco azúcar.*

Fidèle à son habitude, Whitman avait tourné sa chaise de façon à se trouver face à la porte, l'estrade des musiciens dans le dos. La brune qu'il avait remarquée au bar vint s'asseoir à la table voisine. Elle ne portait pas de soutien-gorge, observa-t-il.

Les deux hommes demeurèrent silencieux jusqu'au retour du garçon.

— Trop doux, dit Whitman en goûtant son daiquiri.

— Je vais en commander un autre.

Parodi fit claquer ses doigts pour rappeler le garçon, mais déjà Whitman repoussait sa chaise.

— Et puis on ne peut pas parler ici, dit l'homme de la C.I.A. Levez-vous. On s'en va.

Whitman se trouvait déjà à mi-chemin de la porte lorsque le Cubain, qui s'était levé à contrecœur, le rattrapa après avoir haussé les épaules à l'intention du garçon.

Dehors, le chauffeur de Parodi attendait devant la portière ouverte de la Rolls.

— Laissez tomber, dit Whitman à Parodi. On prend *ma* voiture.

— On peut aller chez moi, suggéra le Cubain. C'est à peine à cinq minutes d'ici.

— On va faire un tour en voiture, riposta Whitman. L'air du soir vous remettra peut-être les idées en place.

Ils montèrent dans la Saab; les genoux de Parodi touchaient sa poitrine, mais Whitman ne lui proposa pas de reculer le siège.

— On serait vraiment plus à l'aise chez moi, essaya de nouveau Parodi.

— Vous voulez rire, répondit sèchement l'homme de la C.I.A. Tous les services secrets de cette ville ont des micros sous vos matelas.

— J'ai investi plus de trente mille dollars dans un matériel de détection et de brouillage, objecta le Cubain avec un air de dignité offensée.

— Aux bruits de bêtes que font vos pouffiasses, fit sèchement observer Whitman, je peux vous dire que ça ne marche pas.

Tandis qu'ils roulaient vers l'extrémité de la ville, Whitman pouvait sentir que le Cubain commençait à perdre son sang-froid. Cela lui convenait parfaitement. Il engagea sa voiture dans un quartier résidentiel, au milieu de maisons tout en rez-de-chaussée ou à un étage, aux façades de stuc rose, vert ou blanc, au milieu d'un petit jardin. Certaines rues étaient ombragées de palmiers, de lauriers-roses et, de temps à autre, d'un pin de Norfolk. Un quartier typiquement latin de Miami, un coin habité par une bourgeoisie laborieuse. Whitman en fit le tour puis s'engagea dans une route en lacet qui longeait la rivière Miami. La lumière était suffisante pour qu'on pût lire : 16ᵉ Rue N.-O.

Whitman ralentit devant le n° 2400, un immeuble de trois étages, de brique rouge et de béton, avec du linge aux balcons.

– Vous êtes dingue? siffla Parodi. Vous n'allez pas vous arrêter là?

Le Cubain était visiblement mal à l'aise. Il en laissa choir son cigare et la cendre s'émietta sur le devant de sa chemise blanche. Il alla repêcher son barreau de chaise entre ses jambes et, lorsqu'il redressa la tête, Whitman vit que son front était moite de sueur.

– *Coño,* jura le Cubain. Tirons-nous d'ici avant que quelqu'un nous voie.

Whitman traîna encore un instant avant d'accélérer et de tourner à angle droit au coin de la rue.

– Dites-moi, Arnie, demanda Parodi après avoir recouvré son sang-froid, pourquoi êtes-vous venu par là, bordel?

Whitman détestait tout particulièrement qu'on l'appelle Arnie.

Il ne dit mot avant qu'ils se retrouvent à une bonne distance de la 16ᵉ Rue nord-ouest, puis il s'arrêta, coupa le contact et se tourna pour fixer le Cubain droit dans les yeux.

– Je veux que vous compreniez bien, Julio, commença-t-il. J'aurais pu vous débarquer là et faire gueuler mon avertisseur, juste pour montrer à vos amis pour qui vous travaillez.

Whitman savait parfaitement ce qui se tramait dans l'immeuble de la 16ᵉ Rue : au dernier étage, la D.G.I. possédait un appartement qui servait de planque, loué par un Cubain âgé qui travaillait pour une société de cigares – un contact parfait pour Julio Parodi. Whitman savait que Parodi s'était rendu une ou deux fois à l'appartement pour envoyer des messages à La

Havane, encore que la plupart de ses contacts avec la D.G.I. se tenaient ailleurs aux États-Unis. Parodi rendait toujours compte de ses rencontres à l'appartement de la 16e Rue. Whitman en avait à chaque fois la confirmation; il avait pris la précaution de faire placer des micros dans l'appartement. Mais, pour autant, il ne pouvait savoir exactement ce qui s'échangeait, de la main à la main, sur des morceaux de papier.

— *Carajo*, dit Parodi d'un ton convaincu. Vous auriez pu me faire tuer. Si les Cubains avaient su que j'étais en train de vous parler... Il fit le simulacre de se trancher la gorge puis se ficha le cigare dans la bouche, comme une sucette.

— J'essaie de vous faire comprendre, Julio, expliqua Whitman, que vous avez la belle vie. Vous êtes un homme riche. Je ne connais personne à Langley qui vive comme vous. Vous êtes un homme en vue à la Petite Havane. Et même Fidel vous adore. Ce serait dommage de tout gâcher par laisser-aller.

— Qu'est-ce que vous voulez dire?

— Je dis qu'il faut la fermer. En fait, disparaissez pendant quelque temps. Allez faire un petit voyage. Départ demain. Vous pouvez faire un saut à La Havane?

— J'y étais il y a deux semaines à peine, répondit Parodi. Je dois être prudent. On pourrait commencer, ici, à se douter de quelque chose. Les gens de la brigade.

— Nous voulons que vous alliez à Cuba, dit Whitman, d'un ton qui sonnait comme un ordre. Je n'en discute pas. Je le dis. C'est clair?

Parodi ne répondit pas, préférant retirer quelque débris de l'extrémité de son cigare.

— Ne faites pas l'idiot maintenant, Julio. Ça fait un moment qu'on vous fait confiance. Et souvenez-vous de ceux qui empêchent les flics et le F.B.I. de vous tomber dessus.

— Ils n'ont rien contre moi, rien qui tiendrait devant un tribunal, dit le Cubain, méprisant.

— Mais *nous* oui, Julio.

— *Te jodistes,* fit Julio de tout son cœur.

— Je sais.

Sur le chemin du retour, un silence plus lourd que jamais s'installa entre eux; Whitman, quant à lui, ressentait une sorte de tranquille satisfaction. La peur était le seul moyen de maintenir Parodi dans le droit chemin et il pensait être parvenu à lui faire peur, ce soir. Dans les notes intérieures « top

110

secret » de l'Agence, on appelait parfois Parodi « Daiquiri » –
un de ces surnoms imaginés par un quelconque alcoolique de
Washington. Whitman, préférait le nom de code original
attribué par l'Agence à Parodi : Amtrak [1]. Un bureaucrate
dépourvu de tout sens de l'humour l'avait choisi parce
qu'il commençait par AM, comme la vieille série utilisée
par la C.I.A. pour les agents cubains. Mais Whitman appréciait le calembour involontaire. Le nom de code laissait
entendre qu'on aurait de la veine si on arrivait à destination à l'heure, sans compter qu'on pouvait bien rater le
train.

NEW YORK

Hockney se trouvait dans une salle aux murs blanchis à la
chaux et où pendaient des poivrons rouges séchés et des tapis
aux motifs folkloriques. Le *Csarda* était bien tel qu'on pouvait
se représenter une vieille auberge de campagne à l'est du
Danube. C'était d'ailleurs la signification de son nom en
hongrois. Il regardait Len Rourke engloutir tout ce qui se
trouvait devant lui, depuis les *lecsos kolbasa* – généreuses
tranches de saucisse à l'ail baignant dans des tomates, des
poivrons verts, des oignons et, comment faire sans du paprika –
jusqu'au veau à la *palacsinta,* crêpes fourrées au jambon et
nappées de noix. Hockney avait calé. Ils en étaient à leur
troisième bouteille de Sang de Taureau lorsque le rédacteur en
chef du *World* se recula dans sa chaise, massa son ventre plat et
commanda du café.

– Pas de doute, les Hongrois savent manger, dit-il d'un
ton approbateur.

– Eh bien, je crois que vous leur avez parfaitement rendu
justice, observa Hockney, admiratif.

La dernière fois qu'ils avaient dîné ensemble, Rourke avait
chipoté. Il paraissait maintenant plus mince que jamais. Ses
épaules étroites et voûtées, ses joues émaciées le faisaient
paraître décharné, cadavérique. Mais il s'était jeté sur son

---

1. Nom d'une compagnie ferroviaire. (*N.d.T.*)

assiette comme un alcoolique sur le premier verre de la journée.

– On dirait que l'opération a bouleversé tout mon métabolisme, expliqua Rourke en remarquant la curiosité de Hockney. Le soir où ils m'ont laissé sortir de l'hôpital, j'ai avalé quatre steaks – *quatre* – et à peu près cinq livres de pommes de terre. Les docteurs me disent de ne pas m'inquiéter. Ça arrive, parfois. Encore une quinzaine de jours et on n'en parlera plus.

Rourke avait le teint anormalement coloré et sa main trembla tandis qu'il essaya d'allumer une cigarette. Son opération de pontage des coronaires ne remontait à guère plus d'un mois.

– J'y pense sans cesse, dit-il à Hockney. J'ai dit aux médecins que je voulais tout comprendre. Ils m'ont laissé regarder les radios sur un écran vidéo pendant qu'ils essayaient de dégager une artère. Ils injectaient de la nitro avec une toute petite, toute petite aiguille. Je n'ai absolument rien senti, au début. Et puis l'intérieur de l'artère a explosé – on a vu ça sur l'écran comme un nuage d'encre projeté par un calmar – et j'étais étendu là à me demander par quel miracle j'étais toujours dans le coup. La douleur a commencé. Ça a duré douze secondes, m'ont-ils dit plus tard. Je ne peux pas vous décrire cette douleur, Bob. On aurait dit une étoile filante.

Rourke claquait un peu des dents en parlant, comme s'il mâchait des noix. Il faisait toujours cela lorsqu'il était nerveux ou excité.

– Ça vous change un homme, un truc comme ça, Bob, poursuivit-il. Ça vous fait comprendre que vous n'avez pas l'éternité devant vous, vous savez. Ça vous force à choisir ce qui compte *vraiment*.

Hockney écoutait avec intérêt et avec une sympathie non feinte. Il avait toujours aimé cet homme, même s'il le jugeait faible et trop enclin à se laisser tyranniser par Ed Finkel. Il comprenait aussi que, si les paroles de Rourke tenaient du sermon, cela lui était destiné. Il voulait protester contre la façon dont Finkel et Jack Lancer avaient manipulé son article sur le camp d'entraînement des Everglades. Après avoir isolé du contexte une unique référence aux liens passés de Parodi avec l'Agence, ils avaient présenté le tout comme un exposé sur une opération illégale de la C.I.A.

Rourke avait déjà nettement précisé qu'il n'entendait pas jouer les arbitres dans un autre bureau. Il voulait parler d'autre chose.

– Pourquoi cette histoire Fairchild vous intéresse-t-elle tant? demandait Rourke.

– J'ai toujours aimé les polars, répondit Hockney. Je ne peux encore rien prouver, mais je crois qu'il y a là-dessous bien plus que quelques dingues de Portoricains qui n'appréciaient pas la manière dont le sénateur parlait de leur mouvement.

Avec précaution, sans mentionner de noms, il brossa un rapide tableau de l'affaire, expliquant le rapport possible avec la filière de Miami.

– Il faudra peut-être que j'aille à Cuba, conclut-il.

Rourke écrasa sa cigarette à demi fumée et en alluma aussitôt une autre, habitude curieuse qui ne réduisait en rien la dose de nicotine mais lui coûtait simplement plus cher.

– Vous êtes heureux à la direction du bureau de Washington, non, Bob? Répondez-moi franchement.

– Eh bien, je crois que je regrette d'être vissé à ma chaise et de ne pas pouvoir m'occuper des affaires d'un bout à l'autre.

– Je comprends, opina Rourke. Vous n'êtes pas fait pour rester derrière un bureau. Vous n'avez jamais été fait pour ça. Vous croyez que ça vaut le coup d'aller plus avant dans l'affaire Fairchild?

– J'en suis sûr. Peut-être ne puis-je pas me montrer suffisamment convaincant, mais je sais que ça pourrait payer. On sent ce genre de choses.

– D'accord, dit Rourke, soufflant sa fumée en un 8 allongé – symbole de l'infini – qui s'éleva lentement vers le plafond. Puis il poursuivit : il est temps pour nous d'envoyer à Cuba quelqu'un de bien placé. Je suis fatigué des conneries que nous envoie ce correspondant de La Havane. Ed Finkel me disait cet après-midi que les Cubains organisent un voyage pour cinq ou six rédacteurs, avec garantie totale d'accès. Ed proposait d'envoyer Jack Lancer. Je ne vois pas pourquoi vous n'iriez pas à sa place. Ça vous intéresse?

– Quand commence la rigolade aux frais de la princesse?

– Dans une quinzaine.

Hockney songeait à ce que Jack Lancer rapporterait s'il

faisait le voyage à Cuba. *Jack ne reconnaîtrait pas un agent de la D.G.I. même s'il partageait son lit,* pensait Hockney. Mais ce fut le morceau de papier que Jay Maguire lui avait remis à Miami qui le décida, le reçu de la banque au dos duquel il avait griffonné une adresse à La Havane.

— J'aimerais bien y aller, dit Hockney.

— Parfait, répondit Rourke. Je vais essayer d'arranger ça. Encore une chose, Bob. C'est assez sain d'avoir des désaccords dans un journal. Mais ça me fatigue de voir s'accumuler dans ma corbeille de courrier, tous les jours de la semaine, des notes avec des vacheries. Finkel veut vous virer de Washington. Vous savez cela.

— Il ne s'en cache pas.

— Effectivement. Mais je suis prêt à vous soutenir. Jusqu'à un certain point. Il faut vous décider en ce qui concerne le poste de Washington. Si vous voulez le conserver, vous ne pouvez aller cavaler après toutes les histoires qui éclatent ici ou là. Mais j'ai le sentiment que vous seriez plus heureux si vous retourniez à vos premières amours. Bon Dieu, vous êtes l'un des meilleurs enquêteurs que j'aie jamais rencontrés, Bob. Vous auriez dû vous tenir à ce boulot.

— Vous avez peut-être raison.

— Vous n'avez pas besoin de vous décider dans l'heure. Allez voir Castro, nous reparlerons de votre carrière plus tard.

MIAMI

Le jour où Hockney s'envolait pour New York afin d'y rencontrer Rourke, Julio Parodi quittait son appartement de Key Biscayne. Au lieu de prendre sa Rolls habituelle, il se fit conduire par Mama Benitez dans une Dodge bleu pastel. Il descendit à l'angle de Flagler et de la 24e et pénétra en hâte dans un immeuble de deux étages portant une plaque discrète : « CAMAGUEY INTERNACIONAL, S.A. ».

Il échangea quelques mots avec le préposé à la sécurité, devant la boutique au rez-de-chaussée où s'alignaient, derrière des vitres renforcées, des rateliers d'armes de poing et d'épaule.

Puis il grimpa les escaliers jusqu'au bureau directorial du premier étage. Lorsque le directeur se fut discrètement retiré, il ne fallut pas très longtemps à Parodi pour régler son affaire. Il téléphona sur sa ligne privée : un coup de fil à une obscure compagnie de transport aérien de Fort Lauderdale; un second au représentant d'une boîte d'import-export encore plus obscure située dans la zone franche de Colón, Panama; le dernier à Aeromexico afin de confirmer un aller simple en première pour Mexico, le jour même.

– Serez-vous absent longtemps, Don Julio? demanda le directeur lorsque Parodi le rappela dans son bureau.

– Pas longtemps, Felix. Je vous fais entière confiance.

Parodi se rendit ensuite dans une banque où il était actionnaire majoritaire – encore que, par prudence, ses actions fussent au nom de divers parents et employés. De la banque, Parodi se rendit directement à l'aéroport international de Miami. Son sac à la main, il passa un coup de téléphone en ville depuis une cabine du hall des départs d'Aeromexico. Sa conversation aurait dérouté un éventuel indiscret. Feuilletant un dictionnaire d'espagnol en édition de poche, il dicta :

– *Página sesenta y nueve, línea doce. Página treinta, línea cuatro.*

C'était là une manière laborieuse de transmettre un message, mais utile pour déjouer les indiscrétions – à moins de connaître et l'édition et le livre utilisé. Lorsqu'il eut terminé sa lecture des références au dictionnaire, son interlocuteur conclut : « *Listo.* »

On n'enregistra pas l'arrivée de Parodi à Mexico quelques heures plus tard. Deux officiels obligeants, en costume sombre, vinrent le prendre à sa descente d'avion et lui firent franchir douane et immigration sans contrôle. Nul ne demanda à voir ses bagages, nul n'enregistra son départ de la capitale mexicaine. Mais, trois jours plus tard, un homme corpulent, porteur d'une serviette de cuir et d'un passeport faisant de lui un citoyen panaméen, s'embarquait pour Medellín sur un vol Avianca.

MEDELLÍN, COLOMBIE

La marijuana pousse comme du chiendent et arrive à maturité en trois au quatre mois. Les cultivateurs paresseux la prisent pour cette raison. La cocaïne demande davantage de patience. Il faut trois ans à un cocaïer pour être productif. Mais, lorsqu'il commence à produire, un seul arbre de coca vaut une mine d'or. On peut faire plusieurs cueillettes de feuilles par an, parfois pendant quarante ans – autant que la vie active d'un homme. On broie les feuilles de coca en une sorte de pâte que l'on expédie dans un laboratoire parmi les centaines que compte la forêt tropicale de la Colombie, dans les *llanos* du versant oriental des Andes. Une fois raffinée, la cocaïne pure est envoyée aux salles de coupe où on la mélange avec des matières moins nobles, comme le lactose. Dans les salles de coupe à l'ancienne, on exige des femmes qui y sont employées qu'elles travaillent nues, afin de réduire le risque de les voir détourner une pincée ou deux de l'inestimable poudre blanche. La cocaïne est « coupée » plusieurs fois avant d'arriver jusqu'au consommateur de Miami ou New York. Le kilo de cocaïne non coupée peut atteindre vingt-quatre mille dollars en Colombie. Coupé plusieurs fois, le kilo va donner entre douze et vingt livres de neige, d'une valeur marchande, dans la rue, de trois cent mille dollars ou plus. On comprend donc pourquoi des gens tuent pour de la cocaïne.

Derrière les hauts murs de l'un des palais de la cocaïne de l'avenue des Millionnaires – en dollars – de la ville de Medellín, au bord d'une piscine de dimensions olympiques en forme de marsouin, un jeune Colombien du nom de Demetrio venait présenter ses respects à Julio Parodi.

Demetrio disposait des signes extérieurs de sa profession : Mercedes décapotable et blonde tapageuse qui s'était docilement installée, pour se faire bronzer, tout au bout de la piscine, à distance suffisante pour ne rien entendre des conversations. Le Colombien portait une montre criarde, un poids considérable de bijoux et un jean de grand couturier. Claudiquant légèrement, il s'aidait d'une canne noire à pommeau d'ivoire.

En l'embrassant, Parodi appela le jeune Colombien « comandante ».

Demetrio était l'un des chefs du front nord du Mouvement du 19 avril – le M-19. Il devait sa claudication à une balle perdue, reçue lors d'une fusillade en mer, lorsque la marine colombienne avait intercepté un vieux caboteur rouillé que le M-19 utilisait pour transporter les guérilleros entraînés à Cuba jusqu'à un mouillage solitaire de la côte pacifique. Malgré sa blessure, les autorités n'avaient pu identifier le comandante Demetrio. Ou avaient jugé préférable de ne pas le reconnaître. Neveu de l'un des généraux les plus en vue de la république, il avait également des relations d'affaires extrêmement haut placées.

— Vous avez la marchandise? lui demanda Parodi.

— J'ai apporté un échantillon, répondit Demetrio. Vous pourrez voir le reste à la ferme, lorsque nous aurons procédé à l'échange.

Le Colombien tira la fermeture à glissière de son sac d'épaule de style italien, repoussa son automatique sur le côté et en sortit un paquet ayant la taille et la forme d'une blague à tabac. Il le tendit à Parodi.

Le Cubain défit la toile huilée, prit une pincée de poudre blanche entre le pouce et l'index et la déposa dans le creux de sa main. Il remarqua, d'un air approbateur, que la poudre étincelait au soleil. Si on l'avait déjà coupée, les grains de lactose ou autres additifs auraient terni la poudre.

Délicatement, Parodi frotta la poudre blanche dans la moiteur de sa paume. La coke se fit claire et spongieuse.

— *Excelente*, commenta Parodi. *Espere un ratito.*

Demetrio s'éloigna en clopinant jusqu'à l'extrémité de la piscine où se trouvait la fille, allongée sur le ventre. Parodi entra dans la villa. Un morceau de papier d'aluminium l'attendait sur un tabouret dans la cuisine. Il disposa la poudre blanche en un petit tas sur la feuille, gratta une longue allumette de bois et la tint dessous. La chaleur provoqua la vaporisation de la cocaïne. Progressivement, elle se changea en une volute de fumée tourbillonnante, ne laissant subsister qu'une tache sur le papier d'aluminium; une tache, remarqua Parodi, du jaune le plus clair. Il en fut satisfait. Plus on coupait la cocaïne, plus sombre était la tache.

Il plongea le doigt dans le paquet de Demetrio et tâta jusqu'à sentir dans la poudre quelques minuscules cristaux. Cela lui plut également. Les toxicomanes en devenaient tout excités lorsqu'ils trouvaient de tels « cailloux » dans leur coke, pensant leur cocaïne pure à cent pour cent. Des revendeurs avisés comme Parodi glissaient quelques morceaux de cocaïne solide dans une neige qu'on avait coupée jusqu'à lui laisser moins de dix pour cent de sa pureté afin d'en tirer le meilleur prix.

— *Macanudo*, déclara Parodi en rejoignant Demetrio et en louchant sur la blonde qui avait dégrafé le haut de son bikini.

— Le reste est de la même qualité, dit Demetrio d'un ton désinvolte, ennuyé par tout ce rituel.

— Combien en avez-vous?

— L'intégralité du chargement. Quatre cents kilos.

C'était une grosse livraison, mais pas la plus importante que les deux hommes aient traitée. On tomba d'accord sur dix millions. Parodi passerait la coke en Floride du Sud, la ferait couper et en retirerait huit ou neuf fois le prix d'achat auprès des dealers.

— Voici un acompte, dit le Cubain, ouvrant la serviette de cuir pour montrer des liasses de billets de cent dollars.

— Je veux voir les armes, fit Demetrio. Quand arrivent-elles?

— Demain au lever du jour. Ou après-demain, ça dépend.

— Parfait, dit le Colombien. Je vous retrouve à la ferme. Nous avons des tas de « groupis » si ça vous intéresse.

— Combien?

— Autant que votre bateau pourra en prendre.

Dans l'argot des pêcheurs des Caraïbes, on appelait « groupis » les balles de marijuana qu'on remontait parfois au lieu de poissons. L'herbe n'intéressait pas tellement Parodi. La marge bénéficiaire était inférieure à celle de la coke et de l'héroïne. Et la marijuana était beaucoup plus volumineuse — augmentant les risques de transport. Néanmoins, son bateau serait vide une fois les armes déchargées, et Julio détestait rater une occasion d'accroître ses bénéfices.

— Je jetterai un coup d'œil, dit-il, et il ajouta, souriant, tandis qu'il bouclait le sac de cuir et le tendait à Demetrio : Je suppose que mon crédit est toujours bon?

Dans les rapports d'affaires qu'entretenaient Parodi et le comandante Demetrio, le Cubain échangeait des armes, au lieu de payer en argent, contre la drogue colombienne. Parodi ne s'inquiétait pas le moins du monde d'un risque d'être doublé. Il savait que Demetrio honorerait ses engagements, non pas parce que le Colombien était un révolutionnaire marxiste, mais parce que, à l'origine, les deux hommes avaient été présentés par un grand ponte de la D.G.I.

RÉGION DE CAQUETA, COLOMBIE

Deux jours plus tard, à six heures quinze du matin, le bimoteur en provenance de Fort Lauderdale se posait sur une bande de terrain défrichée. Même en cette heure matinale, on pouvait sentir la chaleur étouffante qui tombait du plafond de nuages gris. La piste d'atterrissage se trouvait dans une propriété agricole près de Manaure, sur la rivière Orgeguaza. Le Colombien avait posté des guetteurs sur la route de campagne qui zigzaguait derrière le port poussiéreux de Riohacha.

Parodi avait emprunté cette route, dans le courant de la nuit, en suivant les feux d'un vieux L.T.D. conduit par l'un des hommes de Demetrio. Derrière la voiture de Parodi, la serrant de bien trop près, venaient une fourgonnette Volkswagen toute neuve, une camionnette Toyota presque neuve et un vieux corbillard – un convoi hétéroclite qui devait transporter une partie de la cargaison d'un vieux caboteur à quai à Riohacha. Fermant la marche, arrivait un camion de déménagement. La plus grosse des caisses déchargées du cargo *Catriona*, battant pavillon panaméen, contenait des fusils d'assaut FAL fabriqués en Belgique. Les plus petites renfermaient des munitions de calibre 7,62 millimètres, par caisses de mille. Armes et munitions sortaient d'un entrepôt de la zone franche de Colón, à Panama, avec lequel Parodi traitait de nombreuses affaires.

Le Colombien avait ouvert une ou deux caisses après l'arrivée du convoi à la ferme. Le contenu lui avait donné entière satisfaction. On avait chargé les caisses à bord d'un avion-cargo « emprunté » à l'Aeropesca. Lorsque la nouvelle cargaison arriverait de Floride, l'appareil de l'Aeropesca transporterait la majorité des armes aux guérilleros du M-19, dans le sud. Parodi fournissait les moyens d'une nouvelle insurrection.

119

Nerveux, pistolet en main, le pilote de l'Aeropesca attendait que l'avion de Fort Lauderdale en ait terminé avec son atterrissage. Une douzaine de fûts d'essence, alignés en bout de piste, étaient prêts pour refaire le plein. Six guérilleros du M-19, avec diverses armes américaines, montaient la garde autour du terrain.

Parmi eux, la blonde qui avait accompagné Demetrio à la villa de Medellín, très différente aujourd'hui avec ses cheveux noués en queue de cheval. Comme les autres guérilleros, elle portait un béret et un treillis.

Le pilote de Fort Lauderdale, un Américain au visage constellé de taches de rousseur, sauta à terre.

— Vous avez un jour de retard, lui reprocha Parodi.

— Il a fallu que je prenne la tangente, expliqua l'Américain. (Il soufflait un peu sous la chaleur.) J'ai bien cru que j'avais l'aviation colombienne aux fesses. Je pense les avoir semés.

Parodi le prit à part, compta cinquante mille dollars en grosses coupures. Les Colombiens continuaient leur déchargement. Certaines des caisses qu'ils descendirent du petit appareil étaient longues comme un cercueil.

Demetrio, armé d'un pied-de-biche, ouvrit l'une des caisses. Elle contenait un lourd tube métallique surmonté d'un viseur télescopique. Pendant de nombreuses années, et jusqu'à ce qu'on le remplace par les missiles M-47, le M-67 sans recul avait constitué l'arme antichar la plus courante. Tirant des projectiles Heat stabilisés pesant chacun plus de neuf livres, sa portée était de près de deux mille mètres et son atout principal, aux yeux des guérilleros, de pouvoir être manipulé par un seul homme.

Les autres caisses contenaient une rocket antichar plus légère, des lance-grenades, des mortiers, deux douzaines de mitrailleuses M-60 fonctionnant par emprunt des gaz et à refroidissement à air, et une centaine de fusils d'assaut Colt AR-15, tous exportés de la société d'armes de Miami avec un certificat falsifié.

— Vous êtes content? demanda Parodi au comandante Demetrio.

— *Satisfecho*, admit le Colombien.

La guérillera blonde arriva, épaula l'engin sans recul et fit semblant de tirer sur un char imaginaire.

— *Basta*, la réprimanda Demetrio. On tirera bien assez tôt pour de bon.

Parodi alluma son cigare du petit matin – le meilleur de la journée – tout en observant l'équipe de Colombiens qui transbordait la cargaison d'armes à bord de l'appareil de l'Aeropesca. Il fut frappé de nouveau par le caractère en quelque sorte génial de ce troc drogue contre armes mis au point par les Cubains. Il permettait aux révolutionnaires colombiens de financer largement leur propre insurrection. Les armes que Parodi et autres trafiquants fournissaient étant d'origine occidentale – américaines, autant de possible –, il existait peu de risques qu'on attribue aux Cubains ou à leurs grands frères soviétiques la responsabilité d'armer les terroristes. Sans oublier que les drogues qui pénétraient aux États-Unis contribuaient à ce que l'un de ses amis, à La Havane, appelait la « décomposition sociale ».

Le pilote de Lauderdale, s'épongeant la nuque avec un mouchoir, demanda :

– Vous rentrez avec moi, monsieur?

– Pas cette fois, répondit Parodi.

– Okay. Bonne chasse.

Parodi le regarda grimper dans son appareil, le faire rouler jusqu'au bout de la piste et décoller au ras des arbres.

Il écrasa avec application un moustique qui lui bourdonnait à l'oreille.

L'opération de chargement terminée, Demetrio revint, serra la main de Parodi.

– J'aurai peut-être encore quelque chose pour vous dans un mois, dit le Colombien. Vous êtes preneur?

– Combien, cette fois?

– Six cents, huit cents kilos.

– Pas de problème.

– Okay. *Hasta la victoria siempre.*

LE CANAL AU VENT

Le commandant ne débordait pas d'enthousiasme à la pensée de voir Parodi à bord de son bateau rebaptisé *Zar de*

Colón. Il lui semblait ne plus être le maître à bord. Pourtant, après qu'on eut déchargé la cargaison et levé l'ancre, le Cubain disparut dans la cabine du premier-maître et ne refit pas surface avant le dîner.

Le voyage se déroula sans incident jusqu'à ce que le *Zar de Colón* eût parcouru plus de la moitié du canal au Vent, ce détroit d'une soixantaine de kilomètres d'un bleu limpide qui sépare la pointe orientale de Cuba d'Haïti.

Parodi grimpa sur le pont pour voir le patrouilleur cubain trapu s'approcher d'eux.

– C'est la *Canoñera,* annonça le commandant. *Coño,* ils ne nous reconnaissent pas.

Parodi emprunta les jumelles du commandant. Il pouvait voir les hommes en uniforme à bord du garde-côte cubain, flanquant les mitrailleuses montées à l'avant et à l'arrière.

La voix du commandant cubain se fit entendre dans la radio du *Zar de Colón,* demandant à son capitaine de se mettre en panne en vue d'une inspection.

– Obéissez, dit Parodi.

Ordre inutile, car le commandant, qui avait déjà rencontré plusieurs fois la canonnière cubaine, avait déjà fait mettre ses machines en arrière toute. Il fallut plusieurs minutes au caboteur, lancé sur son erre, pour s'arrêter.

Six Cubains armés arrivèrent en canot de la *Canoñera.* L'équipage du bateau de Parodi les aida à grimper à bord.

Pour le garde-côte cubain, intercepter les bateaux empruntant le canal au Vent et le canal du Yucatan, à l'est de l'île, constituait un travail de routine. Les Cubains imposaient un droit de péage pour le passage dans leurs eaux territoriales. Les trafiquants d'expérience considéraient cet impôt comme une formalité, tout comme un automobiliste passant de Manhattan à Brooklyn devant le péage du pont de Triborough. Le tarif de base, dans le cas des Cubains, était de vingt cents par pilule de Quaalude à bord, dix dollars par livre de marijuana et dix pour cent du prix d'achat par kilo de cocaïne – deux mille quatre cents dollars et plus. Parfois on exigeait le paiement immédiat, sous peine de confiscation de la cargaison et du bateau, et d'emprisonnement du commandant dans l'aile de la prison de Combinado del Este, réservée aux étrangers. Mais les trafiquants connus des autorités cubaines pouvaient payer sur facture. Les trafiquants réguliers pouvaient ainsi régler leurs dettes aux agents cubains de Panama, des Bahamas ou de Miami.

Le montant exact des taxes variait, selon que les Cubains rendaient ou non d'autres services. Pour un droit supplémentaire, les bateaux transportant de la drogue pouvaient relâcher dans les ports cubains pour réparation ou passage au bassin de radoub. Certains pouvaient battre pavillon cubain en haute mer. Parfois, les Cubains acceptaient – moyennant finances – de fournir une escorte navale pour accompagner les bateaux mères à leurs points de rendez-vous aux Bahamas, comme Cay Sal où l'on déchargeait leur cargaison dans de rapides « bateaux cigarettes » qui accomplissaient la dernière étape du voyage jusqu'en Floride du Sud.

Julio Parodi jouissait d'un crédit exceptionnel auprès des Cubains.

– Je n'avais pas reconnu le bateau, s'excusa le commandant de la *Canoñera* après avoir vérifié les références de Parodi par échange de signaux radio codés avec sa base.

– Aucune importance, répondit Parodi d'un ton condescendant. Nous allons accoster.

La canonnière cubaine escorta le *Zar de Colón* le long de la côte septentrionale de l'île, jusqu'à un mouillage sûr, abrité par l'archipel de Camagüey.

– Je vous laisse ici, dit Parodi au commandant. Vous connaissez vos instructions?

– *Seguro*, répondit le commandant. Pas de problème.

CUBA

Parodi avançait pieds nus sur la bande de sable blanc entre les palmiers et le bord de l'eau, humant l'air marin de Santa María del Mar. La villa se trouvait sur une éminence, derrière les palmiers. De la plage, il apercevait l'éclat des bougainvillées et les hibiscus orange et blancs autour de sa vaste véranda. Avant la révolution, la villa avait appartenu à l'une des riches familles *criollo*. Maintenant, elle appartenait au ministère de l'Intérieur, faisant partie des quelques dizaines de magnifiques villas de Santa María et de Varadero, un peu plus loin sur la route côtière, réservées aux invités de marque des services secrets cubains.

Les obligeantes servantes de la villa, comme le savait Parodi, étaient fournies par la Brigade des mœurs de la police d'État cubaine. Ce service particulièrement actif avait été créé dans les années soixante, sous l'égide du colonel Yvan Macharov, du K.G.B., célèbre pour l'habileté avec laquelle il dirigeait, dans les affaires sexuelles, ses agents hommes et femmes – les « corbeaux » et les « hirondelles ». Le premier Cubain nommé à la tête du service avait très rapidement été surnommé « la Puta militante » – « la Putain militante –, le sobriquet était demeuré pour certains de ses successeurs. La Brigade des mœurs dirigeait des centaines de prostituées, sans parler des homosexuels et des lesbiennes, classés non seulement selon leurs spécialités dans ce domaine mais aussi selon leurs objectifs dans le domaine du renseignement. Ainsi avait-on les *putas diplomáticas*, qu'on utilisait pour essayer de faire chanter et de piéger les diplomates et parlementaires en visite dans l'île; les *putas técnicas*, entraînées à reconnaître la valeur des renseignements techniques et scientifiques, et, au bas de l'échelle, les *putas marineras*, chargées de ramasser les marins étrangers.

Dans sa chambre, la nuit précédente, Parodi avait bénéficié des faveurs de l'une des servantes, une *mulata* sexy qui se promenait dans la villa vêtue d'un tablier et de pas grand-chose d'autre. Elle s'était vantée à Parodi d'avoir été choisie pour distraire un influent parlementaire américain dans l'un des hôtels de la station. On pouvait penser que le parlementaire ignorait qu'on s'était arrangé pour avoir à la fois le son et l'image de ce qui se passait dans sa chambre. Comme il était bien connu comme admirateur du régime cubain, il était peu probable qu'on fasse usage, dans un avenir proche, des photos prises. On les garderait en réserve – pour le cas où, un jour, ses opinions changeraient et qu'il faille quelque peu stimuler son enthousiasme pour le régime cubain.

Parodi s'avança jusqu'à quelques pas du gardien qui se tenait appuyé contre le palmier royal marquant la limite de sa plage privée. Pas de grille, pas de barrière : seulement une pancarte, sur un arbre, disant « ENTRADA PROHIBIDA ». Les frondaisons découpées du palmier royal dessinaient un cercle presque parfait, semblables aux ailes d'un moulin à vent.

Parodi échangea quelques plaisanteries avec le garde et fit demi-tour, dans le sable, marchant dans ses traces de pas.

Puis il entendit la voix de la servante :

— *¡Venga, señor!* appela-t-elle en descendant de la maison. *Ya viene el comandante.*

Parodi boutonna sa chemise, enfila ses chaussures de toile et la suivit dans la villa.

Un homme grand, la peau noire, en treillis sans insigne de grade, l'attendait sur la véranda. En apercevant le nouveau venu, Parodi fut pris d'un instant de vertige, comme un acrobate qui tente un saut particulièrement difficile sans filet.

Le nombre de fois que Parodi avait rencontré Calixto Valdés ne changeait rien à la chose. Toujours, il ressentait cet instant de frayeur, qui ne se dissipa qu'une fois que le Noir cubain, manifestement d'excellente humeur, eut enlacé Parodi dans un *abrazo* de bienvenue.

Se reculant, Valdés fit mine de boxer le ventre de Parodi, trois, quatre fois.

— *Gordito*, lui dit Valdés sur le ton de la plaisanterie, tu aurais dû passer davantage de temps dans la jungle avec nos amis colombiens.

Valdés connaissait la jungle. Compagnon de la première heure de Castro, dans la sierra Maestra, il y avait gagné le titre envié de comandante. Ses exploits depuis la révolution étaient légendaires. Déjouant les hommes de la C.I.A., il avait, dans la montagne, infiltré le quartier général de l'un des derniers chefs anticastristes et lui avait tiré en pleine face quelques balles de magnum au cyanure. Il avait travaillé avec l'O.L.P. à Beyrouth et à Damas, et dirigé un raid palestinien sur le Sinaï occupé par les Israéliens, en 1970. Il avait instruit une équipe d'officiers de la D.G.I. qui aidaient les Nord-Vietnamiens à interroger les prisonniers de guerre américains, combattu sur le terrain avec les guérilleros sandinistes pendant la guerre civile au Nicaragua, fait la navette entre Managua et Luanda, entre Paris et Athènes pour maintenir la liaison avec les « mouvements de libération » qui envoyaient leurs meilleures recrues s'entraîner à Cuba. Sa vivacité, son goût du complot plus que son teint justifiaient le surnom sous lequel tout le monde le connaissait à la D.G.I. : « la Sombra », l'Ombre.

En sa qualité de chef du bureau 13, Valdés était l'un des

hommes les plus puissants de la D.G.I., traitant directement avec le général Abrahantes, le vice-ministre de l'Intérieur, et José Joaquín Méndez Cominches, le directeur général de la D.G.I. Son travail impliquait des contacts avec des gens que Valdés méprisait secrètement : doctrinaires fanatiques, criminels, renégats et autres mercenaires. Certains mercenaires, comme ce colonel panaméen, lien indispensable avec les guérilleros d'Amérique centrale, ne pouvaient être manipulés qu'à l'aide d'un mélange savant de chantage et de corruption, à doses sans cesse croissantes. Et puis il y avait les renégats et les criminels comme Julio Parodi. Valdés était un trop grand professionnel pour mêler quelque répugnance personnelle – sans parler d'un reste éventuel de morale bourgeoise – à ses rapports avec de tels individus, tant qu'ils demeuraient fidèles.

Aussi Valdés passa-t-il son bras autour des épaules de Parodi, alors qu'ils se rendaient dans la salle de séjour, comme s'ils eussent été les meilleurs amis du monde.

– J'espère que ton voyage s'est bien passé, dit Valdés.

– Aucun incident.

– Parfait, parfait. Il nous faut passer à des choses plus sérieuses. Je veux te présenter des amis.

Deux hommes les attendaient dans la salle de séjour.

– Voici Teófilo, dit Valdés, présentant un homme courtaud, au visage jaunâtre et à la moustache tombante. Teófilo fait partie de notre délégation à New York.

Teófilo serra la main de Parodi.

– Et voici, poursuivit Valdès, Compañero Favio. Il souhaitait tout particulièrement faire ta connaissance.

Valdés ne fournit pas d'autre explication quant à l'homme grand, au teint clair et aux yeux fouineurs qui s'avançait maintenant. Mais Parodi vit tout de suite que Favio n'était pas cubain, malgré son visage marqué par le soleil des Caraïbes et son espagnol aussi parfait que celui d'un natif de La Havane. Favio devait être originaire de l'Europe de l'Est, probablement Russe, pensa Parodi.

– Parle-nous de ta dernière entrevue avec M. Arnold Whitman, lui demanda Valdés.

Parodi résuma la conversation qu'il avait eue avec l'homme de la C.I.A. Valdés et les autres parurent tout particulièrement intéressés par les efforts de Whitman pour savoir qu'elle serait la réaction des Cubains dans le cas d'un soulèvement appuyé par les Américains au Nicaragua.

– Cela confirme ce que nous tenons d'autres sources, commenta Valdés.

– Les Américains préparent une attaque, acquiesça Teófilo, l'homme de New York , qui ajouta : De temps en temps le Département d'État sort une nouvelle histoire sur le Nicaragua, base des guérillas du Salvador et du Guatemala. Mais il n'existe aucune adhésion populaire aux États-Unis à une quelconque action militaire en Amérique centrale. Si l'administration Newgate s'y risque, cela se traduira par une campagne de protestation d'importance égale à celle des manifestations contre la guerre au Vietnam ou pour le gel des armements nucléaires. Les États-Unis seraient paralysés.

– Alors? Qu'est-ce que je dis à Whitman? demanda Parodi.

– Donne-lui ce qu'il veut, dit Valdés quêtant d'un coup d'œil l'approbation du Russe. Ce sont des miettes, et ça te permettra de conserver la confiance de la C.I.A.

– Whitman a aussi posé des questions sur l'enlèvement de Fairchild, poursuivit Parodi.

– Dis-lui que nous en sommes fort mécontents, répondit Valdés. Dis-lui qu'on n'a pas pu tenir les Portoricains. Ne t'inquiète pas, dit-il pour rassurer Parodi, les Américains ne pourront rien prouver.

– J'ai vu ton nom dans les journaux américains, fit observer l'homme de New York.

– Whitman s'en est plaint. Il m'a dit que je devrais disparaître quelque temps.

– Il a raison, dit Valdés. Tu commences à être trop connu. Moi aussi, je veux que tu disparaisses. *Quand* tu auras terminé. Mais, dis-moi, combien vas-tu te faire avec ta dernière cargaison?

– Je sais pas trop, répondit Parodi, volontairement évasif. Peut-être dix millions, après les frais.

– Toujours le petit capitaliste, hein, ronronna Valdés. Tu vas te faire au moins cinq fois plus. J'ai regardé les comptes. J'ai vu que tu nous dois déjà environ neuf millions sur les précédents envois que nous t'avons fournis. Je ne veux pas croire que tu es homme à oublier tes dettes.

– Non, vraiment, je te jure... se mit à protester Parodi,

mais Valdés le fit taire, fermement quoique toujours aimablement.

– Discussion purement spéculative, expliqua le chef du bureau 13. Parce que nous allons régler cela ainsi : tu vas arranger des livraisons d'argent et d'armes pour vingt millions en tout. Premières livraisons dans deux semaines, ce qui te laissera le temps de te retourner pour la revente de cette dernière cargaison. Tu devrais pouvoir te retourner sans problème, la plupart de ces livraisons devront être faites aux États-Unis même, en règle générale dans la zone de Miami et à New York. En ce qui concerne New York, Teófilo, ici présent, pourra t'aider avec ses réseaux. Nous savons que tu as les moyens de faire ce qu'on te demande.

– Vingt millions, répéta lentement Parodi, comme stupéfié par le chiffre.

– Nous te rembourserons la moitié de cette somme si l'opération est menée à terme, dit Valdés. Je suis sûr que tu as bien compris que tu as cessé de travailler en indépendant depuis l'instant où tu as passé cet accord avec nous. Tu es, en quelque sorte, le directeur d'un fonds en fidéicommis. Nous ne sommes pas déraisonnables, à cet égard, tu le sais. Nous ne souhaitons nullement te priver du confort matériel auquel tu es accoutumé. Nous te demandons seulement de remplir ta part d'engagements. C'est bien compris?

– Oui, répondit Parodi sans enthousiasme, ajoutant : Je suppose que tu réalises qu'il va m'être impossible de continuer à vivre à Miami. Les Américains vont finir par tout découvrir.

– Nous avons envisagé cette éventualité, répondit Valdés, embrassant d'un geste large la pièce meublée avec goût en « colonial espagnol ». *Tu casa,* dit-il. Tu habiteras *ici.*

Parodi ne parut pas débordant d'enthousiasme à l'idée de revenir, pour de bon, au berceau du socialisme latino-américain.

– Bon, reprit Valdés, Compañero Favio est très désireux que nous tenions une réunion au sommet pour discuter de ce que la direction appelle le Plan Monimbó. Il va sans dire que cette discussion doit être ignorée de M. Arnold Whitman ou du *New York World.*

– Bien entendu.

La nervosité de Parodi croissait au fur et à mesure qu'il se rendait compte que Valdés s'apprêtait à lui faire part des détails d'un plan dont il n'avait compris, jusque-là, que les grandes lignes.

– L'objectif, dit Valdés, est la paralysie des États-Unis par une révolte sociale qui rendra impossible à l'administration Newgate la poursuite de toute politique étrangère cohérente – ou la mettra dans l'impossibilité de faire face à toute crise extérieure – et qui accroîtra également les chances de défaite du parti du président Newgate aux prochaines élections américaines. Nous n'avions nul besoin de créer les conditions d'une révolte sociale aux États-Unis. Ce sont les Américains eux-mêmes qui ont créé ces conditions. Le programme économique réactionnaire de l'administration, ajouté à la polarisation raciale et de classes, provoque l'accroissement du chômage, la réduction des avantages sociaux. Les tensions sont encore accrues par la pression de l'immigration. Les États-Unis, bien plus que les autres pays, ont perdu le contrôle de leurs frontières. Chaque année, un million d'étrangers y pénètrent en fraude, venant disputer au prolétariat américain des emplois de plus en plus rares. Tous les jours de la semaine, nous pouvons lire cela dans n'importe quel journal américain.

Il s'arrêta un instant tandis que Parodi offrait des cigarettes à la ronde. Seul le Russe accepta.

– En d'autres termes, poursuivit Valdés, nous n'avons pas besoin d'explosifs. Il nous faut seulement des détonateurs. Nous avons pu constater le potentiel à Miami au cours du printemps et de l'été 1980. Tu y étais, *toi*...

– Oui, reconnut Parodi.

– Tu as pu voir la puissance de la haine qui s'est déchaînée au cours de ces émeutes.

– Oui, répéta Parodi, se souvenant de la stupéfaction de tout le pays devant la sauvagerie des attaques au cours des émeutes : les jeunes Blancs pris dans Liberty City au mauvais moment, traînés hors de leur voiture et frappés, frappés encore avec un tournevis; l'homme à qui on avait coupé la langue; le cinglé qui faisait avancer et reculer sa voiture sans arrêt sur le corps d'un homme. Le rapport de la commission, sorti deux ans plus tard, reprenait tous les facteurs de nature sociologique ayant pu contribuer au déclenchement des émeutes, mais n'avait pu vraiment révéler la profondeur de cette haine.

– L'effet des émeutes de Miami fut limité par le manque d'organisation, reprit Valdés. Certains des incendiaires connaissaient leur boulot. Mais, fondamentalement, les troubles furent limités au ghetto noir et n'ont pas entraîné de réaction à l'échelle du pays. Nous pensons qu'en choisissant le bon endroit et le bon moment nous pouvons renouveler l'expérience de Miami sur une échelle qui fera des précédents soulèvements des activités enfantines. Nous possédons de nombreux atouts aux États-Unis. Notre influence s'étend sur les organisations militantes des communautés minoritaires. Nous avons entraîné des milliers d'Américains à Cuba par le truchement des Brigades Venceremos et des Brigades Antonio Maceo. Nous avons nos propres agents dans la communauté cubaine en exil. Nous avons des amis et des agents parmi les associations religieuses, les médias et le Congrès des États-Unis. Grâce à tous ces atouts, nous pouvons contribuer à créer le climat nécessaire à une déstabilisation sans précédent.

— Tu parles d'actes de sabotage? De terrorisme?

— D'actes catalytiques, répéta Valdés. La suite viendra toute seule, sans que nous ayons à lever le petit doigt. Les Américains seront incapables de comprendre ce qui leur arrive, car les Américains — malgré tous leurs boniments sur la dignité de l'individu — ne croient plus à la responsabilité individuelle. Une émeute éclate, on tue des gens et leurs juristes ou professeurs prétendent que ce n'est pas parce que des individus ont commis des meurtres, mais du fait de statistiques économiques. Un homme a tenté d'assassiner le président des États-Unis et leurs tribunaux décident qu'il n'était pas responsable parce qu'il ne jouissait pas de toutes ses facultés mentales. Une société qui ne tient pas les individus pour responsables de leurs actes a perdu toute capacité de s'en protéger.

— Tu donnes dans la philosophie, fit observer le Russe avec une moue désabusée. Tu sèmes peut-être la confusion dans l'esprit de notre ami et j'aimerais entendre son opinion.

— Bien sûr, dit Valdés, saisissant la perche. Nous disposons d'équipes — certaines à l'intérieur des États-Unis, d'autres prêtes à s'y rendre — dont les membres sont complètement inconnus des autorités américaines. C'est notre force cachée, notre brigade Monimbó. Lorsqu'ils frapperont, la police et le F.B.I. ne se douteront de rien. Ils vont patauger, se contentant de cueillir les habituels suspects, comme à Porto Rico depuis la mort du sénateur Fairchild. Nous aurons l'avantage de la surprise totale.

Nous avons étudié de nombreux autres scénarios. Teófilo a suggéré que nous pourrions envisager, par exemple, de faire

130

sauter le nouveau centre informatique, près de Baltimore, qui abrite les enregistrements de tout le système de sécurité sociale américain. L'objectif est relativement aisé à atteindre. En garant un camion de livraison près de l'entrée, cinq cents livres d'explosifs à son bord, on peut paralyser le fonctionnement de tout le système. Imaginez l'impact quand les gens cesseront de recevoir leurs prestations de sécurité sociale. Un bon coup, encore meilleur, si une organisation d'extrême droite – le Klan, par exemple – revendiquait l'attentat. Nous avons examiné la possibilité d'utiliser des armes particulièrement horribles – des armes bactériologiques, par exemple. Nous avons découvert que nous pouvions envoyer par la poste des cultures de *Pasteurella pestis* provenant d'un laboratoire du Maryland.

– *Pasteurella pestis?* s'enquit Parodi.

– La peste bubonique.

– Mon Dieu, souffla Parodi.

– Nous en avons abandonné l'idée, dit Valdés. Mais la facilité avec laquelle nous avons pu faire un essai à blanc témoigne de l'extraordinaire vulnérabilité des États-Unis.

Valdés lança à Parodi un long regard inquisiteur et lui dit :

– Tu te demandes pourquoi je te raconte tout ça. (Ce n'était pas une question.) Tu le sauras dans un instant. Nous sommes convenus, au sommet, que nous simplifierions le plan pour nous cantonner à deux objectifs à l'intérieur des États-Unis : New York (il marqua un instant de pause) et Miami. Les deux opérations seront menées à plusieurs semaines d'intervalle. Si on les mène correctement, leurs effets se feront sentir dans tous les États-Unis. Les détails de l'opération de New York ne te concernent pas, sauf dans la mesure où tu devras effectuer ces livraisons. Quant à Miami, eh bien, c'est ta ville. Tu comprendras qu'elle revêt également une importance toute particulière pour Fidel.

– Oui.

Parmi l'un des moindres services rendus par Parodi à la D.G.I. figurait le tournage de quelques bandes vidéo qui donnaient un aperçu de la vie de la communauté cubaine en Floride du Sud.

On lui avait laissé entendre qu'elles étaient destinées au divertissement personnel de El Líder Máximo, Fidel Castro lui-même. Depuis lors, Valdés lui avait dit qu'au cours de ses crises d'insomnie Fidel, seul, contemplait les films qui montraient ses « filleuls » – ainsi qu'il appelait parfois les exilés cubains – dans leur travail et leurs loisirs. Le succès économique de la communauté cubaine de Miami constituait pour lui une obsession maligne; il ferait tout pour le gâcher. Aussi Parodi pouvait-il aisément comprendre pourquoi Castro avait choisi Miami pour cible.

– Je voudrais te poser une question, dit le Russe, son regard froid fixé sur Parodi. Si les émeutes reprenaient à Miami, et que les Noirs attaquaient les Cubains – disons les commerçants cubains –, que ferait ta *Brigada Azul*?

– Elle riposterait, répondit Parodi sans hésiter.

– Et si une nouvelle arrivée massive de Cubains se préparait au moment du déclenchement des émeutes, par quoi cela se traduirait-il sur les autorités locales?

– Tu veux dire les diverses forces de l'ordre?

– Exactement.

– Submergées, dépassées.

– Hum, grogna Favio en tirant sur le Double Corona offert par Parodi, c'est vraiment un excellent cigare.

Parodi pouvait entendre les explosions lointaines des obus de mortiers tandis que la jeep de fabrication russe se frayait un chemin dans la boue rouge d'une piste étroite à l'intérieur du camp d'entraînement, dans le terrain couvert d'arbres et accidenté de la sierra de los Organos. Sur la droite, à travers les pins et quelques yagrumas, Parodi aperçut des hommes et des femmes qui rampaient à travers un parcours d'obstacles, essayant d'éviter des grenades O.F.

– Ils vont bientôt aller se battre au Guatemala, expliqua Valdés. Certains ne savaient ni lire ni écrire quand ils sont arrivés ici. Maintenant, ils savent se servir d'orgues de Staline.

Le camp portait le nom de Camilo Cienfuegos, héros de la révolution dont la popularité avait rivalisé avec celle de Fidel Castro avant sa mort demeurée inexpliquée. Le camp couvrait plus de cinquante mille hectares. En fait, ses clôtures électrifiées et ses miradors ne défendaient pas un camp mais plusieurs. Les Centro-Américains disposaient de leurs propres installations où ils apprenaient à opérer en unités pouvant aller jusqu'à la brigade. On y trouvait également des stagiaires venus de toute l'Europe et du Proche-Orient.

Nombre d'instructeurs du Campo Camilo Cienfuegos étaient des vétérans des Forces spéciales cubaines, corps d'élite de paracommandos qui avaient constitué les troupes de choc des campagnes d'Angola et du désert d'Ogaden. Lorsque Fidel Castro avait créé le corps, en 1962, il l'avait baptisé son « Armée de solidarité » et déclaré à ces hommes qu'ils étaient investis de la mission spéciale de combattre aux côtés des « forces de libération » du monde entier. Commandées par le colonel Patricio de la Guardia, les Tropas Especiales avaient envoyé des unités au Nicaragua afin d'y balayer les éléments « contre-révolutionnaires ». D'autres opéraient sur le terrain avec les guérilleros d'Amérique centrale.

Parodi remarqua dans le lointain, à peu près au-dessus du Monte Oscuro, un vieux DC-4 délabré; on l'utilisait pour l'entraînement aux détournements. Un grand nombre de terroristes palestiniens avaient appris leur métier au camp Camilo Cienfuegos au cours des années 1970.

Parodi jeta un regard de côté à Valdés qui, paupières closes, bras croisés, respirant profondément, calmement, paraissait, installé à l'arrière de la jeep, goûter la caresse du soleil. Au moment où le regard de Parodi se posait sur lui, Valdés s'éveilla en sursaut. L'expression des yeux de Valdés, sombres, inquisiteurs, donnèrent à Parodi la désagréable sensation d'avoir soudain dérangé un animal sauvage, endormi dans sa tanière – le genre de fauve à vous déchirer la gorge s'il se sentait menacé.

– Nous y sommes, dit Valdés.

La jeep avait relenti à l'entrée d'un ensemble de bâtiments différent des autres, défendu par un haut mur aveugle. Le garde, à l'intérieur d'une guérite fermée, de l'autre côté de la grille d'acier, vérifia et revérifia l'autorisation de Valdés. Sur la grille d'entrée, le seul signe d'identification était un chiffre, en noir bien net.

– Bienvenue à Monimbó, dit Valdés. *Notre* Monimbó.

A l'intérieur de la grille, Parodi aperçut quatre ou cinq baraques préfabriquées, des demi-tubes géants. Le chauffeur s'arrêta devant l'une d'elles. L'intérieur ressemblait à une salle de classe : deux rangées de tables face à un tableau; un petit écran de projection et un tableau où l'on avait épinglé le plan d'une ville et un grand nombre de photos aériennes. La grosse amibe que formait la ville était familière à Parodi, avec ses ponts, ses îles et sa rivière serpentante : Miami, vue d'un peu plus haut que son appartement de Key Biscayne.

Dans la classe se trouvaient une douzaine de personnes :

des Noirs, des Hispano-Américains et trois Blancs qui devaient être américains. Un instructeur cubain, en treillis, montrait un point sur la carte lorsqu'ils entrèrent. Deux des élèves se tenaient debout près de lui, comme si on les avait convoqués au tableau noir en vue d'une interrogation orale. L'homme, grand et blond, en jeans délavés, était arrivé sous le nom de Mitchell Lardner lorsqu'il avait débarqué d'un bateau de croisière qui faisait escale à San Juan. On le connaissait mieux sous le nom de Beacher.

Pendant une demi-heure, Parodi répondit aux questions de la classe : topographie de Miami et des environs, personnalité des chefs des diverses communautés, tactiques et système de communications radio des forces de police, possibilités d'accès aux canalisations qui alimentaient la ville en eau depuis le lac Okeechobee et lignes à haute tension qui partaient de la centrale nucléaire de Turkey Point.

A la fin de la conférence, Valdés prit Parodi et Beacher à part et fit les présentations.

— Je veux être sûr que vous vous entendrez bien, leur dit le chef du bureau 13. Si Beacher a besoin de quelque chose à Miami – de quoi que ce soit –, tu le lui fourniras, ordonna-t-il à Parodi.

Ce fut au cours de leur dernière rencontre avant le départ de Parodi pour Mexico par avion, dans un immeuble moderne et anonyme de Vedado, qu'on souleva le problème posé par Robert Hockney.

— J'ai parlé de Robert Hockney aux gens de notre bureau de la presse étrangère, dit Valdés au trafiquant de drogue. Il est dangereux. Il a fait beaucoup de tort à nos amis soviétiques. Ne crois pas qu'il va abandonner simplement parce que tu l'as mis sur une fausse piste.

— Qu'est-ce que tu proposes?

— Comme pour M. Whitman. Évite-le. Selon la façon dont ça se présentera, je pourrai peut-être t'arranger cela.

— Comment ça?

— Robert Hockney a demandé un visa pour venir à La Havane.

— Vous allez le lui accorder?

— Naturellement.

5

WASHINGTON, D.C.

A Washington, ville obsédée par l'ordre des préséances, existent plusieurs critères d'évaluation du statut social. Le plus révélateur est peut-être la considération que témoignent aux clients les maîtres d'hôtel des abreuvoirs les plus en vogue de la capitale, considération qui varie avec le climat politique, d'une présidence à l'autre. Au cours des années de l'administration Newgate existaient deux restaurants, entre autres, où souhaitaient être vus, à l'heure du déjeuner, ceux qui voulaient affirmer leur position dans les allées du pouvoir et le registre des privilèges. Le Jockey Club, du tranquille *Fairfax Hotel*, avait la faveur des Californiens du cabinet restreint – aux cuisines – du président Newgate. La *Maison-Blanche*, ou « MB », dans son bloc de béton de la rue F ressemblant à un immeuble inachevé, était fréquentée par l'*autre* gouvernement de Washington : rédacteurs, chefs de rubrique, journalistes de la télé, producteurs. Dans une ville qui ne vit que de politique et de nouvelles concernant la politique, ce sont là les seules élites universellement reconnues. Dans les villes authentiques, à plusieurs pôles d'intérêt – New York ou Chicago, Paris ou Londres –, on ne témoigne jamais autant de déférence aux journalistes qu'à Washington. On peut les prendre moins au sérieux, comme témoins de leur société, que les romanciers, les auteurs dramatiques, les philosophes, les artistes et même les acteurs de cinéma. Comme classe privilégiée, ils sont éclipsés

135

par les banquiers et capitaines d'industrie, couturiers et mani-
tous de l'immobilier, vedettes du sport et autres acteurs surtout.
Mais dans cette ville au pôle d'intérêt unique qu'est Washington, on ne dispute pas à la presse ses prérogatives, sa place au
soleil. Et, au temps de l'administration Newgate, les habitués
de la MB ne s'en remettaient à personne, à l'exception
peut-être de Georges, l'onctueux maître d'hôtel des lieux.

Par l'une de ces journées d'une moiteur subtropicale que
connaît Washington, où le plus léger costume de coton paraît
être de caoutchouc, Hockney se glissa dans ce sanctuaire de
fraîcheur qu'est la MB et serra la main de Georges, qui le fit
conduire à sa table habituelle au fond du restaurant, contre les
lambris. Art Buchwald pérorait déjà à *sa* table à lui qui
permettait d'avoir vue sur toute la salle; l'humoriste était le seul
client de la MB auquel fût permis de ne pas arborer l'obliga-
toire nœud papillon.

L'invité de Hockney n'était pas encore arrivé, le journaliste s'installa et commanda un campari. Son attention fut
attirée par une femme que Georges conduisait à une table
voisine. Les traits fins, réguliers, le nez légèrement retroussé, la
peau nacrée, éclatante, elle arborait une crinière d'un blond
qui ne devait rien à la teinture, une silhouette qui évoquait un
mince sablier, de jolies jambes et des chevilles fines. Chacun de
ses pas, chacun de ses gestes adressé à des amis dans la salle
avait la maîtrise étudiée d'une ballerine. Malgré cela, elle ne
donnait pas l'impression de jouer un rôle. Provocante mais
nullement allumeuse.

Elle gratifia Hockney d'un geste léger du poignet avec
quelque chose en plus. Il se leva pour la saluer, alors qu'elle
passait près de sa table.

— Bob, c'est merveilleux, dit-elle, d'une voix de gorge,
profonde, à l'accent presque britannique, détachant chaque
syllabe. On vient juste de me dire que tu es du voyage de
Cuba.

— Oui, je suis mobilisé, moi aussi, répondit-il avec un
sourire éclatant. Mais j'attends toujours de savoir si les Cubains
vont m'accorder un visa.

— Je suis sûre qu'il ne peut y avoir le moindre problème,
dit-elle en le contemplant de ses grands yeux gris. On lit le
World à La Havane aussi. La dernière fois que j'ai vu Fidel, il
m'a parlé d'un de tes articles.

— Je pense que je devrais en être flatté. Je t'offre un verre?

— J'aimerais bien, chéri, mais on m'attend, répondit-elle, sur un ton de caprice plus que de platitude mondaine et en lui tendant sa joue à baiser. S'il devait y avoir le moindre problème, ajouta-t-elle, passe-moi un coup de fil et j'en parlerai à Teófilo.

— Teófilo *Gómez*? C'est *lui* qui s'occupe de cela?

Le nom du ministre-conseiller de la délégation cubaine aux Nations unies à New York était familier à Hockney.

Gómez était une institution parmi les dîners des milieux progressistes, très recherché par les hôtesses qui aimaient faire étalage de leur conscience sociale à la manière dont elles faisaient étalage de leur dernière Saint-Laurent. Teófilo Gómez était également un espion. Sous sa couverture diplomatique, il dirigeait le réseau de la D.G.I. aux États-Unis. Hockney doutait que la jolie femme en face de lui connaisse le sens de ces initiales, et sa réponse confirma Hockney dans son opinion à cet égard.

— Teófilo est un homme *si* charmant, dit-elle. Et il peut absolument *tout* arranger.

— Je le crois volontiers.

— Bon, écoute, passe-moi un coup de fil de toute façon. Je brûle de te faire découvrir La Havane.

Hockney la regarda glisser jusqu'à une table où l'attendaient deux producteurs d'une chaîne de télé et le secrétaire d'État adjoint. Il aimait bien Angela Seabury, l'une des coprésentatrices d'un magazine télévisé. Elle l'avait interviewé, une fois, dans son émission. Angela mettait l'accent sur le caractère « sérieux » qu'elle souhaitait donner à son émission, et elle avait interviewé plusieurs dirigeants politiques parmi lesquels Fidel Castro et Margaret Thatcher. Elle apportait une passion à tout ce qu'elle entreprenait, mais manifestait aussi une insouciance surprenante chez une correspondante de chaîne de télé liée par un contrat de près d'un million de dollars par an. Le fait de s'être rendue à La Havane pour interviewer Fidel Castro et d'être intime avec son maître espion à New York sans bien trop savoir ce que recouvrait la D.G.I. ne constituait qu'un exemple de cette étonnante naïveté.

Lorsqu'il avait fait sa connaissance, il s'était senti flatté et quelque peu excité par le côté « invite tacite » d'Angela.

Peut-être avait-elle assez largement passé la quarantaine, mais elle n'en demeurait pas moins une femme très séduisante; et si, jusque-là, il avait résisté à la tentation d'une aventure avec elle, il en soupçonnait bien d'autres d'avoir succombé, et il se demandait à présent si Teófilo Gómez n'était pas du nombre.

Il jeta un coup d'œil sur le menu, évaluant les mérites comparés du veau et de la salade de fruits de mer. Lorsqu'il leva les yeux, il aperçut tout d'abord la boucle de ceinture d'Indien navajo de Jack Lancer, représentant une sorte de serpent ailé. Le jeune reporter avait troqué son jean contre un pantalon qui, bien que mal assorti à sa veste, marquait cependant un net effort chez quelqu'un qui venait toujours au bureau en jeans. Lancer s'était passé autour du cou, pour compléter le tout, un faux nœud papillon, sorte d'insigne de Mickey Mouse. Quant à ses chaussures, éculées, leur état n'était ni meilleur ni pire que celles de la plupart des représentants des médias à la MB, la gent journalistique ne constituant pas l'essentiel de la clientèle de l'industrie du cirage.

— Je sais que je suis en retard, fit Lancer sans s'excuser.

Après son dîner avec le rédacteur en chef du *World* à New York, Hockney avait pensé qu'il serait opportun de conclure une trêve avec Jack Lancer avant son départ pour Cuba. Il était tout à fait convaincu que le fait d'offrir à Lancer un déjeuner à la MB ne signifierait rien pour le jeune journaliste. Il avait choisi l'endroit par convenance personnelle, s'y sentant parfaitement à l'aise. Lancer, pour sa part, paraissait rien moins qu'enthousiaste. Et manifestement agité.

— Vodka-rocks, lança-t-il au garçon, de toute évidence désireux d'expédier au plus vite les rites du déjeuner.

Lancer perdit patience avant qu'ils aient choisi leur menu.

— J'ai l'histoire sur le Nicaragua, annonça-t-il. C'est sacrément plus important que je le pensais. J'ai *tout*, Bob. Noms, documents, tout est là.

— Raconte.

— Lis toi-même, dit Lancer en tirant de sa poche quelques pages dactylographiées.

Hockney et lui avaient en commun, en ces temps de

traitement des textes, le goût d'écrire sur de vieilles portatives.

Hockney parcourut rapidement l'article puis revint à l'intro pour le relire posément, mot à mot.

– En voilà une histoire, dit-il.

– Content de savoir que ça vaut un article, remarqua Lancer en essayant de lisser, de la paume de la main, quelques boucles rebelles sur sa nuque.

Il ne pouvait rester en place. Tandis que Hockney lisait, il s'agitait sur sa chaise, pétrissant un morceau de pain ou traçant des dessins sur la nappe avec la pointe de sa fourchette.

L'article de Lancer donnait tous les détails d'un plan d'invasion du Nicaragua décidé par la Maison-Blanche. On y trouvait d'abondantes citations d'un texte appelé Mémorandum présidentiel 83 – MP 83. Le compte rendu prétendait que le maintien d'un gouvernement de gauche à Managua constituait « une vivante humiliation pour les États-Unis et une source d'aide et de secours pour tous les mouvements révolutionnaires du sous-continent ». Le mémorandum dressait un plan complet à partir du Honduras voisin. Divers groupes d'extrême droite en exil fourniraient les troupes, auxquelles s'ajouteraient des mercenaires engagés par la C.I.A. La tentative d'invasion pourrait être soutenue par des attaques aériennes, menées par des pilotes américains à bord d'appareils dont on aurait effacé les couleurs. L'attaque de la frontière serait accompagnée d'actes de sabotage et de terrorisme sur les villes du Nicaragua, visant les dirigeants sandinistes, les conseillers cubains et le camp palestinien des faubourgs de Managua. Le mémorandum préconisait une attaque éclair simultanée des bases aériennes, dans le style des Israéliens.

– Où est l'original? demanda Hockney.

– Je ne peux pas fournir l'original, dit Lancer. Je ne veux pas dévoiler mes sources.

– Qu'est-ce que tu veux dire?

– Depuis les dernières fuites, ils font des copies des documents les plus chauds selon le système suivant, expliqua Lancer. Ils glissent un coquille dans chaque copie – un truc qu'on ne remarque pas, comme une virgule mal placée. Si une fuite se produit, on peut en déterminer l'origine.

– Je ne me proposais pas de passer le document au F.B.I., fit sèchement observer Hockney. Je voulais seulement le tenir en main.

Le garçon s'approcha de leur table et Hockney lui passa rapidement la commande.

Lancer secoua légèrement son verre de Solitchnaya, en faire tinter les glaçons.

— Tu es sûr de l'authenticité de ce document? demanda Hockney en le fixant.

— Je l'ai lu. De mes yeux.

— Comment sais-tu qu'on ne l'a pas trafiqué?

— Je fais confiance à ma source, répondit Lancer obstinément.

— Alors, cela te gênerait de m'indiquer ta source?

— Oui, cela me gênerait.

— Eh bien, il faut que je te dise, Jack, ce truc MP 83 me paraît bidon. Tous les sondages d'opinion révèlent que la dernière chose souhaitée par l'opinion publique est bien une aventure militaire en Amérique centrale. Ce serait un suicide politique pour l'administration en place. Les gens de Newgate le savent. Ils ne vont pas se faire hara-kiri avant les élections.

— C'est toi qui le dis, commenta Lancer en haussant les épaules. Len Rourke n'est pas de cet avis. Il pense que cette histoire est aussi grosse que celle de la baie des Cochons et pourrait faire autant de bruit que le Watergate.

— Je suis heureux de voir que Ed n'a pas perdu son sens du romanesque, fit aigrement observer Hockney, ennuyé que Lancer soit passé par-dessus lui pour voir le rédacteur en chef. Mais je suis bien certain, également, qu'Ed aimerait procéder à quelques vérifications avant qu'on fasse la une avec un article concernant un document de la Maison-Blanche que tu es le seul à avoir vu.

— Vas-y, vérifie auprès de tes amis de la Maison-Blanche, dit Lancer d'un ton méprisant. Mais je ne compterais pas sur eux pour m'affranchir quant à leurs projets d'invasion d'un pays latino-américain souverain qui leur permettrait de tirer la barbe de Castro.

Hockney ne s'attarda pas sur la populace des manifestants qui avaient érigé une sorte de bidonville en travers de la rue, face à Lafayette Square, pour protester contre la réduction des avantages sociaux. En un temps record, il s'était arrangé pour obtenir un entretien avec Blair Collins, le directeur de la C.I.A. Le sigle MP 83 avait fonctionné comme un sésame.

Collins passait davantage de temps ici, à proximité de la Maison-Blanche, qu'au quartier général de l'Agence à Langley, en Virginie. Ils s'assirent à une table, dans une pièce qui ressemblait à la salle du conseil d'une compagnie maritime du XIXᵉ siècle : Hockney, Collins et un sémillant petit homme du nom de Quayle, méticuleusement vêtu d'un costume trois pièces et d'une chemise sur mesure, blanche sur blanc. On avait présenté Quayle comme le chef du groupe des Opérations cubaines à Langley. Le sigle G.O.C. faisait très sérieux, tout comme Quayle lui-même, qui s'exprimait comme il était habillé : d'une manière nette et tranchée. Ses cheveux étaient aplatis et collés sur le crâne, et son menton et sa nuque encore marqués du feu du rasoir. Par comparaison, le directeur de la C.I.A. faisait intellectuel débraillé, avec son costume rayé gris anthracite et son nœud papillon affaissé et négligemment noué. Son visage aux traits quelque peu tombants lui donnait des airs de basset, ressemblance encore accrue par ses yeux humides qui contemplaient le monde à travers des lunettes à monture d'écaille.

– Que savez-vous du MP 83? lança Collins à Hockney.

– Il s'agit d'un plan d'invasion du Nicaragua.

– Balivernes, dit Collins en cognant sa pipe, apparemment soulagé. On vous a roulé.

– Mais vous admettez qu'il existe un MP 83?

Collins jeta un coup d'œil en direction de Quayle avant de répondre :

– Savez-vous ce qu'est un mémorandum présidentiel? C'est une série d'options, rien de plus, rien de moins. Ce n'est pas un plan d'action. Et en tout état de cause, personne, ici, n'envisage l'invasion du Nicaragua.

– Eh bien, dans ce cas – Hockney marqua une pause –, je pense que vous n'aurez pas d'objection à me laisser jeter un coup d'œil sur le vrai MP 83?

– Et puis quoi, Bob? Vous ne faites pas partie des gens qui y sont autorisés. Il faudra vous contenter de me croire sur parole. Votre homme s'est fait refiler un faux renseignement.

– Comment pouvez-vous me demander d'avaler ça si vous ne voulez pas me dire ce que contient le vrai document? protesta Hockney.

141

– Ce que je vais vous dire ne doit pas sortir de cette pièce, dit Blair Collins en suçant sa pipe. Le MP 83 est une analyse d'ensemble des positions de ce pays à l'égard de l'Amérique centrale. Une sorte de bilan. Il reprend également les diverses mesures que nous pourrions adopter pour contrer Castro. La possibilité d'une intervention militaire est absolument exclue. Nous ne sommes pas totalement ignorants de l'état d'esprit du pays.

– Alors, qu'y a-t-il de si délicat dans cette note?

Collins souffla dans le tuyau de sa pipe. Une pipe constitue un merveilleux accessoire pour un homme aux affaires. Les processus de bourrage, d'allumage, de nettoyage laissent pas mal de temps pour réfléchir aux réponses et permettent d'occuper les mains.

– Le MP 83, répondit finalement Collins, est le reflet de certaines de nos sources et de nos méthodes. Si l'on divulguait le texte *in extenso*, on grillerait nos agents et nos atouts. Nous mettrions des vies en danger. Cela vous suffit-il?

– Pas tout à fait, répondit Hockney. Prétendez-vous que la version qu'a obtenue Jack Lancer ne ressemble en rien à l'original?

– Je prétends que le *World* a obtenu une version trafiquée. J'aimerais bien savoir comment.

– Moi aussi, avoua Hockney.

– Savez-vous que Lancer fréquente un groupe procubain? coupa Quayle.

– Vous voulez parler du Conseil pour la compréhension continentale? Oui, je sais cela.

– Ce sont ces salopards-là qui ont fourni au *World* ce tuyau sur notre prétendue école de torture en Amérique centrale, ajouta Quayle à l'intention du directeur. On dirait que leur texte a été traduit de l'espagnol, du cubain.

– Est-ce que le *World* va vraiment passer cette connerie sur le Nicaragua? demanda Collins en soufflant un gros nuage de fumée en direction de Hockney.

– Ça ne dépend pas de moi, répondit Hockney. J'aimerais bien, pour intervenir, que vous m'en disiez un peu plus.

– Le fait que l'un de vos collaborateurs soit impliqué dans une histoire de faux ne vous confère pas le droit de consulter des documents « top secret », commenta Quayle aigrement.

– Je suis désolé, ajouta Collins plus aimablement. Je ne

peux que vous prévenir : si le *World* passe cette histoire, vous allez vous faire taper sur les doigts.

Hockney parti, Blair Collins se tourna vers Quayle et lui demanda :

– Pensez-vous que les Cubains aient pu mettre la main sur le document original?

– Non, répondit Quayle en secouant la tête. Pourquoi ne divulgueraient-ils pas l'original s'ils l'avaient?

– La version du *World* est plus alléchante.

– Mais peut-être moins nuisible, à long terme.

Le paragraphe le plus délicat du MP 83 – la version approuvée par le Conseil national de sécurité le lundi précédent – concernait non pas le Nicaragua mais Cuba. Il faisait mention de l'importance croissante d'une organisation secrète de résistance au cœur même de Cuba, dont l'objectif était de renverser Castro et de libérer l'île de l'emprise soviétique. L'information émanait d'une source considérée par la C.I.A. comme un atout d'une importance primordiale : d'un agent dont le nom de code était Daiquiri. Mieux valait, selon le directeur, risquer une vague de protestations politiques contre un faux complot visant le Nicaragua que de divulguer des renseignements susceptibles d'aider les Cubains à éliminer une source aussi précieuse que Daiquiri. Et puis restait la possibilité que le *W*orld ne passe pas l'article sur le MP 83.

Plus tard dans l'après-midi, Collins traversa le Bureau ovale pour aller en parler à son vieil ami le président. Il apportait également au président quelques photos inédites prises par un satellite espion. Elles montraient des Mig soviétiques au sol à Puerto Cabezas, sur la côte orientale du Nicaragua, et une nouvelle fournée de terroristes palestiniens arrivant du Proche-Orient.

Le président Newgate jeta un coup d'œil sur les photos, puis les laissa tomber près de lui d'un air las.

– Nous devrions peut-être faire ce que le *World* nous accuse de vouloir faire, dit tranquillement Newgate, puisqu'on va nous le reprocher, de toute façon.

Collins, le directeur de la C.I.A., ne trouva pas de réponse à cette suggestion. Ils ne rajeunissaient pas, ni l'un ni l'autre. Le président avait plus de soixante-dix ans et ses chances d'être réélu diminuaient chaque jour. S'ils devaient couler, autant le faire en fanfare qu'en geignant. L'idée trotta paresseusement

dans un coin du cerveau du directeur. Il la chassa et deman-
då :

— Que faisons-nous, si le *World* publie l'article?

— Oh, nous démentirons. Je démentirai. Cela ne changera
rien. Ceux qui veulent y croire continueront à y croire. Et les
démentis ne rattrapent pas le dramatique impact d'un gros
titre. Les Russes ont un dicton à ce propos, non?

— « Ce qui est écrit avec une plume ne peut être retranché
avec une hache », cita Blair Collins. C'est assez vrai.

— Bon, nous survivrons, poursuivit Jerry Newgate, aussi
longtemps que les événements mineurs ne nous feront pas
dérailler de notre voie. C'est Cuba l'objectif. Si l'on parvient à
s'arranger de Cuba, l'Amérique centrale rentrera dans l'ordre.
Je me souviens que le lendemain de ma prise de fonctions,
Blair, nous étions assis dans cette pièce à en parler. Je me
souviens de vous avoir dit que si l'on pouvait faire notre affaire
de deux hommes — Castro et Kadhafi — nous pourrions
considérer notre politique étrangère comme un succès.

— Nous avons failli avoir Kadhafi, fit observer Collins. Et
ça bouge à Cuba. Je ne perds pas espoir, de ce côté. Pas du
tout.

A peu près au même moment, Hockney retourna au
bureau du *World* — après avoir échoué dans sa tentative d'en
apprendre davantage auprès du bureau de presse de la Maison-
Blanche et de ses contacts au Conseil national de sécurité — et y
trouva Jack Lancer qui se balançait dans le fauteuil du bureau
en angle. Le bureau de Hockney.

— On dirait que j'ai raté le *coup d'État*, remarqua Hockney.

Lancer prit tout son temps pour retirer ses pieds de dessus
le bureau et dit d'une voix triomphante :

— Tu sais quoi? Deux souliers à clous du F.B.I. se sont
pointés ici et ont demandé à nous interroger tous les deux à
propos de ce MP.

— Et alors?

— Je leur ai demandé s'ils avaient une commission rogatoire. Ils ont répondu que non, qu'il s'agissait d'une collaboration volontaire au nom de la sécurité nationale. Je leur ai dit de
voir ça avec Finkel et Ed leur a dit d'aller se faire foutre. Tu
sais ce qu'il a dit d'autre?

144

— Dis-moi, répondit Hockney avec la résignation d'un joueur de vingt-et-un qui sait qu'il va perdre.

— Finkel affirme que le simple fait que le Bureau ait sonné l'alerte prouve que notre histoire est authentique.

Hockney n'apprécia pas sa façon de dire « notre ».

— Finkel va passer l'article, Bob, poursuivit Lancer. A moins que tu apportes la preuve qu'il s'agit d'un faux. Il a dit que ça pourrait valoir un prix Pulitzer.

Lancer s'apprêta à évacuer le bureau. Hockney contempla les mégots qui flottaient dans une tasse de café froid.

— Ne te dérange pas pour moi, dit-il, en sortant pour aller lire les dépêches du télex.

Malheureusement pour l'administration Newgate, le premier personnage officiel qui parut en direct devant les caméras le lendemain matin pour commenter l'article du *World* sur le MP 83 fut le vice-président, qu'on ne consultait pas sur grand-chose, et dont les rapports avec le chef de l'Exécutif avaient quelque peu fraîchi après qu'il eut déclaré clairement qu'il allait courir pour son propre compte dans les élections primaires. Les caméras surprirent le vice-président Morgan sur la base aérienne d'Andrews alors qu'il débarquait d'une semaine au Texas où il était allé prononcer plusieurs discours devant les fidèles du parti.

— Salut, content de vous voir, répétait sans cesse le vice-président au micro, avec un accent texan.

Lorsqu'on le prenait par surprise, sans un discours préparé et dactylographié en double interligne par ses collaborateurs, il se sentait un peu perdu.

Plusieurs journalistes se bousculaient pour poser les premières questions concernant le prétendu plan d'invasion.

— Eh bien, heu, je ne pense pas que nous cherchions à attaquer qui que ce soit, bredouilla le vice-président. Il ajouta gaiement : Mais vous savez, euh, quand des types se retrouvent pour parler de la pluie et du beau temps, il en sort parfois des idées bizarres.

A cet instant, une petite pluie se mit à tomber. L'attaché de presse de la Maison-Blanche, visionnant la bande vidéo un peu plus tard le même jour, jugea l'intervention du ciel providentielle. L'un des collaborateurs de Morgan s'était pré-

145

cipité avec un parapluie et avait pressé son patron vers une limousine qui attendait.

Après quoi, les démentis officiels tombèrent dru, avec comme point d'orgue l'assurance personnelle du président, le soir même, qu'il n'était nullement dans l'intention de son administration de s'embarquer dans une nouvelle guerre du Vietnam. Mais le mal était fait, comme Jerry Newgate l'avait lui-même prédit. A La Havane, Fidel Castro saisit l'occasion pour organiser une démonstration de masse et affirmer son indéfectible soutien à la Révolution nicaraguayenne. A Managua, le régime appela à une « vigilance accrue » contre les « éléments contre-révolutionnaires » travaillant de concert avec la C.I.A. A New York, plusieurs pays du tiers monde firent front commun pour soutenir une résolution condamnant l'impérialisme américain.

A la tombée de la nuit, des groupes de manifestants, dont certains portaient des bougies et des torches, convergeaient vers la Maison-Blanche tandis que des bus bourrés partaient toutes les dix minutes de Boston, Baltimore et de toutes les villes du Sud. La manifestation battait son plein lorsqu'un sémillant Cubain, légèrement rondelet, débarqua le lendemain par le premier avion en provenance de New York-La Guardia. Il prit mentalement note d'accorder une prime à l'agent qui avait réussi à glisser dans le *New York World* la version cubaine du MP 83. Teófilo Gómez se replongea dans son numéro du *World* dans le taxi qui le menait vers l'esplanade du Capitole. Il avait dit à La Havane que, selon lui, le faux était trop grossier pour être accepté par l'un des grands organes de presse américains, qu'il convenait de le refiler à une feuille de chou d'Amérique centrale. La crédulité des Américains sur un point ne cessait de le surprendre : ils étaient prêts à croire n'importe quelle attaque contre leur gouvernement.

Ce même matin, Angela Seabury, faisant davantage femme d'affaires que vedette de la télé, présentait sa serviette à l'inspection dans le hall du Rayburn Building, près du Capitole. Vêtue d'un tailleur bleu marine à rayures, d'un chemisier boutonné jusqu'au cou et de chaussures assorties, elle eut droit au sourire appréciateur du garde. Celui-ci jeta, pour la forme, un coup d'œil sur les livres contenus dans la serviette – les mémoires d'alcôve d'un « sex symbol » d'Hollywood et un guide touristique de Cuba – et lui fit signe de passer. Angela se glissa dans un ascenseur bourré et descendit au deuxième.

Lors de la dernière confrontation entre Washington et La Havane, l'administration Newgate avait fermé les services consulaires cubains de la 16ᵉ Rue qui fonctionnaient sous les auspices de l'ambassade de Tchécoslovaquie. Depuis lors, le bureau du parlementaire Coleman North, dans le Rayburn Building, était connu partout sous le nom de consulat honoraire de Cuba. Coleman North, député démocrate réélu de Californie, ne comptait pas parmi les admirateurs du président Newgate, mais apportait un soutien actif et enthousiaste à la proposition d'interdire toute opération de la C.I.A. contre Cuba et le Nicaragua. Son bureau du deuxième étage ne désemplissait pas de visiteurs en provenance de La Havane.

Un pimpant jeune homme à l'abondante moustache accueillit Angela dans le bureau du secrétariat de North.

– Coleman est à la manifestation, lui dit-il. Vous avez vu ça ? On prétend qu'on attend cent mille personnes.

Pendant toute la nuit et jusque dans le milieu de la matinée, les bus affrétés par la Fraternité pour la paix avaient continué à affluer à Washington, amenant des protestataires qu'on était allé chercher jusqu'à Pittsburgh et Atlanta.

– J'ai vu, dit Angela. On dirait la Maison-Blanche assiégée.

– Ça va être encore plus important que le mouvement pour le gel des armements nucléaires, poursuivit le secrétaire, enthousiaste. Newgate ne saura même pas d'où viennent les coups. Vous devez être fière de faire partie du Quatrième Pouvoir. Jack Lancer est un sacré journaliste.

– Oui, en effet, dit Angela.

– Et vous aussi, vous allez à Cuba, n'est-ce pas ?

– Je l'espère.

– Bon sang, ce que j'aimerais y aller. Mais je ne peux même pas m'absenter cinq minutes. Nous avons l'intention d'organiser des manifestations dans plus de cent villes.

Deux filles entrèrent, titubant sous le poids des piles de pétitions.

Angela profita de l'interruption pour demander :

– Teófilo est ici ?

– Oui, bien sûr. Il s'est installé dans le bureau de Coleman.

147

Le secrétaire frappa légèrement à la porte et l'ouvrit à Angela.

– A bientôt, lui dit-il en regagnant son bureau.

Un petit homme au teint olivâtre, à la moustache drue et aux cheveux noirs frisés, l'embonpoint quelque peu escamoté par son costume italien impeccablement coupé, jaillit de derrière le bureau du député North. Il accueillit Angela avec une chaleur qui allait bien au-delà, même, de la traditionnelle cordialité d'un *abrazo* cubain, l'embrassant sur le coin de la bouche. Le bras passé autour de la taille d'Angela, il la conduisit jusqu'au sofa de cuir.

– Tout est arrangé, lui dit-il aussitôt, rassurant. Vous partez demain.

Lorsque Coleman North avait invité Teófilo Gómez à se considérer comme chez lui dans son bureau de l'esplanade du Capitole, le Cubain l'avait pris au mot. Gómez venait en avion de sa base de New York une ou deux fois par semaine en moyenne. Le bureau du député constituait un lieu commode pour des conversations privées. En application d'une décision du défunt J. Edgar Hoover, qu'aucun de ses successeurs à la tête du F.B.I. n'avait songé – ou osé – abroger, le parlement était lieu inviolable, interdit aux agents du Bureau.

Angela connaissait Gómez dans son rôle officiel de conseiller de la délégation cubaine aux Nations unies à New York. Lors de divers cocktails à Manhattan, elle avait découvert que sa vivacité naturelle et son charme endiablé compensaient largement un manque manifeste de séduction physique. Dans la cour qu'il lui fit, Gómez s'était montré doucereux mais insistant, et il n'avait guère fallu longtemps pour que leurs relations dépassent le cadre de la simple amitié.

Pendant une semaine, ils avaient connu une liaison passionnée, intense. Puis ils s'étaient séparés sans se perdre. Angela avait su, dès le début, en l'observant, que la passion du Cubain était de collectionner les Américaines. Elle admettait, en y prenant plaisir, ce désir spontané de satisfaire un besoin physique sans complications sentimentales qu'elle partageait elle-même.

Angela n'avait jamais sérieusement pensé que son badinage avec un diplomate cubain pourrait vraisemblablement lui valoir une place dans les fichiers du F.B.I. ou autre organisme gouvernemental. Elle n'avait pas songé un seul instant que ce badinage l'avait placée sous le regard particulièrement vigilant de la D.G.I., car elle ignorait la signification de ce sigle. Elle eût été surprise d'apprendre que cet amant occasionnel, qui se révélait si efficace lorsqu'il s'agissait d'arranger des interviews à La Havane, était en fait le chef de poste du service secret de Castro à New York.

– Puis-je vous offrir du café? Ou autre chose à boire?

Cette question de Teófilo fit comprendre à Angela tout ce qu'il y avait d'insolite pour un diplomate étranger – sans parler d'un Cubain – d'utiliser le bureau d'un parlementaire américain. Cette pensée ne fit que l'effleurer. Le décor rendait leur rencontre franche, ouverte, très *américaine*, même.

– Non, merci, lui répondit-elle.

– Votre groupe part pour Mexico demain, lui annonça brusquement Gómez. Nous avons frété un avion spécial. Vous savez, bien sûr, que cinq ou six journalistes partent avec vous.

Angela fit un signe de tête affirmatif. Un organisme gouvernemental cubain, l'I.C.A.P., avait pris l'initiative d'inviter à La Havane journalistes et correspondants soigneusement sélectionnés. En ce qui la concernait, l'invitation émanait de Teófilo lui-même. Mais on avait bien précisé à tous les invités que des facilités « exceptionnelles » leur seraient accordées à Cuba. Ainsi que le lui exposa Teófilo Gómez, la période du voyage n'aurait pu mieux tomber. La révélation par le *World* des plans d'attaque de la Maison-Blanche visant Cuba et son protégé d'Amérique centrale rendait les Cubains plus désireux que jamais de faire connaître leur position aux Américains.

– Lancer est un brillant journaliste, commenta le Cubain.

Angela acquiesça poliment, mais le Cubain put sentir dans son ton une certaine réserve. Elle avait rencontré Jack Lancer à diverses réceptions, mais ne l'appréciait guère.

– En fait, il se pourrait bien que Jack Lancer ait empêché une guerre, poursuivit Gómez. Mais ne vous en faites pas, dit-il en tapotant le bras d'Angela, vous aussi vous aurez votre exclusivité. Je rentre de La Havane. Je peux vous dire, confidentiellement, que Fidel est ravi de votre visite. Il se souvient affectueusement de vous. Il a donné ordre à tous les services de vous accorder, ainsi qu'à votre équipe, tout ce que vous pourriez souhaiter. On vous ouvrira toutes les portes –

Abracadabra! (Il fit un geste cabalistique des mains et se mit à rire.)

— Et l'interview?

— Tout est arrangé. Fidel vous accordera tout ce que vous voudrez.

— Une exclusivité?

— Vous serez seule, assura Gómez en lui caressant le genou. Je devrais en être jaloux. Fidel est un homme très séduisant.

— J'espérais que nous pourrions aller dans son île privée. Ce serait plus — elle hésita — plus *visuel*.

Gómez réussit une imitation de gloussement et dit, jouant les outragés :

— Il n'existe pas de propriété privée à Cuba. Puis il lui murmura : Fidel est également d'accord pour ça.

— C'est merveilleux, Teófilo.

Le Cubain se leva et fit mine de feuilleter quelques papiers épars sur le bureau.

— J'aimerais vous demander ce que vous pensez de l'un des autres journalistes du groupe, dit-il d'un ton désinvolte.

— Oui?

— Il s'appelle Robert Hockney. C'est le patron de Jack Lancer au bureau de Washington du *World*. Vous le connaissez?

— Bob? répondit Angela avec un sourire au coin des lèvres. Je l'aime bien. Je crois que c'est un bon journaliste. Je le crois honnête.

— Il ne nous manifeste pas tellement de sympathie. J'ai lu quelques-uns de ses articles. Ces dernières années, il semble s'être imaginé que l'Union soviétique et Cuba sont responsables de tous les maux de la terre.

— Oh, Bob ne professe pas un *tel* dogmatisme. Je crois qu'il écrit la vérité telle qu'il la voit.

— J'ai cru comprendre qu'il aimait bien les femmes.

Angela n'apprécia guère le regard en coin que lui jeta Teófilo.

— J'ai l'impression qu'il est tout à fait satisfait de son mariage, répondit-elle. Il a épousé une très jolie femme qui travaille pour l'une de nos commissions sénatoriales. Je crois que Julia attend un enfant.

— Vraiment?

150

Le Cubain parut sincèrement intéressé, ce qui accrut encore le sentiment de malaise qui étreignait Angela. En quoi la grossesse de Julia pouvait-elle intéresser le Cubain? Angela n'avait appris la nouvelle que la veille au soir lorsque – littéralement – elle était tombée sur Julia au pied du Dirksen Building. Julia paraissait radieuse. Angela avait à présent le sentiment que c'était mal, que c'était sale en quelque sorte d'évoquer ce bonheur devant Teófilo Gómez.

– Vous connaissez très bien Hockney? insista le Cubain.

– Nous sommes amis. Platoniquement parlant, s'entend.

– Bien sûr. Mais j'ai cru comprendre qu'il n'était pas très aimé parmi vos confrères.

– Je ne dirai pas ça. On est arriviste dans notre métier. Chacun passe son temps à jouer des coudes, à glisser des peaux de banane à l'autre. Il y a beaucoup de jalousie.

– Mais certains de vos confrères prétendent que Bob travaille pour la C.I.A.

Gómez lui montra un vieux numéro d'une revue dont l'horrible couverture représentait le directeur de la C.I.A., Blair Collins, comme une pieuvre dont les nombreux tentacules étouffaient le Nicaragua et autres pays du tiers monde.

– Il y a un article sur Hockney là-dedans, dit-il.

Teófilo Gómez ne jugea pas utile de préciser qu'il avait lui-même dicté l'article, mot à mot, au téléphone à l'un des rédacteurs de la feuille à scandale qui s'intitulait *Le Persifleur*.

Angela jeta un coup d'œil à l'article qui traitait des relations de Hockney avec un transfuge du K.G.B. et de sa série d'articles sur la campagne de désinformation soviétique à Washington.

– Simple rancœur, je crois, commenta-t-elle en rendant la revue au Cubain. Mais elle se souvint d'avoir déjà vu plusieurs numéros du *Persifleur* sur le bureau de son producteur Simon Green, lequel avait utilisé le même article comme argument pour ne pas inviter Hockney à son débat télévisé.

– Alors vous pensez qu'on devrait autoriser Hockney à se joindre au groupe? demandait Gómez.

– Pourquoi pas? Cela prouverait que Cuba n'accorde pas des visas uniquement aux gens qui vont dire ce que vous souhaitez qu'on dise.

– C'est exactement mon raisonnement, dit Teófilo, rayonnant. C'est l'avis que j'ai donné à mon gouvernement.

Gómez n'expliqua pas qu'on avait pris la décision d'accorder son visa à Robert Hockney une semaine plus tôt, après qu'il eut rencontré Julio Parodi et Calixto Valdés à La Havane, et qu'on le lui avait accordé pour des raisons qui n'avaient rien à voir avec celles évoquées par les autres journalistes.

Angela se sentait encore troublée en traversant la salle d'attente, à présent envahie et grouillante comme un quai de métro aux heures de pointe. Une douzaine de personnes se pressaient à la réception tandis qu'un jeune moustachu leur tournait autour comme un chien de berger. Une fille au teint pâle, les cheveux raides attachés par des élastiques, se leva lorsqu'elle vit Angela sortir et se glissa sans frapper dans le sanctuaire de Teófilo.

– Je suis sûre d'avoir déjà vu cette fille quelque part, dit Angela au réceptionniste.

– Oh, c'est Elaine Zweig. Du *Persifleur.*

Le sentiment de malaise d'Angela devint comme palpable, rampant. De retour au studio, elle essaya d'appeler Hockney afin de lui rapporter sa conversation, mais son poste était sans cesse occupé, et plus tard, chez elle, elle fut prise dans le tourbillon des derniers préparatifs et de la recherche d'un voisin complaisant qui prendrait soin des chats et des plantes.

MONIMBÓ, NICARAGUA

Le matin même où Angela se rendait au bureau du député North, Jesus Díaz, dont le surnom de « Macaque » lui était resté bien qu'il fût maintenant lieutenant des Forces armées révolutionnaires, rentrait chez lui au *barrio* indien de Masaya, la Cité des Fleurs. Il arriva dans une jeep, à la tête d'un petit convoi militaire. La vue sur les champs de canne à sucre et les plantations de banane se trouvait le plus souvent obscurcie par l'épaisse fumée noire des diesels s'échappant des *guaguas,* les plus rouge-jaune-vert branlants qui sillonnaient continuellement la route.

Monimbó n'avait guère changé. Artisans et camelots colportaient toujours des chemises brodées, des nappes, des hamacs, des nattes, des bois sculptés autour de la place triangulaire avec ses fontaines taries, son monument à la Révolution. L'église Don Bosco se tenait là, avec ses murs d'un jaune délavé, criblés d'impacts de balles datant de la bataille qui y avait fait rage au cours de la guerre civile. A côté se dressait l'école – le Colegio Salesiano – où, quelques années plus tôt, Fidel avait prononcé un discours pour l'anniversaire de la Révolution.

Le colonel cubain du ministère de l'Intérieur jeta un regard aigu au jeune lieutenant tandis qu'ils longeaient le plus grand côté de la place triangulaire.

– Sa maison se trouve là, dit Macaque Díaz, indiquant d'un mouvement de la tête une ruelle étroite et poussiéreuse qui débouchait sur la place.

Le Cubain, comme tous ses compagnons attachés à la police secrète, portait un uniforme nicaraguayen sans distinction de grade. Macaque Díaz s'était senti honoré, en ce jour de 1980 où il avait été désigné pour servir les Cubains à Monimbó. Aujourd'hui, aucun sentiment d'honneur ne l'habitait à l'idée de ce qu'il faisait. Il savait qu'on l'avait pris parce que c'était un *indio,* un indigène de Monimbó, un homme du peuple dont on accepterait la fonction avec moins de ressentiment que s'il s'agissait d'un étranger blanc. Ceux qui, aujourd'hui, dirigeaient le pays avaient toutes les raisons d'apprécier ces qualités. Macaque savait ce qu'on avait fait aux *indigenas* – les Indiens miskito de la côte orientale : villages rasés et amoncellements de cadavres dans des fosses communes.

Les émissions de la radio gouvernementale ne parlaient que d'un nouveau complot *yanqui* visant à occuper le pays. Des affiches appelant les citoyens à une vigilance de tous les instants et à dénoncer tout comportement suspect des voisins et même des parents avaient fleuri sur les murs. Et l'on avait dressé des listes « d'ennemis sociaux » et de suspects de contre-révolution. Macaque avait entendu dire que la compilation de ces listes avait été menée sous l'œil attentif du général Caldeiro, le patron des services de renseignement cubains rattachés au ministère de l'Intérieur.

La jeep s'arrêta le long de la place et ils se dirigèrent – Macaque, le colonel cubain et deux soldats armés de Kalachnikov – vers une minuscule échoppe qui, pour l'homme qu'on appelait le Licenciado, servait tout à la fois de boutique, de cuisine, de chambre et de salle de conférence. On accusait le Licenciado de propagande contre-révolutionnaire. Macaque ignorait le nom de son dénonciateur anonyme. Quels qu'aient été les motifs de celui-ci, il avait réussi à faire inscrire le nom du Licenciado sur la Liste. Cela signifiait que l'on considérait le Licenciado comme un ennemi de la Révolution. Un ennemi que l'on devait arrêter et conduire dans un camp d'internement, après quoi *¿quién sabe?*

On avait ordonné à Macaque de procéder à l'arrestation, et il n'avait pas osé refuser cette mission bien que le Licenciado eût été pour lui comme un père; l'un des rares hommes pour lesquels il professât du respect. Les souvenirs resurgissaient maintenant, alors qu'il apercevait le vieil homme dans l'encadrement de sa porte ouverte se chauffant au soleil. Macaque se souvint d'une promenade avec le Licenciado, alors qu'il n'était encore qu'un gosse jamais sorti du *barrio,* un jour magique où le vieux l'avait emmené en bus visiter les *huellas* de Acahuanlica. Les *huellas,* le lieu le plus révéré du pays – traces de pas nettes et profondes dans l'argile pétrifiée, au bord d'un lac, au nord-ouest de la capitale. Le Licenciado avait enveloppé les épaules du gamin de son long bras et murmuré : « Fais bien attention où tu marches, car tes pas peuvent te survivre. »

– *¿Qué tal, Mono?* dit le vieux en signe de bienvenue.

Macaque eut du mal à trouver ses mots. Le Licenciado lui facilita la tâche. A la vue du colonel cubain à côté de Macaque Díaz, le vieux comprit aussitôt. Il se leva et, appuyé sur son bâton, entreprit de se joindre à eux.

– D'accord, dit-il. Par où?

Naguère, c'était la voix du Licenciado qui s'était élevée avec le plus de force pour appeler au soulèvement contre la dictature. Mais, ces derniers mois, ses discours avaient pris un ton différent, ses limitant en grande partie à un dialogue avec le buste en ruine de Don Pedro Joaquín Chamorro, le grand éditeur libéral assassiné sous la dictature, sur cette place même. On se rassemblait, on venait l'écouter tandis qu'il faisait observer que, des années après la Révolution, les pauvres n'étaient pas mieux lotis, qu'un homme n'était guère plus libre d'exprimer sa pensée, que l'on bousculait et tourmentait les *indios* tout autant qu'aux plus beaux jours des Conquistadores et que le joug des *yanquis* avait été remplacé par celui des Cubains.

On jeta le Licenciado dans la jeep, aux côtés de Macaque. Le vieil homme, avec son regard rêveur et vide, ne souffla mot plus de dix minutes tandis que la voiture retournait en cahotant vers la route nationale.

Soudain, il étendit un bras long et décharné, raide comme celui d'un épouvantail, et dit à Macaque en montrant un arbre, de l'autre côté de la route :

– Tu vois ça?

Macaque suivit la direction du doigt et vit le tronc noirci et légèrement roussi d'un arbre en train de crever, sous une épaisse végétation parasite.

– *Mata-palo,* dit le vieux. Comme les Cubains – *mata-palo.*

Le colonel cubain jura et frappa le Licenciado sur la bouche. Le coup fendit la lèvre inférieure du vieux.

Macaque Díaz grimaça et regarda de nouveau la plante grimpante qu'on appelait « tueuse d'arbres ».

C'est alors que Macaque Díaz décida de combattre la Révolution. Peut-être à cause de l'arrestation du Licenciado, ou de la brutalité du colonel cubain, ou parce qu'il venait de comprendre ce que symbolisait le *mata-palo.* Pour combattre la Révolution, il lui fallait d'abord s'enfuir. Aux États-Unis où – selon la radio sandiniste – des tas de gens nourrissaient le projet de faire la guerre à la révolution nicaraguayenne.

Il ne vint pas à l'esprit de Macaque, en cet instant, qu'il pouvait apprendre aux Américains une chose qu'ils ignoraient. Certes, il avait entendu Fidel Castro proférer des énormités lors d'une réunion tenue secrète qui s'était déroulée dans une école de Monimbó; cela les Américains « devaient » le savoir. Comment un gamin de dix-sept ans aurait-il pu imaginer en savoir plus que les *yanquis?*

6

EN ROUTE POUR LA HAVANE

— Vous voulez bien qu'on change de place pour un instant? demanda Hockney.

Le producteur d'Angela Seabury manifesta, par ses grimaces, qu'il considérait cette suggestion comme une insupportable intrusion. Mais il déboucla la ceinture de son siège, prit son verre de vin et abandonna sa place, côté couloir, dans l'avion cubain réservé aux personnalités et qui venait de décoller de Mexico.

— C'est fou ce que Simon peut être vieux jeu, dit Angela pour l'excuser tandis que Hockney s'installait à côté d'elle.

— Qu'est-ce que c'est? Tes devoirs de vacances? demanda-t-il en désignant le paquet de coupures de presse posé sur la table pliante devant elle. Sous la pile, un numéro du *Persifleur.*

— Je vois que je fais partie de ton dossier, dit-il en ouvrant le magazine au hasard, tombant sur un article intitulé « Le journaliste play-boy roule pour la C.I.A. ».

— Personne ne prend ce papier au sérieux, lui répondit-elle, se voulant rassurante, encore qu'elle sût qu'une personne au moins dans l'avion y croyait : son producteur, Simon Green.

— Je trouve cela plutôt flatteur, répondit Hockney. Je parie qu'il a dû falloir que tu uses de toute ton influence auprès de Teófilo pour que je me trouve à bord de cet avion.

— C'est drôle, dit-elle en se souvenant de la foule dans le

bureau du député North. Devine qui j'ai vu aller parler avec Teófilo? Elaine Zweig, du *Persifleur*.

– Il n'y a rien de surprenant, fit observer Hockney. Bon nombre de leurs articles sont traduits de l'espagnol. Franchement, je suis moins inquiet de ce que raconte une feuille à scandale comme le *Persifleur* que de ces autres articles. (Il embrassa, d'un geste, toute la pile.) As-tu jamais lu une seule ligne sur D.G.I.?

– Allons bon, dit-elle avec une légère impatience. Le sort des prisonniers politiques est l'une des premières questions que Barbara ait soulevées avec Fidel. Et j'en ai moi-même parlé avec lui.

– D'accord, dit Hockney. Et Fidel vous a roulées avec quelques chiffres bidons, représentant une infime partie des gens qu'il a fait jeter en prison. Quant à la D.G.I.... (Devant son air surpris, il s'expliqua.) C'est le service secret cubain. Les hommes de Teófilo. Peut-être l'un des services de renseignement les plus actifs du bloc soviétique.

– Qu'est-ce que tu racontes?

– Je dis qu'un correspondant qui, de retour d'Allemagne nazie, aurait oublié de parler de la Gestapo et des camps de concentration n'aurait eu droit à aucune félicitation.

– Bob, c'est monstrueux. Tu ne peux pas comparer.

– Vraiment? dit-il pensivement.

Il lui montra un exemplaire de *Informe Secreto sobre la Revolución Cubana*, de Carlos Montaner.

– Voilà *mes* devoirs de vacances à moi, ajouta-t-il. J'ai révisé mon espagnol. Le bouquin rapporte quelques histoires charmantes sur le goulag cubain. Montaner cite le cas d'un journaliste piétiné jour après jour par des gardes bottés et laissé pour mort. Il parle d'un héros de la Révolution qui faisait asphyxier ses prisonniers dans un camion hermétiquement clos. Je me demande pourquoi tout le monde ignore l'organisation de Teófilo alors que chacun connaît la C.I.A. Valladares dit que c'est parce qu'il existe une conspiration du silence.

La surprise se peignit de nouveau sur le visage d'Angela.

– Valladares est l'un des plus grands poètes cubains vivants, expliqua Hockney. Ils l'ont gardé en prison pendant vingt-deux ans après la Révolution. Dans une lettre qu'il a fait sortir de sa cellule, il dit que le sort des prisonniers politiques à

Cuba aujourd'hui est comparable à celui des Chrétiens persé-
cutés dans la Rome païenne. Il dit que l'on ne saisira toute la
portée de cette barbarie qu'après nombre de martyrs que l'on
ne connaîtra jamais. Et nous aurons leur sang sur la conscience.

– C'est horrible, ce que tu racontes là, murmura Angela.
Elle jeta un coup d'œil sur le livre et ajouta : Je ne crois pas
qu'on te laissera débarquer à Cuba avec ce bouquin sous le
bras.

– Tu as raison, reconnut-il. Il glissa le livre dans la poche
du siège devant lui.

En bavardant avec Angela, Hockney fut frappé par le fait
que, plus de deux décennies après la baie des Cochons et la
crise des missiles, Cuba continuait à occuper une place unique
dans l'esprit des Américains. Pour quelles raisons de jeunes
militants qui comprenaient que l'Union soviétique était dirigée
par une oligarchie corrompue et arriérée, prête à faire appel
aux sentiments politiques les plus bas du peuple – l'anti-
sémitisme et le chauvinisme le plus grossier – pour détourner
son attention de ses échecs, pouvaient-ils encore voir dans
Cuba du romanesque et de l'espoir?

Tout un folklore avait fleuri, fondé sur des fables – dont
certaines vraies – à propos de la société United Fruit; de coups
d'État et de complots d'assassinats organisés par la C.I.A.; de la
complicité de l'Amérique et de son soutien à des généraux et
des oligarchies. On en était arrivé au point où Hockney
découvrait que certains de ses confrères étaient automatiquement hostiles à tout gouvernant latino-américain assez naïf
pour se dire l'ami des États-Unis. Un leader du tiers monde qui
souhaitait se concilier les médias américains était bien avisé,
avait remarqué Hockney, s'il commençait par attaquer les
États-Unis.

Et, également, Castro s'était en quelque sorte arrangé pour
conserver un peu de cette fascination qui avait émané de lui
lorsqu'il était descendu de la sierra en chef de guérilla
vainqueur. Peu importait à ses admirateurs, semblait-il, qu'il ne
pût faire le moindre pas sans l'accord – ou à l'instigation – des
Soviétiques qui soutenaient son régime sur la base de plusieurs
millions par jour et qui avaient glissé leurs conseillers aux
postes clés de tous les services importants du gouvernement.
Des charmeurs, comme Teófilo, l'ami d'Angela, papillonnaient

pleins d'onctuosité, laissaient tomber de temps à autre une remarque désobligeante à l'égard de ces Russes assommants, remarque qu'on considérait comme une audacieuse déclaration d'indépendance.

Hockney se demandait par quel miracle Angela accepterait de voir la vérité cubaine en face. La preuve manifeste que les Cubains se trouvaient impliqués jusqu'au cou dans les soubresauts que connaissait l'Amérique centrale n'y avait pas suffi. De même que n'y suffirait probablement pas la preuve, s'il parvenait à l'administrer, que les Cubains se trouvaient à l'origine des trafics de cocaïne aux États-Unis.

Hockney garda ses considérations pour lui, il se contenta de demander :

— Et l'hôtel? Tu es restée longtemps au *Riviera* la dernière fois?

— Oh, tu aimeras, dit-elle d'un ton enthousiaste, heureuse d'aborder un sujet de tout repos. C'est un édifice bleu, de deux étages, bâti par des gangsters, la bande qui a liquidé ce célèbre truand new-yorkais.

— Anastasia?

— Oui, c'est ça. C'est si laid — pur style Miami Beach — qu'on ne peut s'empêcher de l'*adorer*.

LA HAVANE

Le *Riviera Hotel* était situé sur le flanc sud-ouest du quartier de Vedado, donnant sur un large boulevard en front de mer, le Malecón. Tandis que les journalistes débarquaient de la petite flotte de limousines qui les avaient pris en charge à l'aéroport, Hockney sentit les embruns salés des vagues qui se brisaient sur la digue. Un peu plus loin sur le Malecón, il aperçut un poste de défense antiaérienne entouré de sacs de sable et une unité de la milice qui faisait l'exercice près des ruines abandonnées de l'ambassade américaine.

Un officiel cubain plein de sollicitude s'agitait à la réception, s'assurant que tous les journalistes se munissaient bien de leur *tarjeta* de l'hôtel — sorte de carte d'identité. Hockney passa nonchalamment dans un bar tapissé de hauts miroirs et garni de banquettes de cuir et de tables sur lesquelles de petits cartons annonçaient « RESERVADO ». Il se souvint de la réflexion d'Angela à propos des truands. On imaginait facilement un Meyer Lansky installé à l'une des tables désertes, négociant en douce une affaire.

Le vieil homme d'aspect grêle qui s'occupait des portes et des boutons de l'ascenseur avait tout d'un survivant de cette époque. Il s'était adapté. Respectueusement mais fermement, il demanda à voir la *tarjeta* de chaque journaliste.

Angela et Hockney regardèrent chacun la clé de l'autre.

– Je vois qu'on t'a donné un appartement en attique, observa Hockney.

– Le triomphe de l'audiovisuel, plaisanta-t-elle.

La chambre de Hockney se trouvait deux étages plus bas, et – ainsi qu'il le remarqua bientôt – on ne découvrait la vue sur la mer qu'en grimpant sur le minuscule balcon et en s'y tenant sur le bord en équilibre précaire.

– Viens prendre un verre dès que tu seras installé, l'invita Angela.

Après avoir inspecté ses quartiers, Hockney se rendit chez elle avant même d'avoir défait ses affaires.

La porte d'Angela était ouverte. Il la trouva en compagnie de son cameraman sur une vaste terrasse avec une vue magnifique sur l'océan. Hockney avait rencontré le cameraman au Vietnam, et il le respectait comme on respecte un pro.

– Vous vous êtes pris les pieds dans des fils? lui demanda Tyrrell en plaisantant. La dernière fois que je suis venu ici, c'était truffé de micros. Il y en avait même une paire dans les chiottes. Qu'est-ce que vous en dites, hein? J'ai soulevé le couvercle de la chasse et il y en avait un qui me regardait.

– Dans toutes les chambres?

– Sais pas. Mais pour la *vôtre*, j'en jurerais.

– Allons, Russ, le coupa Angela. Pourquoi feraient-ils cela?

– Demandez à Fidel, suggéra-t-il en haussant les épaules.

Une voix se fit entendre derrière eux; ils se retournèrent pour apercevoir un homme jeune, assez frêle, les cheveux frisés, en chemise kaki aux poches bardées de stylos.

– Brad, dit Angela en se dirigeant vers lui. Je suis sí

heureuse de vous voir. Vous connaissez Bob Hockney, du *World*?

Les deux hommes se jaugèrent et il parut à Hockney que le regard du nouveau venu était rien moins qu'amical. Hockney savait des tas de choses sur Brad Lister. C'était un phénomène : simple citoyen américain vivant à Cuba. Hockney savait que, malgré son apparence juvénile, Lister vivait à La Havane depuis la fin des années soixante, peu gêné apparemment par les dissensions successives entre Cubains et Américains. Lister avait des domestiques et fréquentait les magasins où l'on payait en devises fortes ces luxes que constituaient les cigarettes importées ou les blue-jeans. On trouvait tout cela dans les rues à quatre ou cinq fois leur prix.

On trouvait parfois – rarement – la signature de Lister dans le *World* et Hockney avait soulevé la question de ses relations ambiguës avec les autorités cubaines. Mais Ed Finkel, le directeur du journal, avait pris la défense de Lister, arguant du caractère providentiel de cette « correspondance ». Il avait des sources, à La Havane, auxquelles personne d'autre ne pouvait accéder.

– J'ai beaucoup entendu parler de vous, disait Brad Lister à Hockney.

Hockney grommela une banalité et regarda Lister reporter toute son attention sur Angela.

– L'hôtel vous plaît? demanda Lister alors qu'Angela, au téléphone, tentait d'obtenir un poste obstinément occupé.

– Il ne serait pas mal, répondit-elle, si je pouvais un jour obtenir le garçon d'étage.

– Allons, passez-moi ça, dit Lister qui, en souriant, prit le téléphone et essaya un autre numéro. *Espere un momentito*, dit Lister dans l'appareil avant de demander à la cantonade : Que désirez-vous?

– Scotch! aboya Russ Tyrrell.

– Quelque chose de tropical, bâilla Angela en s'étirant et s'installant sur le canapé.

L'humidité, après le trajet inconfortable depuis l'aéroport, la plongeait dans une certaine somnolence.

Lister commanda des daiquiris.

– Je vois que ce qu'on dit de vous est justifié, remarqua Hockney.

– C'est-à-dire?

– Vous arrangez tout.

Lorsque le garçon arriva avec les verres, Lister le salua d'un signe de tête amical. Il avait rencontré Antonio des années plus tôt, encore qu'à l'époque le Cubain ne portât pas veste blanche. Antonio occupait un bureau dans un immeuble moderne et anonyme de Vedado, à l'angle de la rue M et de la 2e Avenue. Comme la plupart du personnel hôtelier du *Riviera*, Antonio appartenait à la police secrète – le Departemento de Seguridad del Estado, connu de presque tous les Cubains sous le nom de G-2.

Les fonctions de Brad Lister, au bureau de la presse étrangère du G-2, consistaient en partie à distraire l'attention des correspondants américains. Et il y excellait. Avant l'arrivée d'Angela et Hockney, il avait passé de nombreuses heures dans l'immeuble de la rue M à étudier les copieuses analyses psychologiques que les ordinateurs du G-2 conservaient en mémoire.

On remettait les données à jour plusieurs fois par an. Les analystes du bureau notaient soigneusement les moindres changements dans les positions politiques du sujet, ses fréquentations, ses rapports avec ses collègues et amis. Brad Lister, en consultant les enregistrements concernant Hockney, avait noté avec intérêt que Julia attendait un enfant. En règle générale, les journalistes ne constituaient guère des objectifs intéressants à piéger avec un chantage « sexuel » – avait découvert Lister –, bon nombre d'entre eux professaient une grande liberté de mœurs, sans aucun complexe. Notamment au cours de leurs voyages à l'étranger. Mais, lorsqu'il s'agissait d'une perversion bien gratinée ou qu'entraient en jeu des facteurs sentimentaux, on pouvait toujours envisager le « piège du pot de miel ».

Brad Lister en avait discuté avec le colonel Oliveira.

En observant Angela allongée sur le canapé, Lister se remémorait ce qu'Oliveira avait dit d'*elle*.

– C'est une *ninfo*, hein? avait conclu le Cubain après avoir passé en revue la liste, dûment tenue à jour, des amants d'Angela, une liste où l'on trouvait des sénateurs, des producteur de cinéma, des directeurs de chaîne télé et un organisateur de rencontres sportives.

– Je crois que l'expression consacrée est « grande baiseuse », avait précisé Lister d'une voix aigre.

– Teófilo se l'est envoyée à New York, avait commenté

Oliveira à haute voix en feuilletant des renseignements fournis par son réseau. Elle a de beaux nichons, avait-il ajouté en gonflant sa poitrine. J'aimerais bien la rencontrer.

Tout en sirotant son daiquiri dans l'appartement d'Angela, Lister sentait, dans la poche de sa chemise de brousse, la bosse de l'enveloppe remise par Oliveira : trois mille dollars. Certes pas une munificence si l'on considérait que le bureau de la presse étrangère avait omis, depuis deux mois, de lui rembourser ses avances. Mais, convertis en denrées d'importation revendues au marché noir, trois mille dollars constituaient un bon petit magot.

— Je compte sur vous pour ne pas déconner, l'avait averti Oliveira. C'est une des meilleures occasions qui se soient présentées à nous depuis des années. Qu'ils s'amusent bien. Et surveillez Hockney comme vous surveilleriez une tarentule. *Que no se chupa el dedo*, hein?

Dans une traduction assez libre, la dernière recommandation d'Oliveira signifiait : « Ne sucez pas votre pouce. »

— Le programme officiel ne commence que demain, expliquait Lister. J'ai pensé que vous aimeriez rencontrer certains de mes amis cubains, des gens qui ne vous raconteront pas des blagues.

— Parfait, répondit Angela.

— Vous vous souvenez de la *Bodeguita del Medio*? Ce coin de la Vieille Ville qui ressemble à une cave à vin, près de la cathédrale?

— Oui.

— Un de mes amis, Manuel – Manuel Oliveira –, a promis de nous y rejoindre. Il vous plaira. Très attachant. Et il n'a pas peur de dire ce qu'il pense.

— Qu'est-ce qu'il fait? demanda Angela.

— Il est psychologue.

Cette manière de définir la profession du colonel Oliveira n'avait rien de démente. Pour une bonne part son travail se fondait sur l'analyse des caractères.

— Qu'est-ce que tu en penses, Bob? demanda Angela en se tournant vers Hockney.

— Eh bien, je pensais aller au *Floridita*, prendre un verre avec le fantôme de Papa Hemingway, répondit Hockney, marquant quelque réserve.

En fait, la perspective de demeurer enchaîné toute la soirée à Brad Lister ne l'enchantait guère. Il préférait prendre le vent tout seul.

– Hé, c'est pas une mauvaise idée, dit Russ Tyrrell, faisant chorus. On pourrait faire un bout de film au *Floridita*. Ça ferait une bonne intro.

– *La Bodeguita* aussi est associée au souvenir d'Hemingway, fit observer Brad Lister, déçu, à Hockney. Il y était toujours fourré. Pour les *mojitos*.

– Les gens connaissent surtout le *Floridita*, insista Tyrrell, tout content, semblait-il, de bouleverser les plans de Lister.

– Il est probablement trop tard pour réserver, insista Lister.

– Oh, essayez, Brad, dit Angela, surprise de voir le correspondant apparemment désarçonné par un contretemps aussi anodin qu'un changement de restaurant. Nous savons que vous pouvez tout régler.

Si Angela avait pu se rendre au *Floridita* avant l'heure du rendez-vous, elle aurait compris les raisons pour lesquelles son guide s'était montré réticent.

Cela avait débuté comme une soirée tout à fait typique. L'air conditionné tournait à fond. Un couple de touristes canadiens et un homme âgé en costume gris coupé dans un tissu coûteux marqué aux coudes par le lustre de l'usure étaient assis face au bar de bois massif, près du buste d'Hemingway et d'une gravure représentant La Havane au XVIIIᵉ siècle. Dans la salle à manger, des serveurs en smokings d'occasion s'affairaient autour d'une clientèle surtout cubaine. Les femmes étaient habillées sans cérémonie, en pantalons ou en robes imprimées de modeste qualité. Un jeune couple changeait les langes d'un bébé. Leur transistor, posé sur leur table, ne parvenait pas à couvrir complètement les hurlements de l'enfant.

Les garçons présentaient aux clients un immense menu, de la taille d'une affiche.

Les habitués se souciaient rarement d'y jeter un coup d'œil. Le menu n'était là que pour le décor. Quiconque commandait autre chose que l'une des trois « suggestions » du garçon pouvait s'attendre à la classique réponse : « *No hay.* »

La pire réponse de la soirée était « *No Hay limón.* » Sans jus de citron les célèbres daiquiris du *Floridita* n'existaient plus.

Quarante minutes avant l'arrivée d'Angela et de ses amis, une fourgonnette anonyme s'arrêta devant la sortie de secours du *Floridita*. Plusieurs hommes se mirent à décharger des caisses de nourriture et de boisson.

Quinze minutes plus tard, une douzaine de couples bien habillés, dont certains accompagnés d'enfants, pénétraient par l'entrée principale. Le directeur les accueillit avec obséquiosité et se mit à lancer des ordres à ses garçons. Les touristes canadiens se montrèrent ennuyés quand on leur eut dit que, tout compte fait, il n'y avait pas de table de libre du fait d'une « réception privée ». Quant à la famille au bébé hurlant, on lui donna vingt minutes pour finir son dîner et régler l'addition. Le temps que les journalistes américains arrivent, l'endroit avait revêtu l'air d'un établissement animé et prospère, tout comme à l'époque où l'on pouvait voir Hemingway accoudé au bar.

– Parfait, ronronna Angela.

Elle prit plaisir à bavarder avec Manuel Oliveira, l'ami cubain de Lister, qui raconta une ou deux histoires drôles sur les conseillers russes en poste à Cuba. Le Cubain fit tout ce qu'il faut pour lui rappeler qu'elle était une femme. Aucune équivoque dans la façon dont ses yeux très noirs passaient de son visage à son corps, ou dans la manière dont, de sa cuisse, il frôlait celle d'Angela sous la table. Oliveira était un joyeux prédateur, affichant clairement ses intentions, et il était assez séduisant et plein d'entrain pour qu'elle ne s'en effarouche pas.

Hockney se rendait bien compte, lui aussi, de la façon dont Oliveira regardait Angela. Mais, en même temps, il fallait bien admettre qu'il était difficile de ne pas trouver sympathique ce Cubain cordial et exubérant qui réussissait, lorsqu'il parlait, à donner l'impression à chacun que ce qu'il disait s'adressait exclusivement à *lui*.

Hockney questionna Oliveira sur la position cubaine à l'égard de la drogue.

– Oh, je crains que nous soyons très puritains, répondit le Cubain. Notre Révolution est encore jeune et, tout comme vos puritains de la Nouvelle-Angleterre, jadis, nous avons notre lot de croisés qui brûlent d'un zèle inflexible. Comme dit Fidel, notre Révolution en est encore au stade de la maternelle. Il existe une aile, dans la plus grande de nos prisons – Combinado del Este – réservée aux trafiquants de drogue étrangers qui sont pris alors qu'ils essaient de passer leur camelote dans les eaux territoriales cubaines.

Plus tard, alors qu'ils dégustaient leur petite tasse de café très fort et très sucré, Hockney questionna Oliveira à propos de Santa María del Mar.

– Charmant, répondit celui-ci. L'une de nos plages les plus populaires.

– Mais on y trouve aussi des villas privées.

– Oh, oui. En fait, certains de nos dirigeants les plus importants y ont des résidences secondaires. Et puis il existe des villas pour les invités. Certaines ont été mises à la disposition d'officiers qui ont combattu en Angola, pour les récompenser. J'y ai moi-même une maison. Je serais heureux de vous y recevoir – tous (il adressa l'invitation à toute la table) – pendant votre séjour, si vous avez le temps.

– Est-ce que c'est loin?

– Une demi-heure. Quarante minutes, peut-être. Il faut passer le tunnel et puis prendre vers l'est le long de la route côtière. Je crois qu'il y a des bus.

– Est-ce qu'on peut louer une voiture à La Havane?

– Possible, mais pas facile, répondit Oliveira, sceptique. Et, vous savez, la plupart des chauffeurs rendent compte au G-2. Si vous voulez aller à Santa María, je serai ravi de vous prêter ma voiture.

– C'est très aimable à vous, répondit Hockney.

Trop aimable, songea-t-il. Un homme qui parlait avec autant de liberté qu'Oliveira devait être fou ou bien lié à la police secrète. Il accepta le rendez-vous avec Oliveira pour un cocktail avant de déjeuner, le lendemain, tandis que les autres journalistes se rendraient à la Playa Girón prendre note des discours sur une nouvelle baie des Cochons que projetait, prétendument, l'administration Newgate.

Hockney passa la plus grande partie de la matinée à flâner dans Vedado. Il se promena sur le Malecón, longea la façade en ruine de l'ambassade américaine désertée et remarqua que le

167

balcon du quatrième étage formait une saillie précaire, apparemment près de s'écrouler, avec sa maçonnerie crevassée et écaillée. Par endroits, les huisseries d'aluminium des fenêtres étaient sorties de leur encadrement. L'immeuble tout entier penchait dangereusement sur la gauche. On avait passé une corde autour du bâtiment, au milieu de sa hauteur, comme pour maintenir l'édifice croulant : très surréaliste.

Il prit un taxi et se fit conduire Plaza de la Revolución. Le bâtiment moderne qui abritait le Palais de la Révolution rappelait vaguement la Cour suprême des États-Unis, à Washington.

« Le peuple t'aime, Fidel! » entonnèrent les enfants tandis qu'une silhouette barbue et familière en tenue de combat, descendant les marches en toute hâte, passait entre une haie de gardes et s'engouffrait à l'arrière d'une limousine Zil blindée.

La Zil était entourée de tous côtés – à droite, à gauche, devant et derrière – par d'autres voitures. Hockney en compta neuf, avec chacune quatre hommes à bord. A l'arrière du convoi, il vit trois camions militaires transportant chacun une douzaine de gardes armés de fusils automatiques et de grenades. Devant la petite caravane, on avait dégagé la route de toute circulation et bloqué les rues adjacentes tandis que les agents du G-2 surveillaient les badauds. Hockney disparut en voyant deux costauds se frayer un chemin vers lui à travers la foule. Ils s'étaient approchés d'un jeune homme dont la chemise pendait par-dessus le pantalon et le fouillaient.

Au bar de l'hôtel, un peu après midi, Hockney décrivit la scène à Oliveira.

– Oui, bien sûr, dit le Cubain. Fidel est de plus en plus inquiet pour sa sécurité. Les gardes que vous avez vus appartiennent à l'unité 49.

– L'unité 49?

– C'est l'appellation officielle du Service général de protection rapprochée des personnalités. Mais, depuis l'origine, tout le monde l'appelle l'unité 49. C'est peut-être bien la garde du corps privée la plus importante du monde. Fidel a quatre mille hommes qui veillent sur lui. Raul, son petit frère, en a cinq cents. Ils suivent Fidel partout. S'il visite une usine, ils font sortir les ouvriers pendant deux heures environ afin de pouvoir fouiller partout à la recherche d'explosifs. L'un des types que vous avez vus avec Fidel est un professionnel de base-ball, un champion. Son boulot consiste à attraper une bombe ou une grenade au vol et, vous comprenez, à la relancer en cas d'attentat.

Oliveira gloussa en faisant mine de relancer une grenade.

— Mais tout le monde est nerveux, ces jours-ci, poursuivit Oliveira. Fidel est nerveux et il rend tout le monde nerveux autour de lui. Ça a commencé à tourner vraiment mal quand la femme – Celia Sánchez – est morte. Vous en avez entendu parler?

— N'était-elle pas la maîtresse de Fidel?

— Sa maîtresse? dit le Cubain en haussant les épaules. Je n'en sais rien. Elle n'était pas jolie, vous savez. Mais il se fiait à elle. C'était sa *Madrina*, vous voyez. Sa marraine. Dans la sierra, elle était toujours à ses côtés. Après une longue journée de marche, elle lui lavait les pieds. Il pouvait lui faire confiance, se confier. Elle était aussi prêtresse, dans la religion, une *iyalocha*.

A l'expression de Hockney, Oliveira vit qu'il ne comprenait pas

— Vous ne comprendrez pas les Cubains tant que vous ne comprendrez pas la religion, expliqua Oliveira en gloussant de nouveau. *Santería, lucumí.* Cela a commencé avec le peuple Yorouba, au Nigeria. Ils l'ont importé à Cuba lorsqu'ils sont arrivés comme esclaves, et le rite a survécu. Il est plus fort chez bon nombre de Noirs – et bon nombre de Blancs – que le catholicisme. Celia Sánchez était prêtresse de la religion, prêtresse d'Obatala. Elle avait aussi initié Fidel. Vous remarquerez qu'il porte parfois deux bracelets à son poignet gauche. L'un d'eux est destiné à dissimuler son *collar*, son bracelet rituel.

— Vous voulez dire que Fidel croit en une sorte de vaudou?

— Je ne pense pas que Fidel soit croyant. Nombre de *batistianos* croyaient à la religion; ils comptaient dessus. Fidel essaie de s'en servir pour obtenir le soutien populaire. Mais ses rapports avec la femme allaient bien au-delà. Il dépendait d'elle. Il aurait fallu le voir quand elle est morte – il était blanc comme de la graisse de mouton, en sueur, insomniaque. Depuis lors, il est hanté par la peur de l'assassinat.

Hockney se demanda de nouveau si le Cubain parlait aussi librement parce que c'était un fou, un authentique opposant au régime ou bien un homme de la police secrète en train de tendre un piège. Quoi qu'il en fût, Oliveira était intéressant.

Il y avait une chose, entre autres, qu'Oliveira préféra ne pas préciser à Hockney : au moment même où le journaliste regardait la Zil blindée quitter la Plaza de la Revolución, Fidel Castro se trouvait à trente kilomètres au sud de la capitale, dans un nouveau complexe souterrain construit par les Soviétiques que des Cubains irrévérencieux demeurant à Bejucal, la ville voisine, appelaient « la Cuevita » – le trou à rat. Le barbu dans la limousine noire était un sosie de Fidel, du moins vu de loin. De près, on remarquait qu'il était un peu plus petit que le Líder Máximo, que ses yeux étaient un peu plus rapprochés et sa barbe moins fournie. Mais la distance et les signes caricaturaux – le cigare, la tenue de combat ou l'uniforme à la russe, la casquette, le revolver à la hanche – faisaient illusion.

– Je vais être franc avec vous, disait Oliveira à Hockney. Ce genre d'histoires vous amuse, non?

– Bien sûr, reconnut Hockney, se demandant ce qu'on allait lui raconter à présent.

– Je peux vous dire bien des choses qui pourraient vous amuser, poursuivit le Cubain, faisant mine de regarder tout autour de lui dans le bar pour voir si quelqu'un écoutait. Mais les hôtels ne constituent pas l'endroit idéal pour parler *en serio*. Que diriez-vous d'une petite balade en voiture?

Hockney haussa les épaules. Il n'avait rien d'autre à faire.

Il fut quelque peu surpris de voir le Cubain l'emmener, dans sa vieille Plymouth des années cinquante – la plupart des voitures, dans les rues, semblaient sortir d'une production hollywoodienne d'époque, sur celluloïd rayé –, jusqu'à un immense parc d'attractions, quelque part au sud de Vedado. Hockney apprit que l'endroit s'appelait Parque Lenín et qu'il restait ouvert le soir pour que les familles puissent y amener leurs enfants voir les animaux du zoo, jouer sur les manèges et profiter des attractions dont la principale, semblait-il, était la promenade en wagonnets de Dumbo l'Éléphant.

– Je suis heureux de constater que la culture *yanqui* n'a pas tout à fait disparu, remarqua Hockney. Nous pourrions être à Disneyland.

– Vraiment?

Hockey fut surpris lorsque le Cubain, le prenant par le bras, lui fit franchir l'entrée des « Dumbo ».

– C'est absurde, dit Hockney en riant alors qu'ils grimpaient dans leur wagonnet qui se mit à descendre en piqué et à tanguer. Il se tenait à l'une des grandes oreilles de l'éléphant, tassé contre le côté du wagonnet qui n'était guère conçu pour deux adultes.

– C'est plutôt insolite, concéda Oliveira, mais je voulais vous poser une question sérieuse. Qu'est-ce que vous cherchez à Cuba?

Le soudain changement de ton inquiéta Hockney.

– Ne craignez rien, le rassura Oliveira. Vous pouvez parler franchement. Voyez-vous, j'ai certaines relations – oui, je vois que vous l'avez déjà compris. J'ai beaucoup de respect pour vous. Je sais que vous êtes un homme intelligent. Je peux vous confier que j'occupe un poste très important dans l'appareil de sécurité de l'État, et je suis censé vous surveiller étroitement.

– Pourquoi?

– Quelle importance? dit Oliveira d'un ton désinvolte.

Leur wagonnet fit un nouveau piqué et Hockney vit deux grosses Cubaines, des bigoudis aux cheveux sous une coiffe de plastique transparent, impatientes de faire monter leurs gosses.

– Il existe, chez nous, une loi de *peligrosidad*. On peut vous mettre en prison si l'on vous considère comme dangereux. Et vous êtes manifestement un homme dangereux, monsieur Robert Hockney.

Hockney tenta de répliquer, mais le Cubain lui cria, contre le vent :

– Je vous en prie, laissez-moi vous expliquer. Je sais que vous aussi vous avez des relations. Je sais que vous avez aidé ce Russe, Barisov. Je crois que vous pouvez m'aider, moi aussi. J'en ai assez de notre glorieuse révolution. Je veux partir. Mais pas sur un chalutier pourri comme les *gusanos*. Vous pouvez m'aider.

– Qu'est-ce que vous voulez que je fasse? demanda Hockney, hurlant à son tour pour se faire entendre. La voix d'Oliveira lui parvenait par à-coups, dans le vent. Puis leur wagonnet s'arrêta dans un bruit de ferraille, mais Oliveira murmura quelque chose au garçon et les femmes en bigoudis durent attendre le Dumbo suivant.

171

Hockney n'était pas prêt à faire entièrement confiance à Manuel Oliveira, et le Cubain devait en être conscient.

– Je veux vous prouver ma bonne foi. Dites-moi ce que vous cherchez et je vous le donnerai. J'en ai les moyens.

– J'y penserai, répondit Hockney après un instant de réflexion.

– Je peux aussi vous fournir des documents, lui rugit Oliveira à l'oreille. Vous pourrez les remettre aux gens compétents à Washington. Vous connaissez M. Blair Collins?

– Vous voulez que je sorte des documents de Cuba? souffla Hockney, surpris.

– C'est sûr, parfaitement sûr, insista Oliveira. Personne ne va fouiller votre groupe. Fidel souhaite les meilleurs rapports avec les médias américains. Je le sais.

Quand leur tour de manège fut enfin terminé, Oliveira conduisit Hockney à un kiosque où l'on vendait des *bocadillos* et des sodas. Hockney avala une boisson douceâtre, aux fruits, légèrement pétillante. Il pensait à l'offre d'Oliveira. Celui-ci, d'un ton aussi dégagé que s'il parlait de la pluie et du beau temps, dit :

– Rien de plus normal qu'on s'intéresse à Julio Parodi.

Plus tard, il devint manifeste à Hockney qu'à ce même instant il aurait dû disparaître, s'évanouir, s'enfoncer dans un trou aussi profondément que possible. Mais ce fut sa première réaction qui l'emporta, la petite voix qui, en lui, lui murmurait : *Bon sang, je ne sais pas à quoi joue Oliveira, mais comme il semble être au courant de tout, autant voir où tout cela va me mener.*

Hockney quitta donc la capitale avec Oliveira, se dirigeant vers l'est, passant un long tunnel carrelé, aux postes de péage abandonnés, laissant derrière eux la forteresse de la Cabaña et suivant la route littorale jusqu'à l'adresse donnée par Maguire à Miami. La maison, qui surplombait l'océan, s'appelait villa Yagruma. Le Cubain lui précisa que la *yagruma* était « l'arbre » de l'île et qu'il revêtait une signification magique pour les peuples d'origine afro-caraïbe. La villa Yagruma était bien dissimulée par un écran d'arbustes et de hauts murs dont le faîte paraissait tranchant comme une lame de rasoir. Hormis ce détail, l'endroit ne semblait faire l'objet d'aucune mesure de sécurité particulière. Un homme jeune, en chemise blanche et pantalon noir, ouvrit la porte à Oliveira. Il ne semblait pas armé. Mais il claqua les talons en reconnaissant le compagnon de Hockney.

– Bienvenue à la villa Yagruma, dit Oliveira quand ils se furent installés dans le salon. J'espère que votre curiosité est satisfaite.

Lorsque Hockney tenta de se souvenir de cet après-midi et de cette soirée, il ne put se remémorer que des bribes de conversation, des images fugitives d'une plage de sable blanc et d'une femme voluptueuse et peu farouche, apparaissant par éclairs brefs, heurtés, comme éclairée par un stroboscope. Il se souvint de quelques mots d'Oliveira à propos de Parodi, tandis qu'il versait à boire – que Parodi était venu à La Havane, qu'il avait séjourné à la villa, mais que les Cubains se méfiaient de lui car c'était un homme de la C.I.A. Il se souvint d'une femme aux formes pleines, à la peau brune, en robe collante, que l'on avait introduite alors qu'il finissait son premier verre. Elle gloussait et parlait, surtout par signes, des prouesses sexuelles de Parodi. Il se souvint du rire de la fille qui lui déboutonnait la chemise, la braguette, lui serrait le sexe comme on serre une main, ainsi qu'il l'avait vu faire aux putains des quais à Saigon et à Marseille. Il se souvint de ses faibles protestations et de ses forces qui semblaient l'abandonner. Il se souvint de s'être enfoncé de plus en plus profondément sur le canapé, d'en être tombé sur le sol, espérant que la chute le ferait revenir à lui, mais sentant ses paupières lourdes comme du plomb.

Et puis, les lumières et les luttes, les voix rudes, la fille qu'on chassait de la pièce sans ménagement, quelqu'un qui riait tristement de sa nudité, lui jetant ses vêtements en paquet, et un homme en uniforme, le crâne chauve et étroit, comme sculpté dans l'ébène, qui le giflait et le regiflait, sa large main frappant au rythme mécanique d'un va-et-vient d'essuie-glace. Ensuite, on le transportait dans une sorte de fourgonnette où il avait roulé jusqu'à un endroit dont il ne savait rien, un endroit de bruits d'échos et de portes qui claquaient. Où était Oliveira dans tout cela?

Hockney essayait de retrouver Oliveira dans ces souvenirs, semblables à des diapositives passées tantôt à l'envers, tantôt à l'endroit, en séquences précipitées.

– Oliveira? croassa-t-il à l'intention du crâne d'ébène qu'il distinguait vaguement derrière la lampe posée sur le bureau et qui lui faisait mal aux yeux.

– Oliveira est sous mandat d'arrêt, répondit Calixto Valdés. Nous ne sommes pas là pour parler du cas d'Oliveira, mais du vôtre.

On m'a drogué, réalisa follement Hockney. *Sûrement avec la boisson.*

– Je suis journaliste, murmura Hockney comme si là, dans une cellule sans fenêtre, dans les entrailles d'une prison cubaine, on pouvait attendre qu'une carte de presse américaine trace un cercle magique autour de lui.

Le Cubain ricana. Son anglais n'était pas aussi bon que celui d'Oliveira, mais son ton compensait les lacunes de son vocabulaire.

– Pas journaliste, dit Valdés. Tous les journalistes étaient à Playa Girón. Vous venez espionner.

– C'est faux, se défendit Hockney.

L'effort qu'exigeait chaque mot était tel qu'il lui donnait la nausée.

– Nous avons les preuves, le corrigea Valdés en tendant une liasse de feuilles par-dessus le bureau.

Hockney dut fournir un effort tout spécial pour tendre correctement ses mains afin de se saisir des papiers. Ils lui parurent insupportablement lourds. Il s'efforça de lire la première page. Les lettres tourbillonnaient devant ses yeux, reproduites deux ou trois fois. De l'espagnol. Un cachet rouge, en haut : SECRETO. Il ne put en distinguer davantage.

Il ne se souvenait pas de ces papiers.

– Je-ne-les-ai-jamais-vus, déclara-t-il laborieusement.

– Espion, accusa de nouveau Valdés. Oliveira a vendu des secrets d'État pour la C.I.A. Nous avons trouvé les *documentos* sur vous.

De nouveau, Hockney examina la première page, mais il ne se souvint toujours de rien concernant ces documents. Puis une bribe de conversation lui revint, et une folle scène sur Dumbo l'Éléphant. Oliveira lui avait offert des secrets, à remettre à Blair Collins. Avait-il accepté l'offre ou avait-on glissé ces papiers dans ses effets personnels?

Calixto Valdés reprit les documents et posa une autre feuille de papier sur les genoux de Hockney.

174

— Vos aveux, dit Valdés. Vous signez.

Hockney se sentait envahi d'une irrésistible envie de dormir. Il commençait à glisser de sa chaise vers le sol quand quelqu'un, derrière lui, lui assena un douloureux coup de poing dans les reins.

— Signez, répéta Valdés.

— Il-faut-que-je-dorme, soupira Hockney.

— Signez. Ensuite, vous pourrez dormir.

Hockney prit le stylo, mais ses doigts engourdis ne purent le tenir. Le bruit du stylo heurtant le sol lui fit vaguement prendre conscience de ce qu'ils voulaient obtenir de lui.

— Non, murmura-t-il. Pas signer.

— Trois heures, dit Valdés en faisant signe à l'homme derrière Hockney. On reprend dans trois heures. Là, il signera.

Angela ne se fit aucun souci quand, ayant appelé Hockney au téléphone dans sa chambre, elle n'obtint pas de réponse. Elle avait remarqué son absence du groupe lorsqu'ils s'étaient rendus à la baie des Cochons dans un vieux bus. Elle avait mis cela sur le compte des habitudes de travail propres à Bob. C'était un solitaire, depuis toujours. Ce qu'elle souhaitait le plus, après le long voyage dans la poussière, c'était se reposer dans un bon bain. Elle versa dans la baignoire une généreuse dose de mousse effervescente au lait, emplissant la luxueuse salle de bains carrelée des effluves de Fidji.

Elle oublia complètement Hockney. Quand elle fut habillée pour dîner, Brad Lister vint la prendre pour l'emmener au spectacle de l'hôtel et lui annonça qu'elle et son équipage devraient rester dans leurs chambres le lendemain. Fidel pouvait les faire appeler à tout instant.

— Qu'est-il arrivé à votre ami le psychologue? Oliveira? demanda paresseusement Angela un peu plus tard, entre l'orchestre *quajira* et la blonde oxygénée qui chantait de vieilles chansons américaines avec un arrière-goût sentimental et un accent à couper au couteau. Angela avait été assez séduite par ce Cubain élégant et si masculin qui les avait rejoints pour dîner au *Floridita.* Lister fournit un semblant de réponse concernant les obligations professionnelles d'Oliveira.

Le jour suivant se révéla tout aussi excitant qu'elle l'avait espéré. Cela commença vraiment sur le coup de onze heures, alors que Russ Tyrrell et Simon Green, son producteur, jouaient au poker sur sa terrasse et qu'elle venait juste de réussir, après environ trois heures d'attente, à obtenir sa communication téléphonique avec New York. Elle entendit qu'on frappait impérativement à la porte et elle demanda :

— Russ, vous voulez voir, je vous prie?

Tyrrell ouvrit la porte d'un coup sec et se retrouva nez à nez avec un homme grand, solide, en treillis. L'uniforme, fraîchement amidonné, se révélait cependant incapable de contenir le bourrelet de chair flasque autour de la taille; l'un des boutons avait cédé. Un lourd pistolet à la hanche, la barbe moins fournie qu'on s'y attendait et presque grise, l'homme paraissait plus vieux que sur ses photos. Impression encore accentuée par son teint singulièrement pâle. Un visage, pensa Tyrrell, de la couleur et de la consistance du ciment frais. On avait l'impression que Fidel Castro n'avait pas profité du soleil de son île tropicale depuis déjà un certain temps.

— Monsieur le Président, bégaya Tyrrell tandis que Castro lui soufflait une bouffée de cigare au ras de l'oreille.

— Vous pouvez m'appeler Fidel, déclara le Cubain avec un accent latin de cinéma tout en s'avançant dans la pièce d'un pas dégagé. Vous pouvez tous m'appeler Fidel.

Le cameraman australien aperçut des gardes armés grouillant dans le couloir, dehors; environ huit ou neuf.

L'apparition surprise de Castro produisit l'effet escompté sur les Américains présents dans la pièce. Angela en laissa tomber son téléphone. Sinon Green oublia son carré de dames. Ils étaient, l'un et l'autre, magnétisés.

— Je dois vous présenter mes excuses de vous avoir fait ainsi attendre, commença Fidel en un espagnol rapide. Ainsi que vous devez le savoir, votre président Newgate m'a tenu quelque peu occupé. Chaque jour, il envoie des avions espions survoler mon pays. En ville, les bangs du mur du son empêchent les habitants de dormir. Vous les avez peut-être entendus la nuit dernière. Bon, vous souhaitez sans doute me poser des questions.

Il leur fallut quelques minutes pour préparer les caméras et les micros. Puis, tandis que Lister traduisait, Angela lut sa liste de questions, commençant par le Nicaragua et la prétendue reprise des opérations secrètes de la C.I.A. contre Cuba. Soucieuse de certaines réticences de Hockney quant aux

176

comptes rendus de ses confrères sur Cuba, Angela avait préparé quelques questions plus que délicates – sur le rôle des Cubains dans l'entraînement des terroristes; sur une récente affaire d'espionnage à New York où se trouvaient impliqués des Cubains; sur le sort des prisonniers politiques.

Fidel en esquiva quelques-unes, mais il se montra d'une désarmante franchise sur la question des prisonniers politiques.

– Évidemment que nous avons des prisonniers politiques, dit-il. La Révolution ne peut se permettre de se couper la gorge en autorisant des gens à conspirer pour renverser le cours de l'Histoire. Nous comptons moins de prisonniers politiques qu'au cours des années qui ont immédiatement suivi la Révolution. Et je vous dirai ceci : si ces gens veulent partir, nous sommes prêts à les laisser partir. Peu nous importe ce qu'ils font à Miami. Le port de Mariel est ouvert. Ils peuvent partir. Tous.

– Excusez-moi, intervint Angela. Avez-vous dit que le port de Mariel était de nouveau ouvert? Cela signifie-t-il que l'on assistera à un nouvel exode de réfugiés cubains aux États-Unis?

– A partir d'aujourd'hui, Mariel est ouvert, confirma Castro.

Angela réalisa qu'elle venait juste d'obtenir une importante exclusivité.

– Je suis certaine que vous savez, monsieur le Président, poursuivit-elle, que l'administration Newgate, à Washington, a annoncé qu'elle n'était nullement prête à accueillir des immigrants cubains dont le droit à l'asile politique n'avait pas été clairement établi. L'administration a prétendu qu'à la faveur du dernier exode – appelé Flottille de la liberté – vous auriez expédié des criminels endurcis et des cas relevant de la psychiatrie.

Fidel haussa les épaules et tira une bouffée de son cigare.

– Ce n'est pas mon problème, dit-il. C'est le problème des États-Unis. Et des pauvres fous de réactionnaires assez dupés par les États-Unis pour croire que ce pays puisse offrir ce qu'il laisse espérer.

Au bout de deux heures, l'homme d'État cubain quitta les lieux aussi soudainement qu'il était arrivé, après avoir promis à

Angela de lui organiser un voyage jusqu'à l'île où il allait parfois pêcher au harpon. Il prit congé des hommes avec des claques dans le dos et des *abrazos*. Il prit la main d'Angela et la serra doucement, la gardant pendant ce qui parut être un assez long instant, la regardant au plus profond de ses yeux gris fumée. Puis il partit et Angela passa le reste de la journée à essayer de retransmettre son interview à New York à temps pour qu'elle passe au dernier journal du soir.

Quand tout fut terminé, Brad Lister se retrouva là, plein de sollicitude, comme d'habitude. Il avait organisé un autre dîner, avec un écrivain cubain qui avait combattu en Angola et en Éthiopie.

Lister attendit qu'elle eût appelé la chambre de Hockney et laissé sonner plusieurs fois le téléphone avant de s'éclaircir la gorge et de déclarer :

— Écoutez, je crois qu'il vaut mieux que vous sachiez. Hockney a des ennuis.

— Quelle sorte d'ennuis? Pourquoi ne m'en avez-vous rien dit plus tôt?

— Je ne l'ai appris que ce soir.

Russ Tyrrell s'approcha. Après quelques bières, Tyrrell était d'humeur belliqueuse, et Brad Lister n'apprécia pas la manière dont le grand Australien s'avança droit sur lui.

— Nom de Dieu, dit le cameraman. Qu'est-ce qui est arrivé à Bob?

— Il a été arrêté, répondit nerveusement Lister. Il serait accusé d'espionnage. Il semble qu'on l'ait trouvé en possession de documents secrets.

— De la merde, oui, éclata Tyrrell. C'est un coup monté. C'est sûr.

— Mais pourquoi? demanda Angela. Pourquoi voudraient-ils coincer Bob?

— Venez donc un instant avec moi, mon chou, dit Tyrrell en lui prenant le bras. Il la conduisit dans la chambre et ferma la porte pour que Lister ne puisse les entendre.

— Maintenant, dites-moi, poursuivit-il. Pensez-vous que Bob soit un agent de la C.I.A.?

— Non. Bien sûr que non.

— Bon, dans ce cas, et quoi qu'il soit arrivé, c'est à nous de le tirer de là. Nous sommes censés faire partie du même voyage d'agrément, vous vous souvenez? Il faut nous serrer les coudes.

– Vous avez raison, dit Angela d'un ton décidé. Essayons de réunir tous les autres. Nous découvrirons où ils le détiennent et nous nous plaindrons officiellement. Quelqu'un devrait peut-être appeler le *World* à New York. (Elle fronça les sourcils.) C'est quand même difficile à croire. Je veux dire qu'ils aient arrêté un journaliste américain et qu'ils le détiennent comme ça depuis vingt-quatre heures.

– Vous comprenez pourquoi il n'existe pas de drame du Watergate dans la presse cubaine, fit aigrement observer Tyrrell. Qu'est-ce que Fidel vous a dit dans cette interview déjà?

– Il a dit que Cuba n'avait nul besoin d'une presse qui soit un chien de garde, cita Angela de mémoire. Il a déclaré que le peuple lui-même veillait sur les vertus civiques et se chargeait de quiconque les violerait.

– Ouais, dit Tyrrell, je suppose que ça résume tout.

Hockney n'avait pas dormi plus de vingt minutes d'affilée. Il savait au moins cela, car il avait compté les minutes au cours des intervalles pendant lesquels il était éveillé, au milieu de la nuit, attendant que le garde revienne et cogne sur la porte métallique de sa cellule. Le garde passait toutes les vingt-cinq minutes. Dans sa cellule, aux dimensions d'une tombe – quatre-vingt-dix centimètres de large, deux mètres quarante de long –, le bruit était assourdissant. Il avait essayé de se boucher les oreilles jusqu'à en avoir mal aux mains. Maintenant, il était allongé sur le côté, sur le sol de pierre, attendant que reprît le bruit qui résonnait encore dans sa tête.

Ni coups, ni électrodes ou sérum de vérité. Simplement le bruit et le manque de sommeil. Le seul meuble de la cellule était un seau puant, les latrines de Hockney, que personne ne se souciait de vider. La seule lumière qui lui parvenait, dans son espace confiné, était le rai qui filtrait sous la porte.

Mais ses ravisseurs détenaient une arme supplémentaire contre lui : sa propre imagination. Entre minuit et l'aube, il avait perçu un bruit de bottes et le grognement de chiens. Puis un cliquetis de clés et le bruit du métal d'une porte qu'on ouvrait. Enfin les supplications et les malédictions d'un autre prisonnier, bientôt remplacées par des cris.

Hockney avait eu le temps, une fois ses idées redevenues

suffisamment claires, de repenser à tout ce qu'il avait entendu ou lu sur les prisons de Castro. Il savait qu'il existait une sorte de code de couleurs pour les prisonniers. Ceux qui portaient des uniformes jaunes – les *amarillos* – étaient des prisonniers politiques, sans aucun droit, considérés comme irrécupérables. Les droit commun portaient des uniformes bleu-gris. Les plus irréductibles, aux yeux du régime, étaient ceux qui refusaient le jaune, qui les assimilait aux soldats de Batista, et le bleu. On les laissait donc à l'intense chaleur et au froid, vêtus seulement de leurs dessous. On les appelait les *calzoncillos* – la « brigade des caleçons ». Hockney n'appartenait à aucune de ces catégories. On lui avait laissé ses vêtements. Il se sentait sale et poisseux, ayant terriblement besoin de se raser et de se doucher.

Une chose qu'avait laissé échapper son interrogateur, au cours de leur dernière rencontre, lui donnait à penser qu'il ne se trouvait ni à la Cabaña, la vieille forteresse, ni au Combinado del Este, la grande prison de sécurité où l'on incarcérait en règle générale les étrangers. On le séquestrait dans un immeuble appelé la villa Marista parce qu'il avait jadis abrité une école des frères maristes.

Il entendit de nouveau le bruit des clés dans la serrure, et un garde au nez cassé entra pour le reconduire, sans ménagement, à la salle d'interrogatoire.

– Je ne pense pas que vous jugiez la situation avec tout le sérieux qui conviendrait, lui expliqua le Cubain derrière la lampe. Vous devez savoir que les crimes contre la sûreté de l'État sont sévèrement punis à Cuba. Votre ami Oliveira pourrait bien se retrouver devant le peloton d'exécution. Mais vous avez beaucoup de chance. Nous sommes prêts à vous relâcher. Dès que vous aurez signé vos aveux.

De nouveau, il sortit la feuille de papier et le stylo.

Hockney secoua la tête et la douleur de sa nuque empira.

– Comme vous voulez, dit l'interrogateur, comme si tout cela l'ennuyait soudain. Je ne répéterai mon offre qu'une seule fois. Signez les aveux et vous avez ma promesse que nous n'en ferons pas usage contre vous. Il ne vous arrivera rien.

– Je l'imagine, dit Hockney.

– Parfait. Mais c'est dommage. Cela signifie que vous êtes fini. Finie votre carrière de journaliste. Fini votre mariage. Vous êtes lessivé.

– Mon mariage? De quoi diable parlez-vous?

– Ceci va vous intéresser, dit Calixto Valdés en tirant d'une grande enveloppe des photos sur papier glacé qu'il tendit au journaliste. On le voyait batifoler avec la fille à la peau brune de la villa Yagruma dans diverses positions – du moins la fille batifolait-elle car Hockney, généralement dessous, le visage en partie masqué, faisait montre de moins d'énergie.

– Ça manque d'imagination, dit Hockney.

– Vous parlez de votre technique? demanda le Cubain, souriant pour la première fois.

– Non, de la vôtre. Ce genre de chantage ne me fait pas peur.

– Quel dommage, répéta Valdés en replaçant les photos dans l'enveloppe qu'il cacheta. Il montra l'adresse à Hockney. L'enveloppe était adressée à Julia, à leur domicile de Washington.

– Elles parviendront à votre femme avant vous, expliqua Valdés. Je sais combien vous affectez tous une grande liberté de mœurs aux États-Unis. Voilà qui constituera un test intéressant des limites de la tolérance entre mari et femme.

Le Cubain se pencha pour attendre la réponse de Hockney.

– Je vous emmerde, souffla Hockney.

Il *savait* que c'était là le plus vieux truc du monde, mais la pensée de ces photos dans les mains de Julia l'effrayait plus, en un sens, que toutes ces histoires d'accusation d'espionnage. Julia était davantage vulnérable, maintenant qu'elle attendait son enfant. Ils avaient traversé une période difficile, et il y avait là quelque chose qui pouvait faire capoter leur mariage. Malgré cela, il n'avait nullement l'intention de se laisser intimider par cette grossière mise en scène.

Calixto Valdés soupira et se leva de derrière le bureau.

– Eh bien, la décision vous appartient, dit-il. *Hasta luego,* monsieur Hockney.

Hockney demeura assis là un moment, attendant que le garde le reconduise en cellule.

– Est-ce que vous comprenez ce que je vous dis? demanda Valdés. Vous êtes libre de regagner Washington. Et d'y retrouver ce qu'il restera de votre vie. Votre séjour à Cuba est terminé.

7

MIAMI

— Tiens, voilà la fille, dit Martinez à l'inspecteur Maguire tandis qu'ils passaient devant chez Mama Lucy, dans Overtown.

Ils observèrent la fille, une Blanche décharnée, en robe de coton ample, les yeux bordés de larges cercles noirs comme un raton laveur. Elle descendit d'une Lincoln, fit quelques pas en titubant, se pencha et cracha par terre.

— Oh, merde, dit Maguire. Ça vous donne envie de dégueuler.

La fille aperçut la voiture de police et se dirigea précipitamment vers l'extrémité du parking, comme une poupée faite d'allumettes et de fil de fer.

— On fait ce qu'il faudrait faire? demanda Martinez. On l'embarque?

— Hun-hun, grogna Maguire en accélérant.

Bon nombre de gosses de l'âge de la fille jouaient encore à la poupée, chez elles. Celle-ci s'était enfuie de chez ses parents pour être récupérée par un maquereau qui l'avait bourrée d'héroïne avant de la jeter dans le pire bordel de tout Overtown. Deux jours plus tôt, Maguire et Martinez étaient tombés sur elle à la suite d'une autre enquête. Ils avaient passé une bonne partie de la nuit à rechercher ses parents, des gens humbles mais respectables de Fort Lauderdale qui l'avaient accueillie avec des larmes et des embrassades. Les flics partis, elle s'était de nouveau enfuie.

183

Certains jours, il semblait à Maguire qu'il luttait contre un monstre aveugle et informe, aux innombrables gueules voraces. Les proies avalées reparaissaient rarement. Aussi laissa-t-il la fille partir en clopinant vers sa prochaine dose, se demandant combien d'années elle pourrait survivre dans ces rues.

Des jours comme celui-ci, Maguire se posait des questions sur lui-même. Il avait eu deux accrochages avec les pontes du service en deux jours. Le premier concernait Julio Parodi : on lui avait intimé l'ordre de lâcher les basques du trafiquant cubain. Et la façon dont on avait formulé cet ordre confirma Maguire dans son idée que Parodi était protégé par de puissants intérêts – la C.I.A., sans aucun doute. L'ordre était tombé après que Maguire eut essayé de faire cracher le morceau à Felix Rey, le directeur de la société de commerce d'armes de Parodi. On s'agitait beaucoup ces jours-ci, semblait-il, autour des bureaux de la Camagüey Internacional.

Mais le commissaire avait dit à Parodi :

– Cette affaire n'est pas de votre compétence.

– Compris, s'était borné à répondre Maguire.

Il avait toujours son indic dans le réseau de Parodi – Gloria, la pute – et n'était pas prêt à en faire profiter quiconque. Par Gloria, il avait appris le retour en ville du Cubain après un voyage à l'étranger, et l'état d'agitation intense dans lequel se trouvait Parodi, sans doute sur un coup important. Maguire comptait sur Gloria pour savoir quoi.

Et puis il y avait eu la querelle à propos de Magic. Les Renseignements avaient demandé au flic noir de l'équipe Maguire de prendre part à une discrète opération de surveillance. Et Magic avait été tout heureux d'accepter.

– Hé, y a peut-être ma plaque d'inspecteur au bout, avait-il joyeusement annoncé à Maguire.

Mais une fois au courant de la nature de l'opération, l'inspecteur avait protesté. On voulait que Magic surprenne ce qui se tramait dans les réunions organisées par les Fedayines Noirs.

– Vous êtes cinglés de laisser faire ça, s'était plaint Maguire au patron. Magic est connu partout. Vous le foutez en première ligne.

– Les Renseignements disent que ça va marcher, avait-on répondu à Maguire. Ce n'est pas son milieu habituel. Ce sont des politiques, pas des revendeurs de came ou des braqueurs.

Maguire était sceptique. Mais il avait admis que la décision appartenait au flic noir lui-même.

— C'est mieux que de chasser du nègre dans le Trou, avait estimé Magic.

C'est ainsi que le Flic Maguire se demandait qui pourrait bien l'embaucher s'il rendait son insigne et que le flic qu'on surnommait Magic traînait dans un coin poussiéreux à l'angle de la 63ᵉ Rue et de la 2ᵉ Avenue, à la limite de Liberty City. En civil, les cheveux aussi crépus que possible, il portait son 38 dissimulé dans un étui contre la jambe, juste au-dessus de la cheville. Il n'était pas seul : un autre flic noir en civil, emprunté à la Metro-Dade, se tenait déjà aux derniers rangs de la foule.

Le terrain vague était situé derrière une maison délabrée dont les Fedayines Noirs avaient fait leur quartier général. La maison était devenue la base d'une population de révolutionnaires descendue des villes du Nord. Le Commandant Ali, l'activiste jamaïcain qui dirigeait les Fedayines Noirs, avait eu plus de difficultés à recruter des disciples à Miami qu'à Washington, New York ou Chicago. Sa rhétorique sur la nation islamique et la Djihad sonnait trop exotique aux oreilles de la plupart de ses auditeurs de la Floride du Sud pour faire grande impression. Il touchait une corde plus sensible lorsqu'il abordait les questions locales, et l'une des plus sensibles paraissait être la lutte pour les emplois et les logements entre la communauté noire de Miami et les immigrés de fraîche date.

Et voilà que courait le bruit d'un nouvel afflux de réfugiés cubains qui seraient sur le point de débarquer en Floride du Sud. Certains dans la foule rassemblée sur le terrain situé à l'angle de la 63ᵉ et de la 2ᵉ avaient vu à la télé Castro annoncer, lors d'une interview accordée à Angela Seabury, qu'on allait rouvrir le port de Mariel à quiconque voudrait quitter Cuba. Nul ne savait comment allait réagir l'administration Newgate. Mais peu nombreux étaient ceux qui croyaient que le président se risquerait à affronter la colère de la communauté cubaine des États-Unis — et l'accusation que ses attaques publiques contre le régime de Castro n'étaient que pure hypocrisie — en renvoyant les nouveaux réfugiés. L'homme qui se faisait appeler Commandant Ali était assez malin pour reconnaître que le nouvel exode cubain constituait l'étincelle qui lui permettrait d'enflammer la communauté noire.

Magic se fraya un chemin jusqu'au milieu de la foule et observa la scène qui se déroulait sur l'estrade improvisée; le Jamaïcain se tenait au sommet des marches du perron, en calotte blanche et robe flottante. Au pied des marches, huit ou neuf hommes armés, en béret et accoutrement paramilitaire.

Les Renseignements avaient passé à Magic l'essentiel de la biographie du Jamaïcain. On lui avait dit que le Commandant Ali ne se lançait dans aucune opération d'envergure sans consulter les Cubains.

— Allah-ou-Akbar! brailla le Jamaïcain à la foule.

Quelques rares réactions dans la foule.

— Nous nous trouvons aujourd'hui devant une nouvelle urgence, annonça le Commandant Ali. Les fascistes de la Maison-Blanche veulent traiter nos frères d'Amérique comme ils ont donné ordre de le faire à leur fantoches sionistes avec nos frères palestiniens au Liban. Le président Newgate pense avoir trouvé la solution pour le peuple noir d'Amérique : le génocide. C'est l'intensification de la guerre physique. Et lorsque le jour viendra, il nous faudra être prêts. La seule réponse à leur plan est de les battre de vitesse.

— Bravo, mon frère! hurlèrent plusieurs participants.

La réponse de la foule fut une forêt de poings levés. Certains serrant des armes. Magic agita le bras et, comme les autres, hurla son approbation.

— Ce n'est pas péché de tuer l'oppresseur, poursuivait le Jamaïcain. Ce n'est pas péché de tuer l'infidèle. Le Coran nous enseigne que les infidèles sont les criminels de la terre. Ce n'est pas péché d'attaquer un Américain car aucun Américain n'est innocent tant que les États-Unis seront résolus à détruire la nation sacrée de l'islam partout dans le monde, résolus au génocide de nos frères d'Amérique. Nous savons que la victoire est du côté de notre cause parce que telle est la révélation de Dieu tout-puissant dans le Coran. Mais ce n'est pas parce que la victoire finale nous appartient qu'il faut rester là assis sur notre cul à attendre que tout nous soit servi sur un plateau. La colère d'Allah s'abattra certainement sur nous si nous ne sommes pas prêts à prendre l'épée. J'ai été envoyé pour vous guider dans cette guerre sacrée.

Divers « Bravo » et « Amen » se mêlèrent.

– Mais les fascistes sont très rusés, reprit l'orateur. Ici à Miami, ils se servent des juifs et des renégats cubains pour perpétuer l'exploitation de nos frères de la communauté noire. D'autres encore de ces renégats, de ces vers de terre de Cuba, arrivent pour nous voler nos emplois, nos maisons et semer la discorde parmi nous.

Magic ressentit en lui une légère sensation de picotement et jeta un coup d'œil sur sa gauche. Un homme, en jeans bleus, l'observait. Quand leurs regards se croisèrent, Magic le reconnut d'un seul coup. Le grand Noir musclé, à sa gauche, était une figure bien connue à Overtown, une sorte de vigile de la pègre qui traînait d'ordinaire aux environs du Trou. Magic ne perdit pas un seul instant à se demander ce que Blue faisait là, hors de son territoire, à un meeting des Fedayines Noirs. Il commença à se déplacer latéralement, cherchant à passer derrière la foule, regardant autour de lui pour tenter d'apercevoir le second flic en civil.

– Hé! lui cria Blue, à travers le chœur des applaudissements saluant l'homme dans l'entrée. Hé!

Magic repéra le second flic, paresseusement appuyé contre la barrière démolie qui séparait la cour du terrain voisin.

– Hé! hurla Blue, encore plus fort.

On se retourna pour s'enquérir de l'objet de son intérêt. Magic se mit à courir.

Il entendit son poursuivant crier :

– Arrêtez ce mec! C'est pas un frère! C'est un mouchard des flics!

Le Commandant Ali s'arrêta dans sa tirade pour regarder ce qui se passait.

– Écoutez-moi maintenant, mes frères, tonna-t-il dans le micro. L'ennemi est parmi nous. Arrêtez l'espion et amenez-le-moi.

L'autre flic en civil avait déjà sauté par-dessus la barrière. Des mains solides s'accrochèrent à Magic. Quelqu'un tenta de le tirer en arrière, par la jambe gauche. Magic vit un éclat métallique et se dégagea d'une détente de sa jambe libre. On entendit l'os craquer au moment où la pointe de sa chaussure frappa le menton de son poursuivant. Il se jeta de côté pour éviter un autre attaquant et fonça dans la barrière. Le bois pourrissant éclata et céda sous son poids. Le flic noir roula dans la trouée et fonça derrière son collègue à travers le terrain voisin, tournant à l'angle de la maison et se précipitant vers la voiture banalisée garée à l'ombre d'un arbre. Une douzaine d'hommes leur couraient après et il y eut un coup de feu.

Magic tâta son étui de cheville, à la recherche de son revolver.

— Merde, jura-t-il doucement en ouvrant en catastrophe la portière de la voiture — une Chevy de dix ans, sans enjoliveurs et à laquelle manquait un pare-chocs. Le 38 avait disparu. Magic se jeta sur le siège du conducteur et essaya de faire démarrer le moteur qui toussa, puis cala.

Il baissa la tête à temps pour éviter les projectiles qui traversaient la lunette arrière.

— Seigneur, dit son collègue. Tu as intérêt à faire marcher ce truc.

On avait tiré au fusil automatique.

Le temps que Magic enclenche la première, la foule était presque sur eux. Plusieurs jeunes couraient parallèlement à la Chevrolet qui se dégageait du trottoir. Ils cognaient contre les portières et le capot.

Tandis qu'ils prenaient de la vitesse, le collègue de Magic baissa sa vitre et se mit à tirer plusieurs coups de feu ajustés au-dessus de la tête des poursuivants.

Magic entendit quelqu'un ordonner un arrêt des tirs. Dans le rétroviseur, il aperçut le Jamaïcain qui se tenait au milieu de la route, une main sur la hanche et, dans l'autre, un revolver qui ressemblait fort à son 38.

Au bout de la 3ᵉ Avenue, Mary Charlene Brown, mère célibataire de cinq enfants en bas âge, attendait pour traverser la rue. Sa fillette de neuf ans, Elsie, l'aidait à porter le pain et les céréales achetées avec le reliquat du mandat d'Aide sociale. Mary Brown s'arrêta pour regarder la foule qui poursuivait la Chevrolet marron qui tourna à droite. Puis elle prit Elsie par la main et entreprit de traverser la 3ᵉ Avenue.

— Quel merdier! murmura Magic.

Devant lui, la rue était bloquée par un camion de Coca-Cola dont le chauffeur reculait et semblait s'apprêter à faire demi-tour. Magic passa en marche arrière et recula en zig zag, essayant d'éviter les hommes groupés autour du Jamaïcain à l'angle de la 63ᵉ et de la 3ᵉ. D'une violente embardée sur la gauche, il évita l'un de ses poursuivants de quelques centimètres.

Furieux, l'homme se mit à tirer sur la Chevy.

— Elsie! hurla Mary Brown.

Dans son rétroviseur, Magic vit la fillette courir devant elle, coupant la route à la voiture qui arrivait à toute vitesse en marche arrière. Se débattant avec le volant, il vira sur la droite, évitant de peu la fillette.

Plusieurs Fedayines Noirs continuaient à tirer sur la voiture qui s'éloignait en marche arrière sur la 63ᵉ Rue. Le collègue de Magic tira deux nouveaux coups de semonce.

Elle ne songeait qu'à la sauvegarde de sa fille, Mary Brown. Ses provisions toujours serrées contre elle, elle se précipita sur la chaussée, en pleine fusillade.

Magic vit Elsie, ses cheveux tressés en nattes, se précipiter vers sa mère. Il vit la fillette lancer ses bras autour des jambes de Mary Brown. Puis il vit le corps de la mère se cambrer en arrière, comme une feuille sous le souffle du vent tandis qu'une balle lui pénétrait dans la tempe.

Magic arrêta la voiture, contemplant le corps de la femme effondré sur la route, les provisions répandues, le visage désespéré de la fillette saisie d'incompréhension. Et le Jamaïcain qui le regardait calmement, lui, en baissant son revolver.

Magic jeta un regard à son collègue.

— Ce n'est pas moi, dit le flic, comme ressentant une muette accusation.

Il leva son arme comme s'il voulait la jeter par la portière.

— Je te jure que c'est pas moi.

— Je te crois, dit Magic en hochant la tête.

Mais déjà ils entendaient le rugissement de colère de la foule suffisante à présent pour occuper toute la rue.

— Assassins! hurla le Jamaïcain. Flics assassins!

— Si on reste ici, on est mort, dit son collègue avec un sens aigu des réalités.

— Je te crois.

Et il y eut une succession d'automatismes, Magic accéléra, fonça droit vers la foule, qui recula. Le Commandant Ali demeura un instant étrangement passif. Puis il se mit à courir après la voiture de police. A la hauteur de l'épicerie d'où sortait Mary Brown, quelqu'un jeta une brique dans la vitrine.

A l'angle de la 63ᵉ et de la 3ᵉ, une fillette avec des nattes sanglotait sur le corps de sa mère et la suppliait de se réveiller. Personne ne leur prêtait attention.

WASHINGTON, D.C.

Julia était assise, très calme, la grande enveloppe chamois posée devant elle. Hockney arpentait la pièce de long en large, sans arrêt, tel un prisonnier dans sa cellule. Il ramassait des objets au hasard, les tournait et les retournait dans ses mains, les reposait. Il s'arrêta pour remplir son verre à la bouteille de bardolino posée, débouchée, à côté de la cafetière.

– Viens t'asseoir près de moi, lui dit doucement Julia.

– Je ne peux pas rester immobile, répondit Hockney. Je me sens piégé.

Ils en avaient parlé toute la nuit. Il l'avait appelée de Mexico pour lui expliquer ce qui s'était passé et la prévenir d'un possible arrivage de photos. Le temps que le taxi le dépose devant leur appartement de Dupont Circle, juste après huit heures du soir, l'enveloppe était arrivée, apportée par coursier.

Julia avait regardé les photos. L'enveloppe, elle l'avait laissée bien en vue, là sur la table. Il avait senti une certaine réserve dans son accueil, mais elle n'avait pas posé de questions, elle attendait tranquillement qu'il lui raconte sa version de faits. Lorsqu'il eut fini, elle avait dit simplement : « Elle est sexy. Mais pas tout à fait ton type. » Ils n'avaient pas fait l'amour, ce soir-là. Mais pas du fait de Julia. Simplement il était trop agité, trop préoccupé à ressasser les événements survenus à Cuba. Il essayait de comprendre. De comprendre le pourquoi de ses stupides agissements. Il s'était laissé piéger.

Le journal s'était montré moins compréhensif que Julia.

Il avait appelé Len Rourke à New York, une heure après son arrivée chez lui.

– Je sais tout cela, Bob, avait dit le directeur, le coupant avant sa deuxième phrase. Les Cubains ont déjà fait une déclaration. Ce à quoi on pouvait s'attendre. Ils prétendent que vous êtes dans le coup avec la C.I.A.

– Vous allez faire paraître ça?

190

– Il faut bien qu'on raconte *quelque chose,* Bob. Tous les autres journaux vont en parler. Nous ne passerons que quelques lignes. Bien entendu, nous démentirons tout.

– J'espère avoir l'occasion de présenter ma propre version.

– Nous en parlerons demain. Ed Finkel est à Washington. Vous pourrez le voir au bureau et nous organiserons une conférence.

Et chez lui le téléphone s'était mis à sonner. A croire que tous les journaux et toutes les chaînes de télé voulaient raconter les aventures cubaines de Hockney. Il avait répondu aux appels, prudemment, démentant tout, attendant de voir ce qui se passerait au bureau le lendemain.

Au bureau du *World,* cela se passa aussi mal qu'il s'y attendait.

– Personne ne t'accuse de quoi que ce soit, dit Ed Finkel, mais ce genre de truc – il montra la pile des journaux du matin dont la plupart faisaient état des allégations cubaines – est embarrassant pour nous tous. C'est ce qui arrive quand on outrepasse ses attributions.

– Outrepasse?

– Sortir des attributions de ton boulot. Tu es censé être journaliste, pas aller foutre le bordel dans quelque lieu secret à Cuba et fréquenter des agents secrets.

– J'étais sur un coup. Si on m'avait coincé en train de faire la même chose dans les emprises de la C.I.A., on m'aurait félicité.

– Je vais pas discuter de ça, Bob. Tu es voué aux accidents. Nous savons tous que lorsqu'un journaliste se distingue à ce point, ça ne vaut rien pour le journal qui l'emploie. Nous en avons parlé, Len et moi, et nous pensons que le moment est venu pour toi de changer ton fusil d'épaule. Jack Lancer va prendre le bureau de Washington et toi tu vas travailler comme volant, pendant un certain temps.

– Dépendant de qui?

– Dépendant de moi. C'est bien ça, Len? demanda Finkel s'adressant à un amplificateur. Au bout de la ligne, à New York, Len Rourke écoutait.

– C'est bien cela, confirma le rédacteur en chef.

– Eh bien, dit Hockney, je crois qu'il n'y a plus rien à dire. Je vais commencer à ranger mon bureau.

191

— On s'en est déjà chargé, lui apprit Finkel avec une évidente jubilation.

— Tu n'as pas perdu une minute, hein, Ed?

Hockney et Julia convinrent, par la suite, que ce qui s'était passé était encore le mieux. Ce qui faisait râler Hockney, c'était la manière dont Finkel avait manigancé tout cela. Hockney avait failli lui sauter dessus. Mais, ainsi que Julia l'avait fait observer, la colère ne le mènerait à rien.

Il avait appris deux choses à Cuba : que Parodi était l'hôte occasionnel d'une villa des environs de La Havane et que son enquête inquiétait les Cubains au point qu'ils avaient voulu le coincer, ruiner sa crédibilité, sa vie personnelle et sa vie professionnelle.

— Tu te souviens qui m'a mis dans le coup? demanda Hockney à Julia. Cet inspecteur de police de Miami. Jay Maguire.

— Il t'a appelé pendant ton absence, dit Julia, se souvenant, en entendant le nom du flic, de son coup de fil. Il semblait tout excité.

— Je retourne à Miami, annonça Hockney.

Le flic lui avait donné l'adresse de la villa. Il fallait persuader Maguire d'aller plus loin, de dévoiler ses sources.

— Je veux aller avec toi, dit Julia.

Hockney lui en fut reconnaissant. Il se sentait très seul depuis cet instant où il avait trouvé ses dossiers professionnels empaquetés dans des cartons.

Il ramassa l'enveloppe contenant les photos.

— Et ça? demanda-t-il.

— Rien à voir avec la réalité, dit-elle en souriant enfin. Je vais les brûler.

MIAMI

Julia et Hockney jetèrent quelques affaires dans une valise et prirent le premier avion pour Miami. C'était jeudi et Julia n'eut guère de difficultés lorsqu'elle téléphona à la commission pour leur dire qu'elle prenait un long week-end de congé.

Depuis la mort du sénateur Fairchild, la commission de la

Sécurité intérieure s'était mise en veilleuse. Le nouveau président n'avait présidé qu'une seule session, consacrée aux rapports entre violence urbaine et position sociale!

A l'aéroport de Miami, le chauffeur de taxi leur commenta :

– Vous avez choisi votre jour. Y a une émeute qui couve..

Une fois installés dans leur chambre d'hôtel, Julia alluma la télé tandis que Hockney tentait d'appeler Jay Maguire. A sa grande surprise, on lui passa aussitôt l'inspecteur au central de la police.

– Vous auriez dû m'annoncer votre arrivée, lui dit Maguire d'un ton de reproche.

– J'ai laissé un message, sur votre répondeur.

– Ouais. Eh bien, je passe plus chez moi, j'ai des tas d'autres choses à faire. On est dans la merde.

– On peut se voir?

– Ce soir? Rien à faire, répondit le flic qui ajouta après un instant : ils vous ont secoué à Cuba, hein?

– C'est pas ce que j'appellerais des vacances.

– L'adresse que je vous avais donnée était bonne?

– Oui, mais j'ai encore besoin d'aide. J'en ai sacrément besoin, Jay.

– On est deux dans ce cas, mon frère. Écoutez, je suis pressé. Soyez à la Marina vers dix heures. J'essaierai de m'y trouver.

Hockney raccrocha, Julia l'appela pour voir la télé. Ils suivirent une séquence du journal télévisé : des Fedayines Noirs défilaient dans Liberty City en scandant des slogans. La caméra passa sur un groupe de jeunes qui avaient fixé une chaîne à l'arrière de leur voiture. Ils accrochèrent l'autre extrémité de la chaîne à la grille métallique qui protégeait la vitrine d'un magasin de spiritueux puis la voiture se mit en marche, arrachant la grille sous l'œil de la caméra. Les jeunes brisèrent la vitrine et plusieurs d'entre eux se mirent à faire la navette, les bras chargés de bouteilles. Puis quelqu'un se précipita sur le cameraman et la bande vidéo fut coupée.

Le commentateur, sur des images aériennes du ghetto prises d'hélicoptère, expliquait : « La police a reçu l'ordre de ne pas intervenir. Un porte-parole de la municipalité a déclaré qu'il convenait de ne pas aggraver la situation consécutive à la mort par balle d'une femme noire dans Liberty City il y a quelques heures. Un policier noir a été suspendu de ses fonctions pendant la durée de l'enquête sur l'origine du coup de feu. On recherche également, pour être entendu sur l'affaire, David Priest, le dirigeant des Fedayines Noirs qui se fait appeler Commandant Ali, mais on ignore actuellement où il se trouve. »

— Je comprends pourquoi Maguire paraissait en avoir ras le bol, dit Hockney.

Julia avait refusé de rester seule dans leur chambre d'hôtel. Elle se trouvait donc avec Hockney dans le restaurant des quais lorsque arriva Maguire. Le flic se montra courtois avec Julia, mais il était manifestement à cran. Il demanda à la serveuse de lui apporter un bourbon sec dans une tasse à café.

— Le flic noir suspendu faisait partie de ma brigade, expliqua Maguire. Andy Riggs. On l'appelait Magic. Un des meilleurs flics de l'équipe.

— Dites-nous ce qui s'est passé, l'encouragea Julia.

Maguire fit le récit des événements de Liberty City jusqu'à la mort de Mary Brown.

— Les gens du labo de la balistique disent qu'elle a été abattue avec un 38. Après vérification, ils ont conclu que la balle qui a provoqué la mort a très bien pu être tirée par l'arme de Magic. L'ennui, c'est que Magic clame qu'il n'avait plus son revolver lorsque la fusillade a éclaté. Il dit l'avoir perdu dans la confusion de la réunion. Il pense qu'un de ces dingues s'est servi de l'arme pour tuer la femme noire. Il parle beaucoup du Commandant Ali. C'est *lui* qui aurait pu tirer, dit-il.

— On a retrouvé l'arme? demanda Hockney.

— Non. Et il y a vingt putains de témoins dans le coin pour jurer dur comme fer qu'ils ont vu Magic descendre cette femme. Oh, excusez-moi mon vocabulaire, dit-il à l'intention de Julia.

— Inutile de vous excuser, j'ai l'habitude avec Bob.

— Bon, reprit le flic. Faudrait qu'on puisse prouver quelque chose d'après l'angle de tir, vu? Mais le temps que les enquêteurs arrivent sur les lieux, les flingueurs du Commandant Ali avaient déclenché une belle émeute et on avait bougé le corps, si bien que plus personne ne pouvait déterminer à quel endroit il était tombé ni d'où aurait pu provenir le projectile. Les Fedayines Noirs hurlent que la police essaie d'étouffer l'affaire et il y a des tas de gens à Liberty City tout prêts à les croire.

— Et *vous*, qu'est-ce que vous croyez, Jay?

— Je crois qu'ils ont coincé Magic. Exactement comme on vous a coincé à La Havane. Peut-être qu'on a délibérément tué cette femme – Mary Brown – pour en faire un martyr, ou un truc comme ça. Ça fait à peu près deux semaines que le Jamaïcain se trouve dans le coin, et s'il n'a pas exactement réussi à foutre la ville à feu et à sang, c'est ce qu'il essaie de faire. Ils sont dingues, ces Fedayines Noirs. J'aimerais pas tomber dans leurs pattes. Mais on n'arrivera jamais à faire croire ça à vos petits copains des médias. Je vois d'ici les titres : « Nouvelles brutalités policières ». Merde.

Maguire avala d'un trait le reste de son bourbon.

— Je peux peut-être faire quelque chose, suggéra Hockney. Rechercher le Jamaïcain, et voir ce que je peux trouver. Je pourrais me servir de ma carte de presse.

— Vous connaissez rien au truc, répondit Maguire. Vous ne pourriez pas pénétrer dans Liberty City ce soir, même avec une dispense du pape garantie par le *Journal de Mickey*. Même *nous* n'avons pas le droit de pénétrer dans Liberty City ce soir. Nos Noirs n'aiment pas beaucoup voir des Blancs dans le coin quand ils sont entre eux et se payent une émeute. Il prit l'accent des petits fermiers blancs du Sud et ajouta : Pas même si t'étais l'Ordre des avocats, l'Union pour la protection des libertés civiques et le roi du hot dog à la télé réunis.

— J'aimerais quand même jeter un coup d'œil, dit tranquillement Hockney.

— Voulez voir? Okay, vous allez voir.

Maguire jaillit de la table si rapidement que Julia et Hockney durent courir pour le rattraper tandis qu'il fonçait sur les quais déserts en direction de sa voiture.

— Excusez-moi, dit le flic à Julia lorsqu'elle arriva à la voiture de patrouille. C'est pas un spectacle pour les dames.

Julia commença à protester mais l'inspecteur se montra ferme :

— Ou vous rentrez, ou personne n'y va.

Ils la mirent dans un taxi.

195

Quinze minutes plus tard, les deux hommes rôdaient aux alentours de Liberty City. Hockney vit des bouches d'incendie ouvertes qui répandaient leur eau. Une bande de jeunes Noirs empilaient de vieux pneus au milieu de la rue pour élever une barricade de fortune. Il les vit arroser les pneus d'essence et y mettre le feu. Une colonne de fumée âcre s'éleva bientôt jusqu'à hauteur de toit.

Maguire ralentit en passant devant un supermarché. Quelques vandales lançaient des briques dans les vitrines. Ils hésitèrent, à la rue de la voiture de police, prêts à s'enfuir. Maguire arrêta la voiture mais ne fit pas mine de descendre. Quelques instants plus tard, l'un des jeunes se fraya un passage à travers le verre brisé, l'épaule en avant, et se précipita dans le magasin, ramassant des marchandises au hasard sur les étagères. Il ressortit en courant, les bras chargés.

— Vous n'allez rien faire? demanda Hockney à l'inspecteur.

— On nous a donné l'ordre de ne pas approcher. J'obéis aux consignes, ajouta Maguire. Écoutez ça.

L'inspecteur appela le central pour signaler un vol avec effraction en cours. Il indiqua le lieu et la réponse arriva : « Tirez-vous. »

— Voyez? A cette cadence, on pourrait bien avoir perdu toute cette putain de ville avant le lever du soleil.

Les deux hommes, fascinés, regardaient la bande de jeunes sûrs de leur fait à présent, transportant sur le trottoir de pleins chariots de marchandise volée. Un couple d'adultes se joignit à la curée.

Maguire les suivit. L'homme jeta un regard nerveux à la voiture de police, demanda à l'inspecteur :

— Y a pas de mal?

— J'espère que tu t'étoufferas avec, répondit Maguire en haussant les épaules. Il accéléra.

Quelques pâtés de maisons plus loin, une bande de jeunes Noirs renversait de l'huile dans la rue afin de rendre la chaussée glissante aux voitures de police. Un entrepôt voisin brûlait.

— Regardez celui-là! dit Hockney, montrant un homme qui, un cocktail Molotov à la main, courait vers les bâtiments d'une usine.

Maguire accéléra et fonça droit sur l'incendiaire.

– Le patron n'a pas dit qu'on devait rester assis là et regarder brûler la ville, murmura-t-il entre ses dents.

L'incendiaire se retourna et lança sa bombe vers la voiture de police qu'elle manqua d'une trentaine de centimètres avant d'exploser dans un lit de flammes sur la gauche du véhicule.

– Bougez pas, grogna Maguire à Hockney en sautant de la voiture pour poursuivre l'émeutier. Le coup de feu d'un tireur embusqué sur les toits l'arrêta.

Maguire regagna la voiture en courant et signala par radio au central ce qui se passait.

– Trois-cinquante, répondit la voix du coordinateur. Ordre de vous retirer.

Maguire exprima sa frustration en cognant du poing sur le volant.

– Vous voyez ce qui se passe? dit-il à Hockney.

– Ça me rappelle Cholon pendant l'offensive du Têt.

– Z'avez encore rien vu. A moins que le patron nous lâche la bride, ça pourrait être pire que la dernière fois. Vous pensez toujours pouvoir pénétrer dans le repaire du Jamaïcain ce soir?

– Je ne pense pas, admit Hockney. Peut-être demain.

– S'il reste quelque chose de Liberty City.

Par-dessus les toits, le ciel avait, sous la lueur des incendies, pris une sinistre teinte orangée.

En rentrant vers l'hôtel, il s'arrêtèrent pour boire un verre. Il était difficile de rater les restaurant qu'avait choisi Maguire. *El Cid* s'élevait au milieu d'une étendue de stations-service et de vendeurs de voitures, tel un château de pain d'épice illuminé, avec faux créneaux, fausse douves et faux pont-levis.

– Disneyland vu de l'extérieur, vieille Havane à l'intérieur, commenta Maguire tandis qu'ils passaient le pont-levis.

Le décor intérieur – blasons espagnols, hautes chaises à dossier droit, chandeliers de fer forgé – ainsi que la proximité de la Calle Ocho éveillèrent en Hockney le souvenir du collègue de Maguire, le flic cubain.

– Qu'est devenu Martinez? demanda-t-il.

– Il travaille en double avec un bleu, répondit Maguire. Nous sommes à court d'effectifs. Et si le patron attend trop avant de nous laisser intervenir, d'autres nous donneront un coup de main dont on se passerait bien.

– C'est-à-dire?

– Certains de vos potes de la *Brigada Azul* étaient sous pression cet après-midi. Ils disaient que si les émeutes s'étendaient, ils s'occuperaient eux-mêmes de protéger leur communauté. Il ne nous manque plus que ça. Une guerre entre les Noirs et les Hispaniques.

– Vous pensez que cela peut se produire?

– Et comment que ça peut se produire!

Ils commandèrent à boire et Hockney laissa passer un silence avant de s'inquiéter :

– Qu'est-ce qui est arrivé à Parodi?

– C'est vous, bordel, qui avez passé votre temps à vous occuper de lui. Alors allez-y, parlez le premier. Qu'est-ce que vous avez trouvé à Cuba?

Hockney raconta ce qui s'était passé à la villa Yagruma.

Lorsqu'il eut achevé son récit, Maguire commanda un Irish coffee et dit :

– Alors, je ne vous ai pas refilé un tuyau crevé.

Hockney se pencha :

– Nous savons l'un et l'autre que Parodi doit être un gros morceau pour être ainsi protégé par les Cubains *et* par la C.I.A. Il doit y avoir là-dessous un formidable coup fourré. Ça va beaucoup plus loin qu'une combine de drogue. Bon, je peux toucher Blair Collins...

Maguire grogna en entendant mentionner le nom du directeur de la C.I.A.

– Non, c'est sérieux, Jay, poursuivit impatiemment Hockney. Je peux obtenir de Collins qu'il annonce la couleur dans la mesure où de mon côté je saurai de quoi je parle.

– C'est-à-dire?

– C'est-à-dire qu'il faut que je rencontre votre source, votre I.C.

Maguire sirota son Irish coffee et Hockney fut frappé de constater que tous les flics partageaient ce goût pour le café arrosé d'alcool et surmonté de crème fouettée. Peut-être parce qu'il était plus discret de boire de l'alcool dans une tasse.

– Je vais lui en parler, répondit enfin Maguire. Ce sera à elle de décider.

Il se souvenait de ce que Gloria avait dit lors de leur dernier rendez-vous. Elle avait parlé du voyage de Parodi à l'étranger, et aussi que le Cubain projetait un autre voyage. On lui avait demandé de venir à une partie que donnait Parodi ce soir même à Key Biscayne. Sans doute Gloria en saurait-elle beaucoup plus demain.

— Maintenant écoutez, reprit Maguire. Nous devons réfléchir à la façon de nous y prendre. *Si* elle est d'accord. Avec tout ce merdier dans le coin, je pourrais bien être de service jour et nuit, comme en 80. Cette I.C. est une fille qui bosse. Ce qui signifie que le meilleur moment, pour elle, c'est la fin d'après-midi, le début de soirée. Comme ça, elle peut retourner au boulot dans les grands hôtels et choper les clients avant qu'ils remontent voir Johnny Carson à la télé ou fantasmer sur *Penthouse*.

— Sept heures? proposa Hockney. Huit heures?

— Disons sept heures et demie. Dans votre chambre.

— Vous êtes sûr qu'on la laissera entrer? s'enquit Hockney, sceptique, se demandant jusqu'à quel point cette « travailleuse » en avait le physique.

— Bien sûr qu'ils la laisseront entrer, dit Maguire. Elle a de la classe. Vous faites confiance à votre femme, non?

— Oui.

— Bon. Mais si vous en parlez à quelqu'un d'autre, je vous arrache la langue.

Ce fut un jour déconcertant et effrayant pour tous les habitants de la Floride du Sud. Peu après l'ouverture, deux jeunes Noirs pénétrèrent dans un magasin de spiritueux à deux pâtés de maisons de la Calle Ocho, appartenant à un Cubano-Américain, Carlos Tamayo, arrivé à Miami en 1959. Il venait de vendre une bouteille de rhum à un client lorsque arrivèrent les deux jeunes. Tamayo se rendit compte qu'ils avaient bu ou — plus vraisemblablement — qu'ils étaient drogués. Le plus grand des deux Noirs titubait en avançant entre les casiers, en faisant claquer ses doigts. Le client de Tamayo se dirigea vers la porte. Le commerçant saisit l'arme qu'il gardait toujours prête dans un tiroir, sous la caisse enregistreuse. Le deuxième Noir, remarqua-t-il, était resté près de la porte, faisant semblant de s'intéresser aux bouteilles de chenin blanc. Si ces deux-là essayaient de piquer quelque chose, pensa Tamayo, il pourrait les avoir. Manifestement, ils manquaient d'expérience. Les voleurs chevronnés arrivaient en fin de journée, au moment où la caisse était garnie et les chances de s'échapper bien meilleures.

– Ouais? dit Tamayo au plus grand des deux hommes.

– Ton fric, gars, c'est tout, répondit l'homme en souriant tout en exhibant son Samedi Soir Spécial. Et p't'être une paire de bouteilles de scotch pour moi et mon copain.

Tamayo sortit son revolver mais le voleur fut plus rapide qu'il l'aurait cru et lui tira une balle dans la gorge avant que le commerçant ait pu appuyer sur la détente. Le sang jaillit de son cou comme un geyser et Tamayo s'effondra sur le comptoir avec un bruit de ruisseau s'écoulant dans une bouche d'égout.

Le client, serrant sa bouteille de rhum dans son papier kraft, jeta un regard horrifié par-dessus son épaule avant de s'enfuir du magasin.

Derrière lui, des halètements et des bruits de pas.

Les voleurs le rattrapèrent avant le coin de la rue.

– J'ai rien vu! se défendit-il tandis qu'ils lui cognaient dessus. La bouteille alla s'écraser dans le caniveau.

Il y avait un distributeur automatique de journaux – le *Miami Bugle* – au coin de la rue. Le grand le souleva comme une plume, tout en riant d'un fou rire étrange, et il projeta le socle de la machine sur la tête de sa victime.

Le plus remarquable dans cet incident, dut-on constater ultérieurement, était que les deux hommes s'en tirèrent facilement. Avec, en toile de fond, ce qui s'était passé à Liberty City la nuit précédente, le hold-up sanglant de la boutique de spiritueux contribua à semer la panique et un esprit de vendetta.

On en parla au journal télévisé de midi et, peu après, la *Brigada Azul* tint une assemblée à son quartier général. Julio Parodi était absent, mais tous ceux qui se trouvaient là savaient que les propositions du *jefe militar* de la Brigade, Andres Fortin, avaient sa bénédiction.

– *Los animales* sont en train de tuer nos gens, annonça Fortin aux hommes. La police a renoncé à contrôler la ville. C'est à nous de nous défendre.

On discuta peu. Les hommes tirèrent au sort pour savoir lesquels d'entre eux prendaient part à un raid de représailles sur Liberty City.

Quelques heures plus tard, un peu à l'ouest de l'aéroport de Miami, une fourgonnette Toyota bleue roulait sur la nationale 41, parallèle au canal Tamiami, l'une des principales sources d'approvisionnement en eau de la ville. Sur cent quarante kilomètres la route et le canal couraient parallèlement à travers le paysage sans relief des Everglades, ces marécages que les Indiens appelaient la Rivière d'herbe. Tous les trois kilomètres, le long de la 41, une pancarte bleue aux lettres blanches annonçait « SERVICE DES EAUX DE LA FLORIDE DU SUD ».

L'homme assis sur le siège du passager de la fourgonnette – les cheveux paille et les yeux d'un vert très clair – pouvait apercevoir entre les herbes des alligators paressant sur les bords boueux du canal. L'odeur lourde des palétuviers pourrissants flottait dans l'air, mais Beacher conserva sa glace remontée pendant tout le trajet.

– On approche, murmura-t-il à son compagnon.

A cette distance, leur objectif ressemblait à une immense guillotine de béton, avec pour « couperet » une vanne qui se levait et s'abaissait pour le contrôle du débit de l'eau. La levée ainsi qu'une partie du canal et ses bords gris-vert étaient entourés d'une haute grille surmontée d'une triple rangée de fils de fer barbelés. A l'extrémité du canal, un petit blockhaus, protégé par une autre grille de sécurité, portait une pancarte annonçant « DANGER. DÉFENSE D'ENTRER. LES CONTREVENANTS SERONT POURSUIVIS. ARRÊTÉ N° 82104. »

A côté de la vanne, on avait construit un pont, assez large pour le passage d'une voiture, afin de permettre aux pêcheurs et aux pique-niqueurs d'atteindre l'aire de jeux et de détente située au-delà. Un coin accueillant : bancs et tables de pierre, restes calcinés de barbecue, abri sur pilotis rectangulaires.

– Passe le pont, indiqua Beacher au conducteur.

La fourgonnette fit le tour de l'aire de pique-nique. Beacher remarqua une caravane solitaire, garée sous les arbres. Un couple âgé, en chapeau de paille, assis sur des pliants au bord du canal quarante mètres en aval, pêchait des poissons-chats.

– C'est bon, annonça Beacher.

Ils repassèrent le pont et garèrent la fourgonnette le long

du canal, hors de vue des pêcheurs. A l'est comme à l'ouest, le long ruban de la nationale 41 s'étendait, sans aucun véhicule en vue, aussi loin que portait le regard de Beacher.

Sans hâte, il ouvrit l'arrière de la fourgonnette, repoussa de côté un vieux matelas et sortit un bazooka et quatre roquettes perce-blindage. Puis il s'agenouilla, visa et tira son premier projectile sur la vanne. Le souffle de l'explosion, de l'autre côté du canal, renversa les vieux de leurs pliants. Beacher tira un second projectile sur le côté de la massive construction de béton qui entourait la vanne. Rechargeant avec des gestes lents, méthodiques, il tira son troisième projectile et vit l'ensemble de la construction commencer à s'effondrer. Son dernier projectile fut pour le pont où béa un énorme trou.

Avant que Beacher ait fini de ranger son arme à l'arrière de la fourgonnette, la pression de l'eau au-dessus de la vanne fit s'effondrer l'ensemble. Le canal sortit de son lit, submergea les pêcheurs terrifiés et les projeta, pataugeant et barbotant jusqu'à leur caravane, déjà noyée jusqu'au moyeu.

Beacher sauta dans la fourgonnette et le chauffeur fonça vers l'ouest, plus profondément au cœur des Everglades. La présence des pêcheurs ennuyait Beacher. Il n'avait vu personne lorsqu'ils avaient démoli une levée du canal Miami — l'artère vitale reliant la ville au lac Okeechobee — dans le comté de Broward, un peu plus tôt dans l'après-midi. Le couple pourrait probablement fournir à la police une description de la fourgonnette, sinon des deux hommes qui l'occupaient. L'effondrement du pont laisserait aux terroristes tout le temps souhaitable pour s'enfuir. Mais si on donnait l'alerte, les flics pourraient facilement les piéger en bloquant les deux extrémités de la nationale 41, la seule route des environs à traverser les Everglades.

Beacher avait prévu cette éventualité.

— On va au Safari Club, indiqua-t-il au chauffeur.

Lorsque la fourgonnette bleue s'arrêta devant le bureau du Safari Club, un pilote d'avion, un irascible Écossais à la barbe rousse qui arborait quatre galons à ses épaulettes, était étendu sur son lit de camp à regarder à la télé cette corrida qui se jouait à Miami. On avait envoyé la police à Liberty City pour évacuer les cadavres et procéder à des arrestations après que deux gamins blancs — passant outre aux avertissements officiels — étaient allés trouver les leaders auprès desquels ils s'approvisionnaient d'ordinaire. Pris dans une foule en colère, ils avaient été frappés à mort avec un couperet de boucher. Le journaliste de la télé demandait à l'un des flics à quoi ça ressemblait « là-bas ».

— A quoi ça ressemble? répondit le policier. Regardez-moi. Je suis couvert de sang. Sur mes vêtements, sur le visage. (La caméra montra les taches rouges.) J'ai du sang dans les cheveux. J'en ai même sous les ongles. Voilà à quoi ça ressemble. C'est un abattoir.

Le pilote du Safari Club jura copieusement dans sa barbe en regardant la scène sur l'écran. Les clés des six hydroglisseurs de la marina pendaient à un porte-clés au mur du bureau voisin. Absorbé par les images d'incendies et de pillages, le pilote n'entendit pas la fourgonnette arriver, ni les pas étouffés, dans le couloir, des intrus qui se glissaient dans le bureau, décrochaient un jeu de clés et refermaient soigneusement la porte derrière eux.

Mais il sauta du lit en entendant le rugissement d'un moteur d'hydroglisseur. Les engins étaient propulsés par de vieux moteurs Cadillac 472, sans capot protecteur et avec, à l'arrière, une hélice en bois de la taille d'une pagaie. Le bruit de ces engins ressemblait davantage à celui d'un Tiger Moth qu'à celui d'un engin voguant sur l'eau.

Le pilote arriva à l'embarcadère juste à temps pour voir deux hommes disparaître dans les Everglades sur l'un des bateaux à fond plat recouvert d'un plastique censé ressembler à une peau de léopard. Un homme grand, aux cheveux blonds, assis sur l'un des sièges surélevés à l'arrière, actionnait les gouvernails jumeaux à l'aide du manche à balai.

— Revenez, espèces de salopards! cria inutilement le pilote, ses paroles étouffées par le bruit du moteur.

— Une émeute constitue un moyen d'attirer l'attention, avait expliqué Wright Washington au maire. Et les gens de Liberty City ont sans aucun doute besoin qu'on parle d'eux.

Wright Washington n'avait pas dissimulé sa colère. Colère contre les hommes politiques qui refusaient de comprendre que si l'on tournait le dos à une communauté, les gens de cette communauté seraient contraints de se faire remarquer. Colère parce qu'une fois encore ce rappel s'était manifesté par la destruction. Colère contre les étrangers comme le Commandant Ali, qui nourrissait la violence, l'attisait, demandant davantage de violence encore. Colère parce que cette fois il se sentait impuissant à faire ce qu'il fallait faire.

Le leader noir avait vécu dans l'ombre de Martin Luther King et, pour lui, l'engagement de King dans la non-violence demeurait à l'ordre du jour. Il s'opposait à la violence. Chrétien, Wright Washington croyait que le mal existait dans l'homme et non pas seulement dans les institutions sociales ou politiques. Ce credo n'était pas partagé par les radicaux ni par les théologiens progressistes à la mode, et d'aucuns se défiaient de Wright Washington comme d'un Oncle Tom, voire d'un réactionnaire qui ne voulait pas dire son nom. Il insistait sur le fait que les individus doivent être tenus pour responsables de leurs actes, que tout homme devait venir à bout du mal qui était en lui. A ses moments de plus profond pessimisme, lorsqu'il constatait la puissance du mal qui se déchaînait en l'homme, Washington n'était pas loin d'adhérer à l'hérésie gnostique selon laquelle le monde ne serait pas régi par un Dieu juste et sage, mais par une divinité à la moralité ambiguë. Dans cette sombre perspective, il est du devoir du croyant de ne pas succomber à celui qui régit ce monde mais de continuer à lutter pour parvenir à ce Dieu inaccessible, souvent au vrai Dieu dont le visage et les desseins demeuraient cachés.

Cette foi permit à Washington de traverser les cordons de police, de passer devant une station-service éventrée, aux pompes tordues de façon grotesque et mutilées à coups de hache, et de se diriger vers cette maison dont le Commandant Ali avait fait sa forteresse.

Hockney, au coin de la rue avec Jay Maguire, regardait la silhouette droite, fortement charpentée, du pasteur noir disparaître au loin.

– Je vais te dire un truc, fit observer Maguire. Ce mec a des couilles.

Hockney ne quittait pas Wright Washington des yeux. Le pasteur ne regardait ni à droite, ni à gauche en passant près d'une bande de jeunes occupés à désosser une voiture et devant un groupe plus important qui festoyait dans la rue autour de quelques caisses d'alcool volées.

Hockney s'était rendu avec Julia à la conférence de presse tenue par Washington après sa rencontre avec le maire. Le

204

pasteur avait lancé un appel au calme, promettant que quel que fût le responsable de la mort de Mary Brown à Liberty City la veille, il serait châtié. Il avait imploré les Fedayines Noirs de déposer leurs armes et annoncé qu'il tenterait de nouer le dialogue avec le Commandant Ali. Hockney avait été impressionné par le charisme de Washington. Il l'était davantage encore par le courage dont l'homme faisait preuve à présent, s'avançant seul au milieu des rues hostiles.

Hockney avait vu la situation passer du terrible au désastreux. La nouvelle des meurtres s'était répandue – meurtres des Cubains au magasin de spiritueux de la Petite Havane, meurtres de deux petits bourgeois blancs qui avaient choisi le mauvais moment pour aller à la recherche de leur pourvoyeur de drogue. On racontait, çà et là, que quelqu'un essayait de couper l'approvisionnement en eau. Tout le monde savait que la saison avait été sèche en Floride du Sud et que le niveau de l'eau du lac Okeechobee, la principale retenue, avait baissé de deux mètres soixante-dix en deux mois. Et voilà qu'au bureau du maire, on avait laissé échapper que les canaux et canalisations d'eau les plus importants avaient été la cible d'attentats à la bombe ou à la roquette. On avait fait sauter des vannes dans les comtés de Dade, Broward et Palm Beach. Selon un policier de la route, on avait dynamité le principal aqueduc ravitaillant les Keys de Floride. Hockney ne voyait pas très bien quel rapport – s'il y en avait un – existait entre ces événements et les émeutes, mais les sabotages avaient encore accru ce sentiment de panique qu'on sentait croître dans la ville.

– Un véritable amadou bien sec, dit Hockney à voix haute.

– Quoi? s'enquit Maguire.

– Sec comme de l'amadou, répéta le journaliste. Tout prêt à s'enflammer.

– Ça brûle pas mal déjà, fit observer Maguire en montrant un rideau de flammes qui s'élevaient d'un quartier de vieux entrepôts plus loin sur la droite.

– Hockney suivait du regard Washington qui continuait à avancer, du même pas régulier, vers une salle dont l'enseigne annonçait « BILLARDS » et une bande de jeunes Noirs en bérets, étreignant des armes de poing.

– Si j'étais M. Ali, je foutrais une balle dans les tripes du prédicateur, fit Maguire.

La remarque glaça Hockney.

– Tu es sûr que Gloria va se montrer? demanda-t-il en se tournant vers lui.

Il se sentait partagé entre le souci de ne pas être en retard au rendez-vous et celui de voir comment Wright Washington s'en tirerait dans Liberty City.

– Elle va venir, répondit Maguire. Elle ne m'a encore jamais laissé tomber. Quant à savoir si elle parlera, c'est une autre affaire. Ça dépend de toi.

L'orgie chez Parodi, la veille, avait été, semblait-il, encore plus délirante que de coutume. Selon Gloria, cela ressemblait fort à une partie d'adieu. Prudente comme d'habitude, au téléphone, elle n'avait mentionné qu'un mot particulier. Maguire le répéta à Hockney.

– Monimbo, dit-il, mettant l'accent tonique sur l'avant-dernière syllabe au lieu de la dernière, comme il convient.

– Quoi?

– Monimbo, répéta le flic. Ça te dit quelque chose?

– Je crois pas. Ça sonne africain. C'est peut-être quelque part en Afrique?

– Trop fort pour moi, dit Maguire.

Julia, dans sa chambre d'hôtel, écoutait le commentaire télévisé, l'annonce des mesures de rationnement d'eau qui devaient prendre effet aussitôt. Les lumières s'éteignirent. Elle gagna la fenêtre à tâtons et regarda l'étendue de Biscayne Boulevard. Aussi loin qu'elle pouvait voir, en direction du quartier commercial, appartements et bureaux se trouvaient plongés dans l'obscurité.

Elle décrocha le téléphone, appela la réception. Pas libre. Elle essaya encore deux ou trois numéros de l'hôtel et eut enfin le directeur adjoint.

– Nous faisons de notre mieux, madame, lui expliqua-t-il. La ligne principale de Turkey Point est coupée.

– Turkey Point?

– C'est la grande centrale nucléaire, près de Homestead, qui alimente la ville. On dit que c'est un sabotage. Quelqu'un a fait sauter des pylônes. Le courant devrait être rétabli dans quinze ou vingt minutes. La compagnie tente de rétablir la distribution.

– Est-ce que je peux avoir des bougies?

– Oui, madame. Je vous envoie le garçon d'étage.

Sept heures et demie passées ; il paraissait peu vraisemblable que Gloria puisse venir, maintenant, en pleine obscurité.

On frappa à la porte.

– Qui est là? demanda-t-elle.

– Hockney? répondit une voix de femme étouffée.

A travers le judas, Julia n'aperçut qu'une masse de cheveux dans l'obscurité du couloir.

Elle ouvrit la porte et apparut une très jolie fille, petite, moulée dans une robe de satin qui s'ouvrait généreusement sur la naissance des seins.

– Merde, dit la pute en se laissant tomber sur le bord du lit et en allumant un cigarillo. Je suis restée coincée dans l'ascenseur. Il a fallu forcer les portes. Je crois que je me suis cassé un ongle ou deux. (Elle se mit à inspecter ses ongles.) Fallait voir un des mecs qui étaient là-dedans, gloussa-t-elle. J'ai cru qu'il allait avoir une attaque. Il braillait et suait comme un porc. Vous avez dû l'entendre.

– Non, dit Julia. Je suis heureuse que vous en soyez sortie.

– Vous avez quelque chose à boire?

– Je crois que Bob a quelque chose, répondit Julia en tâtonnant dans la valise à la recherche du flacon de cognac qu'il emportait généralement en voyage. Bob et l'inspecteur Maguire devraient être là d'un instant à l'autre.

Elle trouva le cognac qu'elle servit dans un verre de la salle de bain, consciente de la façon dont Gloria s'était mise à l'évaluer – ou du moins à estimer ce qu'elle pouvait voir d'elle dans la pénombre.

– Vous savez, j'ai rencontré votre mari une fois, dit-elle à Julia. Moi et une autre fille. Au *Mutiny*. Il était avec Julio Parodi. Je lui ai dit que je n'aimais pas les journalistes. Je crois qu'il ne savait pas que j'étais – vous voyez – celle qu'il cherchait.

– Vous devez rencontrer des tas de gens intéressants, dit maladroitement Julia qui parlait à une prostituée, pour la première fois.

– J'en rencontre de toute sorte, répondit Gloria. Julio, poursuivit-elle, il aime me prendre par-derrière. J'aime pas trop ça. Je lui ai dit une fois qu'il devrait aller faire ça avec des petits garçons et il a failli me casser la mâchoire. Les Cubains n'aiment pas qu'on les prenne pour des pédés.

Avant qu'elle n'aborde d'autres détails croustillants, on frappa à la porte.

— Bob? demanda Julia.

— Le garçon, répondit une voix à l'accent espagnol.

— Ce doit être les bougies, dit Julia en retirant la chaîne de la porte. Ils ont mis le temps.

A peine avait-elle commencé à entrebâiller la porte qu'on l'ouvrit violemment. Un homme solide, en T-shirt rouge, la frôla et fonça vers le lit. Le deuxième homme claqua la porte et la ferma à double tour.

Julia vit la prostituée s'accroupir comme un chat, au bord du lit, un couteau à la main. Elle entendit rire le costaud en chemise rouge tandis qu'il lui sautait dessus. Elle commença à crier mais le cri s'étouffa dans sa gorge sous la poigne qui lui serrait le cou comme un étau. Le ciel avait pris une teinte d'orange sanguine.

Les hommes en béret noir fouillèrent Wright Washington par deux fois avant de le laisser pénétrer dans la salle de billard aux fenêtres obstruées par des planches et où le Commandant Ali avait installé son nouveau quartier général.

Le Commandant Ali avait troqué sa robe arabe pour une tenue paramilitaire, deux pistolets à la ceinture, tandis qu'étaient posés sur le tapis vert crasseux d'un billard un fusil à pompe et deux AR-15.

— Comment ça va, David? lui demanda Washington.

Le visage du Jamaïcain se changea en un masque de haine froide. Depuis bien longtemps, personne ne l'avait appelé par son nom de baptême.

— Tu as ton rendez-vous, répondit le Commandant Ali. Alors parle et ne commence pas à me raconter des salades.

— Qui a tué la femme? demanda le pasteur.

— Tu as entendu ce qu'ont dit mes frères. C'est ce flic qui l'a tuée. Cet enculé qu'on appelle Magic.

— Les flics veulent t'en parler.

— Ouais. Les flics veulent me coincer. Tu peux leur dire où me trouver. Je bouge pas.

— Écoute, David. Tu n'es pas chez toi ici. Tu as vu – je veux dire vraiment vu – tout ce merdier dehors? Voilà que les frères et les sœurs se remettent à démolir leur propre quartier.

Ça ne rend service à personne. Où vont aller habiter tous ces gens, une fois les incendies éteints? Liberty City n'a pas besoin de ça. Elle n'a pas besoin de *toi*, David.

Le Jamaïcain se dressa, l'air belliqueux, ses mains frôlant ses hanches, face au pasteur.

— Tu as toujours pas compris, hein? dit-il, défiant Washington. Alors, écoute bien. Tu as encore rien vu. Ce pays, on va le saper. On va foutre le feu. On va foutre le feu partout. C'est ici, à Liberty City, qu'on craque l'allumette. T'as réussi qu'à aider le Blanc à creuser notre tombe. Merde. On a mieux. On a ça.

Il ramassa l'un des fusils automatiques qui se trouvaient sur la table et l'agita devant le visage du pasteur.

— Tu es un con, dit Washington, adoptant le même langage. Parce que tu as ce fusil et peut-être deux cents autres...

— On a toutes les armes qu'on veut, le coupa triomphalement le Jamaïcain.

— D'accord. Et tu t'imagines qu'ils en ont combien? Continue comme ça et tu vas te retrouver en face de l'armée, de la Garde nationale, de la police et de tous les Anglos pleins de trouille qui pourront mettre la main sur une arme. Avec un peu de chance, tu vas avoir le Klan et les cinglés de Cubains qui vont venir ici vous casser la tête. Et personne, dans le coin, ne va rendre grâce à La Mecque si tu transformes Liberty City en champ de bataille. Si tu es assez con, avec tes trucs de guerre sainte, pour jouer les kamikazes, c'est bon, vas-y tout seul. Et va faire ça où tu ne mettras pas toute la communauté dans la merde avec toi.

Le Commandant Ali jouait avec son AR-15, mettant et ôtant le cran de sûreté.

— Tu sais ce qui me débecte vraiment! continua Washington. Tu es ce qu'on a fait de mieux pour les racistes. Ils adoreraient résoudre ce problème à coups de flingues. Tu sais bien que le maire a gardé les flics en laisse, attendant de voir si on pouvait arranger ça par nous-mêmes. Il sait qu'il y a des réformes à faire. Si tu laisses tomber, ça lui donne une chance de tenir parole. On pourrait peut-être vraiment faire quelque chose pour ce coin au lieu d'y foutre le feu.

— Tu es un vieux con, dit le Jamaïcain. Tout ce baratin, c'est de la vieille histoire, mec. On a déjà essayé. Et où ça nous a menés? Je vais te dire où. On a maintenant un mec à la Maison-Blanche qui ampute les pauvres, et sans chloroforme même. Il nous égorge et tout ce qu'on obtient c'est du sparadrap. Si on doit continuer à pisser le sang, autant combattre. On n'a rien à perdre.

— Je te parle de Liberty City, lui rappela Washington.

— Et moi je te dis qu'il s'agit pas simplement de Miami. Je te parle de tous les États-Unis. Ce qui se passe ici va déclencher un mouvement dans tout le pays.

— Vous êtes dingues. Je te le dis, vous vous êtes trompés d'époque et d'endroit. Et vous n'allez pas gagner avec des fusils. Le Noir ne gagnera jamais avec des fusils.

Le Commandant Ali épaula son fusil et balaya la pièce avec, faisant un rat-tat-tat de la bouche, tirant sur des ennemis imaginaires.

— Retourne à ton église, curé. Retourne vers ton ami le maire. Va lécher le cul aux Blancs.

— Tu cherches la mort, pas possible, dit Washington, désespéré.

— La mort, c'est mon frère.

Le Jamaïcain regarda le pasteur s'éloigner sur la chaussée défoncée, tourner à l'angle où des gosses entassaient des gravats, des vieux matelas et des pneus autour de deux carcasses de voitures calcinées. Washington jeta un regard à terre et vit un lézard sortir de sous une pierre. L'animal s'arrêta tout près de son pied, dardant sa langue.

Un gamin, paraissant âgé d'une douzaine d'années, affectait la démarche souple, les jambes légèrement fléchies, à la mode chez les voyous du coin. Lorsqu'il se rendit compte que Washington l'observait, dans l'obscurité, il se mit à faire tournoyer un revolver. En s'approchant, Washington remarqua que l'arme était du même type que celles qu'utilisait la police.

— Hé, où as-tu trouvé ça? demanda-t-il au gamin.

— Occupe-toi de tes fesses, connard, lui cracha le gosse en armant le revolver avec une telle dextérité que le pasteur ne se le fit pas dire deux fois.

Wright Washington regagna les voitures de la police, ses larges épaules quelque peu tombantes maintenant. Il sentait l'épuisement et la défaite.

Puis il entrevit les phares, ressentit l'effleurement du métal, perçut le crissement des pneus tandis qu'une grosse voiture, débouchant d'une rue latérale, lui fonçait dessus. Elle fit un écart sur la gauche, bringuebalant sur les détritus qui jonchaient la rue puis fonça vers la salle de billard. Washington put distinguer quatre ou cinq hommes entassés dans la voiture dont on avait baissé les vitres.

Les Fedayines Noirs qui traînaient devant la salle de billard s'éparpillèrent en voyant la voiture leur foncer dessus. Un homme se pencha à la portière arrière et les arrosa d'une rafale d'arme automatique. Washington entendit une balle perdue lui frôler la tête avec un bourdonnement de gros insecte. Sous le feu de riposte des Fedayines, le côté et l'arrière de la voiture résonnèrent du martèlement des projectiles et Washington entendit un homme jurer en espagnol. Les balles zébraient la nuit de flammes orange vif. A quelques mètres de là, le gosse de douze ans tiraillait, lui aussi.

Washington vit la voiture percuter la barricade, à l'extrémité opposée à la salle de billard, passer en marche arrière et faire un demi-tour en catastrophe avant d'accélérer à nouveau et de repartir dans la rue. On lui tirait dessus de toutes parts, maintenant. Il avait vu tomber un, peut-être deux gardes jamaïcains. Une nouvelle rafale d'arme automatique depuis l'arrière de la voiture et le gosse poussa un cri aigu en se tenant le ventre.

Washington, baissé, se mit à courir vers le gamin. Au même instant, il vit le Commandant Ali courir en zigzaguant derrière la voiture, faisant tournoyer son bras comme un lanceur de base-ball. La grenade percuta le capot de la voiture et explosa au moment où le véhicule tournait dans une rue latérale. L'avant heurta de plein fouet le mur croulant de l'immeuble d'en face et se changea en boule de feu.

Washington se pencha sur le gosse aux bras croisés sur le ventre d'où s'échappaient les intestins. Désespéré, jugea le pasteur. Il couvrit de sa main les yeux de l'enfant et se mit à prier.

Il prit conscience d'une présence, à côté de lui. Mais il attendit d'en avoir terminé et que cessent les gémissements du gosse avant de lever les yeux.

Il lui sembla que le visage du Jamaïcain rayonnait d'une sorte de triomphe.

211

– Les Cubains, dit le Commandant Ali, apparemment indifférent à l'état du gamin qui avait vomi ses tripes sur l'asphalte. On en a eu quatre, ajouta-t-il. Je t'ai dit. Je t'ai dit que c'était le seul moyen.

CRAWL KEY

Arnold Whitman aimait se raser deux fois par jour. Il avait la peau sensible et le frottement du col contre la barbe du cou, en fin d'après-midi, l'irritait. Il se tenait debout, devant le lavabo d'un bâtiment de béton au toit plat de Crawl Key, planté sur un promontoire isolé, entouré d'eau de toute part à l'exception d'une étroite bande de terre dont la piste poussiéreuse se rattachait à la chaussée des Keys de Floride.

Dans les années soixante, aux plus beaux jours de la guerre secrète que la C.I.A. menait contre Castro, Crawl Key avait constitué l'une des bases des bateaux à bord desquels des groupes paramilitaires cinglaient vers Cuba et ses plages solitaires de la côte d'Oriente et de Camagüey. C'était un lieu idéal, abrité des vents violents de l'Atlantique par tout un chapelet d'îles et de promontoires plus petits; seul un chenal étroit reliait la crique bien abritée à la haute mer. Encore maintenant, Crawl Key demeurait assez semblable à ce qu'elle était dans le souvenir de Whitman, à une époque plus rude, où existaient moins d'entraves. De sa fenêtre, il apercevait un croissant de sable blanc, bordé de palmiers. Les bateaux s'y trouvaient à l'abri. La puissante station radio, destinée à maintenir le contact avec les groupes opérationnels de Cuba, se trouvait dans un second blockhaus de béton, invisible depuis la fenêtre.

Whitman fit jaillir de la crème à raser d'une bombe aérosol dans le creux de sa main et s'en barbouilla les joues. Il se rasait rapidement, sans grand soin, avec un rasoir jetable et réussit une fois encore à s'entailler le menton. Il tourna le robinet d'eau chaude pour laver le sang et la crème à raser, mais il n'en sortit qu'un gargouillis de tuyauterie. Il essaya le robinet d'eau froide. Quelques gouttes d'un dépôt brun-rouille, puis plus rien.

– José! hurla Whitman. Qu'est-ce que c'est ce bordel avec l'eau?

Un Cubain rondelet, au visage grêlé, arriva en courant.

– Vous n'avez pas entendu? demanda-t-il à Whitman. Des types ont fait sauter la canalisation amenant l'eau du continent. Mais nous sommes parés. Nous avons la citerne d'eau de pluie.

– Eh bien, fais quelque chose pour *ça*, lança Whitman au Cubain, un ancien contractuel réembauché, en montrant son visage barbouillé.

José se précipita dehors pour aller chercher de l'eau.

Avant son retour, la sonnette d'alarme retentit.

Écœuré, Whitman essuya les restes de mousse avec une serviette et descendit le couloir à pas feutrés pour voir ce qui se passait, le menton dégouttant toujours de sang.

José et un autre Cubain de la salle de radio chargeaient leurs armes.

– Et alors? demanda le chef de station.

– Infiltrations, bafouilla José. Nous avons des infiltrations.

– Simplement une paire de Cubains qui se sont perdus, probablement.

– Non, ils arrivent en bateau.

A ces mots, Whitman décrocha un fusil du râtelier et s'élança dehors avec une agilité surprenante pour un homme si corpulent.

Il arriva à temps pour voir la première embarcation doubler le cap de l'île très boisée. Un bateau de pêche marron tacheté, à la ligne de flottaison dangereusement basse. Difficile d'imaginer comment il avait pu se sortir d'une traversée en haute mer car, même dans ces eaux calmes, Whitman pouvait voir des vagues qui frappaient le pont, bourré de gens, les uns contre les autres, masse humaine éprouvée d'où s'élevèrent quelques cris de joie à la vue des hommes de la C.I.A., à terre.

– C'est pas croyable, murmura Whitman. Des réfugiés. Nous avons des putains de *boat people*.

Dans leur hâte de poser le pied aux États-Unis, les réfugiés cubains commencèrent à sauter du bateau en se bousculant. L'un d'eux, se débattant dans l'eau, s'effondra, le visage dans le sable, se releva et se précipita vers Arnold Whitman, sanglotant contre sa poitrine.

– Dieu du ciel! souffla Whitman en se dégageant et en fonçant vers la radio pour demander des instructions.

– Virez-les de là, lui répondit-on.

– Comment? Leur bateau est sur le point de couler.

Tout en parlant, il aperçut un second bateau, en aussi mauvais état que le premier, pénétrer dans la crique dans un teuf-teuf de moteur.

– Passez-moi les flics et l'Immigration.

Lorsque Whitman obtint enfin la communication avec les services de sécurité de la Floride du Sud, l'homme éclata carrément de rire.

– Vous croyez avoir un problème? dit l'homme d'une voix aiguë. Sortez donc de votre bunker et venez jeter un coup d'œil sur ce qui se passe de ce côté-ci de l'État. Le Ten-Mile Bridge [1] est bloqué sur toute sa longueur par des bagnoles pare-chocs contre pare-chocs. Tout le monde tente de sortir des Keys à cause de cette panique que provoque le manque d'eau. Nous avons des bateaux bourrés de réfugiés cubains qui arrivent sur chaque plage entre Lauderdale et Key West. Et Miami est en train d'exploser, avec un bon coup de main de la part de vos Cubains.

– Qu'est-ce que ça veut dire, *mes* Cubains, se défendit Whitman.

– J'ai parfois tendance à croire que vous vivez dans un autre pays, répondit le flic. Ces salopards de la *Brigada Azul* viennent juste de pénétrer dans Liberty City pour flinguer quelques négros. C'est parti pour une guerre raciale là-bas. Démerdez-vous tout seul.

MIAMI

Maguire restait à proximité de sa radio de bord en attendant, au carrefour, le retour de Wright Washington. Immédiatement avant le début de la fusillade, il avait dit à Hockney :

---

1. Pont de seize kilomètres reliant la Floride au chapelet d'îles – les Keys – s'étendant vers le sud-ouest sur plus de deux cents kilomètres. (*N.d.T.*)

– Il vaut mieux que tu rentres voir ta femme. Je viens d'entendre que la ville est plongée dans l'obscurité.

– Je vais l'appeler, dit Hockney, ne voulant pas rater le retour de Washington.

– D'ici? demanda Maguire, haussant les sourcils. Je vais demander à une fille du standard de l'appeler et de lui dire que tu arrives.

Il appela, usant d'un débit rapide, dans son Motorola et, après quelques instants, la voix de la standardiste se fit entendre dans les craquements.

Hockney vit l'inspecteur froncer les sourcils.

– Qu'est-ce qui se passe? demanda Hockney, tenaillé au creux de l'estomac par l'appréhension.

– Rappelle-moi le numéro de la chambre?

Hockney le lui ordonna.

– Ouais, dit Maguire. C'est bien ça. Ça ne répond pas.

– Ça ne répond pas? Mais...

Hockney réfléchissait à toute allure. Peut-être Julia était-elle sortie avec Gloria. Peut-être la prostituée n'était-elle pas venue et Julia, lasse d'attendre, était-elle descendue prendre un café. Mais cela ne tenait pas, car elle serait demeurée près du téléphone. Peut-être s'était-elle trouvée piégée dans un ascenseur par la coupure de courant.

– Comment je rentre? demanda-t-il à Maguire.

L'inspecteur, fouillant des yeux la meute de flics, repéra une femme policier trapue qui courait vers l'une des voitures.

– Hé, Linda! hurla-t-il. Où tu vas?

– On a un pillage à l'*Omni*.

– Okay. Emmène ce gars avec toi, ordonna Maguire qui ajouta, à l'intention de Hockney : Tu devrais pouvoir trouver un taxi dans le coin. J'essaierai de te joindre plus tard.

C'est ainsi que Hockney ne put assister à la scène autour de la salle de billard, lorsque le groupe de la *Brigada Azul* vint opérer son raid. Ni à la scène suivante, lorsque les flics, ayant reçu l'ordre de tenter d'y mettre fin, furent pris sous un feu nourri d'armes automatiques. Ce qui décida le gouverneur à faire donner la Garde nationale et à demander à Washington des renforts de l'armée.

Ne trouvant pas de taxi, il remonta la rue en courant,

agitant un billet de vingt dollars sous les yeux de deux gamins dans une camionnette.

– Devriez pas montrer du fric comme ça, m'sieur, lui firent-ils remarquer lorsqu'il eut expliqué où il désirait se rendre et qu'ils l'eurent laissé monter. Y a des gens, dans le coin, qui vous tueraient pour moins que ça.

C'étaient des fermiers pas très argentés du nord de la Floride et ils trimballaient pas mal d'artillerie. En voyant le fusil à pompe et le fusil de chasse, Hockney songea qu'il n'avait peut-être pas eu la main heureuse. Mais ils chassaient un autre gibier.

– On pensait pouvoir s'payer une paire de lapins sauvages, ce soir, dit le chauffeur en s'arrêtant devant l'hôtel pour déposer Hockney.

Il eut un regard mauvais et dit : « Duksui ».

– C'est un code, fanfaronna-t-il devant l'air surpris de Hockney. Ça veut dire « Du Klan je suis », pas vrai, Jesse ?

– Duksui, répéta solennellement l'autre.

Hockney tomba sur des gardes armés dans le hall. Ils lui demandèrent de présenter sa clé. Il y avait de la lumière – un groupe électrogène, pensa-t-il – mais les ascenseurs ne fonctionnaient toujours pas. Il grimpa les escaliers en soufflant, deux marches à la fois.

Lorsqu'il atteignit leur étage, il fut surpris de voir un policier en uniforme dans le couloir. Avec le grabuge, en ville, il paraissait peu vraisemblable que la police puisse disposer d'hommes pour assurer une telle sécurité pour un seul hôtel. En approchant, il se rendit compte que le policier se tenait devant la porte de sa chambre.

– Qu'est-ce qui se passe ? demanda-t-il, haletant, au bord de la panique.

– Qui êtes-vous ? demanda sèchement l'homme.

– C'est ma chambre.

– C'est vous, Hockney ? demanda le flic après avoir consulté son calepin.

– Oui.

– Une seconde, je vous prie, lui dit plus gentiment le policier.

Hockney sentit une terreur croissante le gagner tandis qu'il regardait le flic ouvrir la porte. Sa porte.

– Attendez... bredouilla-t-il... Ma femme...

Mais le policier referma la porte derrière lui.

Puis sortit de la chambre un homme au visage rose, la cinquantaine, avec un confortable embonpoint et une abondante chevelure grise.

— M. Hockney? Je suis le commissaire Callahan, de la Criminelle. Je crains d'avoir de très mauvaises nouvelles pour vous, dit-il d'une voix monotone, compatissante mais impersonnelle. Son ton rappela à Hockney celui d'officiers dont le travail consistait, essentiellement, pendant la guerre du Vietnam, à aviser le parent le plus proche de la mort des hommes. Cela le renseigna en partie sur ce qui allait suivre.

— On a assassiné deux femmes ici, ce soir, dit Callahan. Il se peut que l'une d'elles soit votre femme.

— Où sont-elles?

— Les corps ont été transportés à la morgue du J.M.H. Le Jackson Memorial Hospital. Je crains qu'on doive vous demander d'essayer de les identifier.

Hockney ne saisit pas toute l'importance des mots « essayer de » mais il avait, sur la langue, un goût de cendres.

Il s'avança en titubant, comme un ivrogne essayant de marcher droit, vers la porte de sa chambre.

— Je crois qu'il est préférable que vous n'entriez pas, dit Callahan, en faisant mouvement pour l'en empêcher.

— Je dois entrer.

— Je pense que c'est votre droit, dit Callahan en s'effaçant. Mais ne touchez à rien.

Dans la chambre, plongée dans l'obscurité, deux hommes fouillaient, des lampes de poche à la main. En y pénétrant, Hockney eut l'impression d'avoir quitté le monde des humains.

Avec le faisceau des lampes qui se promenaient, les ombres, ce soudain sentiment de détachement, il ne put embrasser toute la scène, mais seulement des fragments. Il y avait d'abord les hommes avec les lampes de poche. L'un d'eux rampait à quatre pattes entre les deux grands lits, dont un seul était défait. L'autre homme passait sur le sol ce qui parut être un aspirateur miniature.

— Tenez, dit Callahan en lui tendant sa lampe de poche, minuscule mais étonnamment puissante.

Dans le rayon de la lampe, Hockney vit du sang. L'empreinte d'un pouce, d'abord, aux dessins nettement marqués,

217

sur le mur voisin de la salle de bains. Puis, plus bas, la trace d'une main entière, avec la traînée laissée par les doigts, comme si un gosse avait barbouillé le mur en partant d'aussi haut qu'il avait pu et en descendant jusqu'à amener la paume de sa main à hauteur des genoux de Hockney. Puis le même dessin qui se répétait plus bas, juste au-dessus des plinthes. Sur le mur au-dessus du lit – le lit où Julia et lui avaient couché la nuit précédente – le dessin des traces de sang était plus abstrait, formant de grandes boucles, des marbrures et des lignes brisées, un peu comme dans un tableau de Jackson Pollock. Et des taches profondes, sombres, sur la moquette claire. Le sang avait aussi éclaboussé l'applique au milieu du plafond, trop haut pour que Hockney puisse l'atteindre, même sur la pointe des pieds. Avec ce même sinistre sentiment de détachement, il se demanda, comme s'il essayait de résoudre un problème pour un test d'intelligence, comment du sang pouvait se trouver *là*.

Il suivit le mince et puissant faisceau de la lampe jusque dans la salle de bains. Pas de sang, là, mais le rideau de la douche déchiré. Et quelque chose sur la glace au-dessus du lavabo, qu'il observa dans le faisceau de la lampe. Un dessin tracé au rouge à lèvres rose – la couleur de celui de Julia, une chaude et vibrante nuance de rose. La forme d'un cœur. A l'intérieur du cœur, le mot *Madre* griffonné. Et le cœur percé, non par une flèche de Cupidon, mais par quelque chose de laid et de fourchu, comme une fourche.

Ce furent la juxtaposition du mot espagnol signifiant Mère à l'intérieur du cœur, ainsi que les vêtements chiffonnés qu'il découvrit, jonchant le sol carrelé, qui sortirent Hockney de son hébétement. Il contempla le tas de sous-vêtements, la robe lilas déchirée, tituba jusqu'au lavabo qu'il agrippa des deux mains et se mit à vomir.

Callahan attendit la fin du haut-le-cœur pour demander :

– Vous reconnaissez les vêtements?

– Ma femme, haleta Hockney.

Il lui sembla que son haut-le-cœur ne cesserait jamais. Lorsqu'il tenta de respirer, on aurait dit qu'on lui écrasait les poumons.

– Excusez-moi, mais il faut que je vous pose une question. Où étiez-vous jusqu'à six heures?

218

– Avec Jay – Jay Maguire.
– L'inspecteur Maguire, de la Voie publique?
– Oui.

Hockney se rendit vaguement compte que Callahan demandait à l'un de ses hommes d'appeler Maguire et que l'autre policier répondait : « ce soir? », comme si on lui avait demandé de sauter par la fenêtre. Puis, le commissaire le conduisit dans le couloir et lui fit descendre les escaliers.

Le hall du Jackson Memorial Hospital était bourré de patients sur des civières. L'un d'eux, implorant qu'on s'occupe de lui, levait la main et Hockney détourna le regard. Ce qui restait de ses doigts ressemblait à une aile de poulet, la peau et la chair détachées jusqu'à l'os. Callahan pressa Hockney, traversant les files de visages effrayés, désespérés.

Ils passèrent par une porte, au fond et, au-dessus d'un couloir, Hockney aperçut une pancarte qui annonçait : « SALLE D. CENTRE DE TRAITEMENT DES VIOLS ». Callahan le précéda et ouvrit une porte qui donnait sur une salle d'attente claire, gaie, peu différente, sous bien des aspects, de celle d'un médecin de famille.

Ses yeux se portèrent sur une affiche qu'il avait déjà vue sur de nombreux panneaux d'affichage : « MIAMI. DÉCOUVREZ LA VILLE COMME UN HABITANT ».

Callahan se racla la gorge.

– Rona, voici M. Hockney. Il s'éclaircit de nouveau la gorge et demanda : Les deux dames de l'hôtel?

Hockney n'en attendit pas davantage. Il passa en courant devant Rona, poussa la porte battante, enfila un couloir éclairé au néon, empli de l'odeur caractéristique des hôpitaux puis ouvrit une lourde porte métallique. De l'autre côté de la porte, il fut frappé par un courant d'air frais et une odeur différente, l'odeur douceâtre de corps en décomposition.

Une infirmière noire, l'air las, s'activait parmi les chariots.

Hockney ne lui prêta pas la moindre attention. Il apercevait Julia – ou plutôt ses cheveux auburn, défaits, répandus sur le drap qui recouvrait une forme sans vie.

Il rabattit le drap. Ce n'était pas Julia, mais une fille plus jeune, le visage rond, le nez retroussé. Les yeux ouverts, sans aucun signe de souffrance, la fille avait l'air de reposer, près de s'éveiller à tout instant. Le regard de Hockney tomba sur le T-shirt bleu représentant Snoopy et portant la légende : « NE PAS ME RÉVEILLER AVANT LA FIN DU WEEK-END ».

— Allons, venez, lui disait le commissaire Callahan en le tirant par le bras, plutôt gentiment. Elle n'est pas là.

— Où est-elle? demanda Hockney d'une voix rauque quand ils se retrouvèrent dans la salle d'attente.

— C'est une nuit dingue, dit Rona sans s'adresser à personne en particulier. C'est une ville de dingues. Nous l'avons laissée aux urgences.

Callahan savait ce que cela signifiait. Il fit sortir Hockney et le conduisit à une remorque réfrigérée garée à proximité d'une sortie de service. L'hôpital l'avait achetée, d'occasion, à une chaîne de Fast-Food. Le commissaire fut heureux, pour Hockney, que les services de la morgue aient enfin fait repeindre la remorque, recouvrant la publicité qui proclamait : « LE STEAK GÉANT ».

A l'intérieur de la roulotte, on avait empilé les corps sur trois couches, contre les parois. Dans l'espace confiné, l'odeur était plus forte qu'à la morgue. Lorsque Callahan ouvrit la porte, Hockney recula.

Le commissaire, en habitué, se bouchait les narines avec un mouchoir.

— Vous pourrez? demanda-t-il à Hockney.

— Oui, répondit Hockney.

Penché, il suivit Callahan tout au bout de la remorque. Il évita un pied qui dépassait et sentit une main morte lui effleurer le visage.

Callahan se baissa pour lire une étiquette fixée à la cheville d'un des cadavres. Puis il retira le drap. Hockney se pencha par-dessus son épaule pour voir.

Ce n'était pas Julia, ainsi qu'il le sut à la boucle de cheveux roux. Il ne restait pas grand-chose du visage. La bouche n'était qu'un lambeau déchiré, et le reste écrasé en une pulpe sanglante.

Callahan attendait que Hockney dise quelque chose, sans le regarder, par décence. Penché, il tenait le drap, attendant, tout simplement.

— Ce n'est pas ma femme, dit Hockney après avoir dégluti. C'est peut-être une femme du nom de Gloria.

Le commissaire laissa tomber le drap.

Il découvrit le visage du corps placé sur l'étagère du dessus. Il souleva le drap un peu plus puis le laissa retomber, le maintenant sous le menton. « Sauvages, murmurait-il. Aucun animal ne s'abaisse à cela. »

Ce ne peut être Julia, tentait de se persuader Hockney. *Il n'y a pas de raison. C'est une erreur.*

Il s'arma de courage, et regarda.

Un profond sillon courait de la naissance des cheveux à la mâchoire, au travers de l'orbite gauche et du nez. Les assistants de la morgue avaient essuyé le sang et l'estafilade apparaissait d'un bleu violacé, blanche sur les bords. Elle avait altéré les traits du visage, la bouche relevée en ce qui paraissait être une sorte de hennissement. Mais l'œil intact demeurait ouvert, empli d'horreur.

Callahan ne demanda rien. Le brusque arrêt de la respiration de Hockney lui donnait sa réponse.

Il fit un geste pour replacer le drap, mais Hockney le lui prit des mains et le tira. Callahan s'apprêtait à le dissuader mais laissa faire. Il recula jusqu'au bout de la roulotte, laissant à Hockney autant de place – autant d'intimité – que le permettaient les circonstances.

Un autre sillon, profond, autour du cou de Julia, comme si on avait tenté de l'étrangler avec un fil de fer.

Les traces de coups de couteau, sur la poitrine, étaient plus horribles encore que le sillon sur le visage. Le tueur, ou les tueurs avaient dû frapper et frapper. Le sein gauche, presque sectionné, ne tenait que par un lambeau de chair.

Hockney se força à regarder plus bas. Ce qu'il vit le fit défaillir. Il glissa et son front frappa contre le métal froid de l'étage supérieur.

Rapidement, Callahan saisit le drap et le rabattit sur le visage de Julia.

Mais ce que Hockney avait entr'aperçu se trouvait gravé dans son esprit, à tout jamais. Le boucher était devenu fou furieux. Il avait taillé, tranché, frappé le ventre de Julia – sachant sans doute parfaitement qu'elle était enceinte – jusqu'à l'ouvrir. En fermant les yeux, Hockney pouvait voir le couteau s'abattre, le sang gicler des blessures, son enfant à naître mourant sous la furie du monstre.

Callahan saisit Hockney sous les bras pour le soutenir

tandis qu'il regagnait en titubant l'entrée de la remorque.

Un homme l'aida à conserver son équilibre tandis qu'il trébuchait et manquait de s'écrouler dans les escaliers. Tout d'abord, Hockney ne parvint pas à distinguer Jay Maguire.

Il tourna doucement sur lui-même, bras étendu, comme un gosse jouant à l'avion.

– Pourquoi? demanda-t-il à Callahan, à Maguire et au ciel dans la nuit. Pourquoi, pour l'amour de Dieu?

8

MIAMI

La salle d'interrogatoire, à l'hôtel de police de Miami, ressemblait davantage à un décor pour débat télévisé : une paire de fauteuils et de canapés recouverts de tissu marron et blanc, des murs nus à l'exception d'une grosse horloge qui affichait l'heure et le jour à l'intention des caméras vidéo utilisées pour l'enregistrement des interrogatoires importants. La salle était située au même étage que celui du Centre de contrôle d'urgence d'où Murchison, le directeur de la police, essayait de coordonner les opérations menées par la police et de la Garde nationale contre les émeutiers de Liberty City.

– Désolé de vous avoir imposé ces épreuves, dit le commissaire Callahan en faisant signe à Hockney de prendre place dans un fauteuil.

La salle d'interrogatoire, normalement réservée aux enquêtes criminelles les plus sérieuses, apparaissait ce soir-là comme seule oasis de calme de l'hôtel de police. En entrant par la porte de derrière, Hockney avait remarqué les équipes spéciales anti-émeutes – en uniforme kaki – embarquer dans leurs camions. Au rez-de-chaussée, on entassait des douzaines de pillards, hurlants et goguenards.

– Vous permettez que je reste, patron? demanda Maguire.

– Ouais, je crois que c'est préférable.

Hockney répondit machinalement aux questions de Callahan sur les événements de la journée. Lorsqu'il exposa qu'il s'était rendu à Liberty City avec Maguire, Callahan jeta un regard aigu à l'inspecteur et lui demanda :

— J'espère que vous lui aviez fait signer une décharge.

— Oui, bien sûr, mentit Maguire.

Au milieu de toute cette confusion, il avait complètement oublié. Le règlement exigeait que tout civil sortant en patrouille avec les policiers signe une décharge dégageant les services de police de toute responsabilité en cas d'accident corporel ou autre.

— Qui était la femme qui se trouvait avec votre épouse? demanda enfin le commissaire, en arrivant à la question cruciale.

— Elle s'appelait Gloria, répondit Hockney en regardant Maguire qui lui fit un signe de tête. (Cela n'avait plus d'importance, maintenant.) C'était une prostituée.

— Une prostituée? demanda Callahan, en s'assurant d'un coup d'œil discret sous son bureau que le magnétophone était bien en marche. Que faisait une prostituée avec votre femme?

On sentit bien, à son expression, que selon lui les journalistes de là-haut dans le Nord étaient capables de toutes sortes de turpitudes sexuelles.

— Elle avait accepté de nous fournir des renseignements. Pour un article.

— Sur les putes de Miami?

— Sur Julio Parodi.

Maguire surveilla attentivement les réactions du commissaire. Le flic de la criminelle demeura quelques longs instants à fixer ses phalanges poilues avant de poser la question suivante :

— Quel rapport?

— Elle faisait partie de l'écurie de Parodi. Elle savait quelque chose à propos de ses rapports avec la drogue.

— Pourquoi avait-elle accepté de parler?

Cette fois, Hockney évita de regarder Maguire. Il frotta son pouce contre son index.

Satisfait de l'explication ou pas, Callahan n'insista pas.

— Vous croyez que Parodi aurait pu les éliminer? demanda-t-il.

Hockney repensa à la scène du camp paramilitaire des

224

Everglades, lorsque le Cubain avait fait étalage de son arsenal d'armes automatiques.

– Je l'en crois capable, répondit Hockney.

Tout cela semblait maintenant prendre corps. Parodi avait découvert, d'une manière ou d'une autre, que Gloria jouait les balances pour le compte de Maguire et il avait lancé ses exécuteurs pour la faire taire. Les journaux étaient pleins de meurtres reliés à la guerre de la drogue à Miami, de meurtres d'indics ou de rivaux dont on retrouvait les corps dans les canaux et aqueducs. Maguire lui avait raconté ce qu'il était arrivé à un autre IC qui espionnait Parodi. Oui, c'était sans doute cela la raison. Les hommes de Parodi s'étaient lancés à la poursuite de Gloria, l'avaient repérée à l'hôtel – ou, plus vraisemblablement, l'y avaient suivie pour confirmer leurs soupçons. Ignorante, elle les avait conduits tout droit à Julia. Le raisonnement de Hockney sombra dans tout un chaos de « si » et de « peut-être que ». Si seulement il était rentré plus tôt à l'hôtel, au lieu de traîner à suivre une émeute. Si seulement les émeutes avaient débuté un autre jour. Si seulement, d'abord et avant tout, il avait laissé Julia en dehors de cela au lieu de s'appuyer sur elle comme sur des béquilles...

« *C'est de ma faute,* se disait-il. *Je suis aussi coupable que ces bouchers dans la chambre d'hôtel.* »

Cette prise de conscience brisa sa frêle cuirasse et il s'effondra, pleurant sur sa faute et sur ce qu'il ne pouvait recommencer, tout son corps secoué de sanglots.

– On l'aura, Bob, dit doucement Maguire. Je te promets qu'on l'aura. Même si ça doit me coûter mon insigne, ajouta-t-il d'un ton de défi.

Lentement, le regard humide de Callahan se tourna vers l'auteur de cet éclat et Maguire n'eut plus aucun doute : le commissaire avait deviné que c'était lui le lien entre Hockney et Gloria.

– Si vous avez raison, dit Callahan à Hockney, vous pourriez bien être en danger vous-même.

Il se débarrassa de sa veste d'un mouvement d'épaules, et la laissa tomber sur le dos de sa chaise, faisant apparaître son arme, dans son étui sous le bras.

– Mais je ne crois pas qu'il faille conclure hâtivement. Ces meurtres ne ressemblent pas à une exécution de professionnels. Des tueurs professionnels n'iraient pas perdre leur temps à

225

lacérer des corps à coups de couteau dans une chambre d'hôtel. Des tas de gens auraient pu entendre ce qui se passait.

Évidemment, pensa Hockney, s'imaginant les cris horribles.

— Quelqu'un a dû entendre, dit-il. Pourquoi personne n'a-t-il rien fait?

— Sais pas, reconnut Callahan. Peut-être que tout le monde suivait les émeutes à la télé. Il y a dû avoir pas mal de charivari dans l'hôtel, avec la panne de courant et le reste.

— Qui vous a appelé? demanda Hockney.

— Un garçon d'étage est allé voir dans la chambre. Il semble que votre femme ait demandé des bougies. De toute façon, comme je vous l'ai dit, un professionnel aurait réglé cela d'une balle dans la nuque. Avec un silencieux.

— Et quelle est votre explication?

— Vous avez vu ce gribouillis sur la glace de la salle de bains?

— Oui, répondit Hockney, se rappelant le cœur percé et le mot *Madre*. Qu'est-ce que ça signifie?

Callahan lui tendit une feuille de papier, une circulaire des Renseignements. On y voyait le schéma d'une main, pouce et index tendus. A la base des doigts, un petit tatouage. Le haut de la page reprenait d'ailleurs sept ou huit tatouages différents.

— Maintenant, regardez (le commissaire se leva et vint montrer divers détails à Hockney). Ce sont là les signes que portent tatoués sur eux des tas de Mariels, probablement exécutés alors qu'ils se trouvaient en cabane à Cuba. Celui-ci (il posa le doigt sous un dessin représentant trois balafres verticales soulignées de deux traits horizontaux) signifie que la spécialité du type est d'écouler de la drogue. Et celui-là (il montra un tatouage comportant les mêmes lignes verticales mais avec une étoile au-dessous) c'est celui des kidnappers professionnels. Je crois que vous avez déjà vu celui-ci, non?

Hockney examina le tatouage tout à droite de la page : le même dessin que le gribouillis au rouge à lèvres de Julia qu'il avait vu sur la glace de la salle de bains.

— Celui-ci, c'est la marque de l'exécuteur, expliqua Callahan. Des tas de types qui portent ces tatouages ne sont que des punks. Ils se sont fait décorer pour amuser la galerie. Un tueur professionnel ne se promène pas avec de la publicité sur la main. Et il ne laisse certainement pas sa carte de visite dans la salle de bains une fois le boulot terminé. D'accord, Jay?

Maguire ne répondit pas. Il songeait à une descente opérée deux semaines plus tôt environ dans un bar minable de Mariels et à un jeune dur costaud qu'il y avait trouvé, avec un cœur tatoué au-dessus du pouce.

– Encore autre chose, poursuivit Callahan. Un tueur professionnel ne s'amuse pas avec une dame avant de la tuer.

Hockney ne réagit qu'après un instant :

– Vous voulez dire que ma femme a été violée? dit-il, réalisant. Oh, mon Dieu!

– Nous avons autre chose, continua Callahan, d'un ton vif et neutre, maintenant que le pire avait été dit. Nous n'avons pas trouvé d'empreintes digitales mais l'empreinte d'un gant, des traces de pas, quelques fils d'une chemise de dacron... Et d'autres indices encore...

Mieux valait, pensa-t-il, ne pas préciser que l'indice matériel le plus important consistait en traces de sperme et poils de pubis.

– Je voudrais être certain de bien comprendre, dit Hockney. Est-ce que vous essayez de me dire que ma femme – et Gloria – ont été tuées par un espèce de cinglé? Un maniaque sexuel?

– C'est une hypothèse, confirma Callahan. Avec ces émeutes on a toutes sortes de cinglés déchaînés. Ils savent que les flics ne peuvent être partout.

– Et pourquoi ces... cinglés... iraient-ils choisir ma chambre d'hôtel?

– Ils ont peut-être suivi la prostituée là-haut. Il y a des givrés qui en ont après les putes.

Hockney frissonna, il imaginait Julia, se protégeant de ses bras, essayant d'éviter le couteau qui se levait et retombait.

– Je ne peux pas croire à un tel... hasard. (Il allait dire : à un acte aussi insensé.) Qu'allez-vous faire?

– Je crois que nous allons rechercher des Mariels. Deux, en particulier, répondit Callahan. Ça ne sera pas facile. Je ne voudrais pas vous donner de faux espoirs, M. Hockney.

Pour l'amour de Dieu, donnez-moi quelque chose, pensa Hockney.

Ce fut Maguire qui intervint, comme s'il avait entendu la prière de Hockney.

— Je crois que je sais par où commencer.

— Inspecteur Maguire, intervint le commissaire de sa voix la plus officielle, vous ne faites pas partie de la Criminelle. On a besoin de vous dans la rue.

— Laissez tomber cette salade, dit Maguire. Ce type est mon ami.

— C'est bon, soupira Callahan. J'essaierai de vous couvrir.

En sortant de l'hôtel de police, Hockney et Maguire tombèrent sur Wilson Martinez. Il amenait de force, dans la pièce déjà bourrée, un Noir qui faisait deux fois sa taille.

— Jay! lui dit joyeusement le flic cubain. Devine ce que faisait ce musicien de jazz.

Maguire jeta un coup d'œil sur le prisonnier et reconnut Blue, le type chargé du maintien de l'ordre qui traînait d'ordinaire aux environs du Trou, à Overtown.

— Tu essayais de te trouver une petite chatte, Blue?

Le prisonnier ouvrit la bouche toute grande, à mi-chemin entre le sourire et le grondement, dévoilant des lacunes dans sa dentition lorsqu'on cherchait ses incisives.

— Ce fils de sa mère essayait d'entrer par effraction dans l'armurerie de la Garde nationale, expliqua Martinez. Lui et un autre type. Je parie qu'ils n'avaient pas entendu dire qu'on avait appelé la Garde nationale. Il est tombé sur une centaine de bouseux tout prêts à lui couper les couilles.

— Qui t'a mis dans le coup, Blue? demanda Maguire. Tu n'as pas trouvé ça tout seul.

— *Allah-ou-Akbar*, beugla Blue en bombant le torse.

— Seigneur! dit Maguire. Il est passé chez les Fedayines Noirs. Est-ce que toute cette ville est devenue cinglée?

De dégoût, il se détourna du prisonnier, puis :

— Hé Wilson, demanda-t-il à son coéquipier. Tu veux me rendre un service? Va livrer ce mec et magne-toi le cul. Je t'attends dans ma voiture. J'ai besoin de quelqu'un qui parle espagnol.

Il suffisait à Martinez de savoir que Maguire avait besoin de lui. Il laissa un autre flic s'occuper de Blue et fonça derrière eux dans la voiture de police.

— Comment se présente la gravure, à la Petite Havane?

demanda Maguire tandis qu'ils démarraient, Hockney à l'arrière, Martinez devant.

– Vachement mal, répondit le flic cubain. Tout le monde a sorti les flingues depuis que les cinglés de la *Brigada Azul* se sont fait avoir. Andres Fortin traîne ses bottes partout, jurant vengeance.

– Andres Fortin? s'enquit Hockney, pas très sûr de la position hiérarchique de l'homme dans la brigade.

– C'est le *jefe militar* – le mec qui dirige le pan-pan. Il connaît son boulot. Il a pris part à un raid sur Cuba, il y a quelques années. Ils ont fait sauter cinq ou six maisons à Sagua la Grande.

– Tu as des nouvelles de M. Grossium? demanda tranquillement Maguire.

– J'ai rien entendu dire. Parodi doit s'écraser. Ils ont des gardes privés sur le boulevard Rickenbacker, pour le cas où des émeutiers tenteraient de descendre sur Key Biscayne. Idem avec les ponts menant à Miami Beach. Les mecs de ces palaces pour touristes se chient vraiment dessus.

La Petite Havane apparut plus calme que Liberty City. Mais il y avait beaucoup de monde, dans les rues – des hommes nerveux, excités, pour la plupart ostensiblement armés – et des barrages non autorisés autour de Calle Ocho. Martinez tira la manche de Maguire et l'inspecteur ralentit :

– *Hola, Miguel,* appela Martinez, interpellant un Cubain d'âge mûr, solidement bâti. *¿Que dices?*

Le Cubain s'avança jusqu'à la voiture de police et les deux hommes eurent une rapide conversation en espagnol.

– Miguel dit qu'ils ne s'attendent pas à d'autres ennuis dans le coin ce soir, traduisit Martinez. Les anciens – la brigade vingt-cinq zéro-six, les anciens de la baie des Cochons, pas la Brigade Parodi – s'en occupent. Ils ont organisé des groupes d'autodéfense.

– Vous voulez dire des *vigilantes*, dit Hockney.

– Non, ces types ne vont pas se promener en ville à tirer sur les Noirs, répliqua Martinez. Mais ils réserveraient une chaude réception aux Fedayines Noirs s'ils venaient chercher des ennuis à la Petite Havane. Miguel me dit qu'une bande de gamins noirs a pillé le magasin de son frère. Ils ont tout vidé.

– Quel genre de magasin?

– Caméras, télés, ce genre de trucs. C'est des gens bien. Des amis de mon père, à Cuba. *Coño,* le temps que tout soit terminé, on ne reconnaîtra plus personne dans cette ville. Je parie que Castro est en train de se taper sur le ventre. Fallait voir ces soldats de la Garde nationale, Jay. Ils chargeaient dans les rues de Liberty City en poussant des cris de guerre sudistes, comme s'ils allaient à la bataille avec Stonewall Jackson. Je sais pas l'effet qu'ils produiront sur M. Ali mais à moi ils m'ont foutu les jetons!

– Ouais, dit Maguire en poussant sa voiture à cent dix, fonçant vers l'ouest et ses bars à Mariels.

Il imaginait ce qui pourrait se passer si les soldats excités venus du nord de la Floride – des gamins ne connaissant pas la ville, aussi étrangers au ghetto noir qu'à un village vietnamien – se mettaient à déferler dans les rues. Et il se demandait combien de cadavres on déposerait encore sur le seuil du Jackson Memorial Hospital avant la fin de la nuit.

– Et vous, les gars, qu'est-ce que vous avez fait ce soir? demanda Martinez.

Maguire le lui exposa brièvement. Ce qui fit taire le flic cubain un moment.

Après quelques instants, il dit simplement :

– Je suis désolé. J'ai une femme et des gosses, moi aussi.

Émeutes et panne de courant ne paraissaient pas modifier les habituelles réjouissances du *Sugar Shack,* à l'angle de la 8ᵉ sud-ouest et de la 57ᵉ. L'enseigne au néon rose clignotante était éteinte mais la boîte était éclairée par des lampes-tempête.

– Passe par-derrière, dit Maguire à son coéquipier.

Il laissa deux minutes à Martinez pour se glisser derrière le bloc.

Puis il pénétra par la porte principale, Hockney sur ses talons. Le juke-box était également en panne mais quelqu'un, à l'harmonica, garantissait l'accompagnement musical à la go-go girl qui se trémoussait tristement sur la scène. Cette version revue et corrigée de *Guantanamera* s'arrêta net lorsque apparurent les flics.

Hockney regarda la femme sur la scène : la cinquantaine bien sonnée. La lumière tremblotante des lampes-tempête ne dissimulait ni ses varices, ni les poils humides de ses aisselles. Elle était complètement nue et le caractère obscène du

230

spectacle se trouvait encore accru par ses parties intimes méticuleusement rasées. Sa perruque blonde de pacotille, qui avait glissé, lui tombait sur les yeux.

A l'exception d'un homme, accoudé au bar, la tête dans les bras et apparemment endormi, les clients du *Sugar Shack* formaient un groupe compact autour de la scène. Ils commencèrent à s'égailler à la vue des policiers. Curieusement, ce n'était pas la danseuse qui retenait leur attention, mais autre chose, au milieu d'eux.

Maguire en saisit un et le poussa sans ménagement contre le bar.

— Tas de pourris! rugit l'inspecteur.

— Qu'est-ce qui se passe? demanda Hockney.

— Putains de monstres, jura Maguire. C'est un concours de branlette entre Mariels. Vous n'allez pas regarder ça.

Hockney regarda tout de même et recula aussitôt, fit demi-tour et se retrouva devant une statue de la Vierge, peinte de couleurs criardes, qui saillait du mur. Deux hommes, penchés sur des chaises devant la scène, essayaient d'éjaculer tandis que les autres clients pariaient sur qui y parviendrait le premier. Sous le dégoût, une rage meurtrière envahit Hockney. Il se retrouvait dans l'égout qui avait emporté la vie de Julia et, à cet instant, il se sentit capable de *tout* contre ces hommes, comme si tous étaient coupables.

— Personne ne ramasse les mises ce soir, grogna Maguire, cognant le bar de sa lampe-torche métallique qui marqua le bois et fit tinter verres et bouteilles.

La go-go girl se dirigea d'un pas tremblant vers l'arrière-salle, vivante image de la dignité offensée.

Les deux adversaires du concours remontèrent précipitamment leur jean.

Martinez paraissait mordre les autres hommes — quatorze ou quinze — comme un chien de berger et les faisait aligner contre le bar, bras étendus, jambes écartées.

— Surveille nos arrières, dit Maguire à Hockney qui se posta au bout du bar, près de l'entrée.

Maguire défila devant les hommes alignés, en sortant deux ou trois qui portaient des jeans neufs. Parmi eux, l'un des adversaires du concours.

— Demande à cette ordure quand il est arrivé ici, dit-il à Martinez en montrant l'homme d'un geste du pouce.

231

L'homme tardait à répondre.

Martinez se retourna, comme si la réponse ne l'intéressait plus puis il frappa méchamment, de sa matraque, entre les jambes de l'homme. Le *Marielito* hurla de douleur puis se mit à bafouiller furieusement.

— Il dit qu'il est arrivé hier, traduisit Martinez. C'est un des nouveaux.

— Il a quelque chose sur lui?

— Non, rien, dit Martinez après avoir fouillé l'homme.

— Dis-lui de se présenter à l'Immigration — La Migra, hein? — demain, sans quoi je reviens lui passer les couilles autour des oreilles.

Maguire savait que la menace serait vraisemblablement sans effet, mais il avait mieux à faire que de boucler des immigrants illégaux.

Il poursuivit sa marche le long du bar et s'arrêta derrière un homme brun, à la poitrine large moulée dans un T-shirt rouge.

— Celui-ci, dit-il à son coéquipier. Dis-lui de me montrer ses mains.

Avant que Martinez commence à traduire, le *Marielito* poussa un cri et frappa des deux poings. Le coup, qui cueillit Maguire en pleine poitrine, l'envoya bouler en arrière sous le choc et le fit trébucher sur une chaise. Le flic cubain, revolver en main, menaça de tirer mais l'homme au T-shirt courait vers la porte.

Le doigt de Martinez commençait à presser la détente quand il vit Hockney se jeter sur le *Marielito*. Il le saisit aux cuisses, comme en un plaquage de rugby, et les deux hommes tombèrent lourdement sur le sol. Puis Hockney, assis sur la poitrine de l'homme, se mit à lui marteler des deux poings le visage et le cou.

— Arrête, Bob! dit Maguire tout essoufflé. Ça suffit, nom de Dieu! Tu veux tuer cette salope? ajouta-t-il en tirant Hockney.

Le sang coulait du nez et de la bouche du Mariel et il avait un œil à demi fermé.

— Dans le rapport, dit Maguire à Martinez, tu mettras que ça s'est passé dans une bagarre, au bar, avant qu'on arrive.

Hockney s'appuya contre le mur, reprenant son souffle, de nouveau envahi par ce sentiment d'irréalité tandis qu'il regardait ce qu'il avait fait. *Faites que ce soit lui. Faites que cette nuit se termine.* Mais devant ses yeux, la voix et la scène paraissaient lointaines.

— *Carajo,* dit Martinez en y regardant de plus près. Il a vraiment son compte.

Les yeux du *Marielito* roulèrent, ne montrant que le blanc.

Maguire lui saisit le bras et y découvrit les marques révélatrices à la saignée du coude.

— C'est un camé, hein?

Mais il cherchait autre chose. Il ouvrit la main de l'homme et là, entre le pouce et l'index, apparut le petit tatouage bleu-noir : le cœur percé et l'inscription *Madre.*

— Ouis, souffla Maguire. Ça pourrait bien être toi.

Ils l'assirent sur une chaise et fouillèrent ses poches, découvrant dans son jean un petit sac de plastique de poudre blanche. Puis un autre, dans une chaussette. Maguire renifla, goûta.

— Qu'est-ce que c'est? De l'héroïne? demanda Hockney.

— De l'héroïne *et* de la cocaïne. Il se faisait une « boule de feu » — une piqûre d'un mélange des deux. Une pratique très coûteuse pour un Mariel. Sortons-le de là.

Les hommes, au bar, soulagés que la police ne s'intéresse plus à eux, reprirent des positions plus dignes et se remirent à boire.

Sur le trottoir, les policiers passèrent les menottes au *Marielito.* Le regard de Maguire revint aux marques de piqûres sur les bras.

— Wilson, demande-lui où il habite et où il a trouvé cette merde qu'il avait sur lui.

Martinez posa quelques questions en espagnol. Le prisonnier paraissait avoir repris connaissance mais gardait le silence.

— Je crois qu'il ne veut pas parler.

— D'accord, tu devrais lui lire ses droits, Wilson.

Martinez bredouilla la formule consacrée.

— Bon. Maintenant on va lui expliquer pourquoi il faut qu'il parle.

Ils l'amenèrent dans un coin désert derrière l'Orange Bowl.

— Tu en veux? demanda Maguire à Hockney.

Hockney secoua la tête, écœuré par le degré de sauvagerie qu'il avait découvert en lui quelques instants plus tôt. Si Maguire ne l'avait pas arrêté, il aurait pu tuer ce Cubain inconnu, sans même savoir s'il était l'assassin de Julia.

— Essaie de ne pas le marquer davantage, dit Maguire à son coéquipier. Notre ami en a assez fait comme ça.

Le Mariel fit montre d'un remarquable entêtement. Lorsqu'ils en eurent fini avec lui, il n'avait lâché qu'un renseignement : une adresse à quelques pâtés de maison du *Sugar Shack*.

Les flics connaissaient l'immeuble. Ils y avaient fait une enquête sur des violences sexuelles dont avait été victime un garçonnet, quelques semaines plus tôt.

Le *Marielito* nia savoir quoi que ce fût sur les femmes de l'hôtel. Il prétendit avoir acheté la drogue dans la rue, à un revendeur noir dont il ignorait le nom et avoir eu le fric en pariant sur un match de pelote basque. Il était exact qu'on pariait ferme au fronton de pelote basque, mais pour Maguire le Mariel n'avait rien d'un gagnant.

— C'est lui? demanda Hockney, les traits tirés, le visage blême.

— Possible, répondit Maguire. On va le garder sous l'inculpation de détention de drogue. Ensuite, on va fouiller chez lui.

Il ne jugea pas utile de faire mention de l'examen le plus urgent de l'enquête — une analyse de son sperme et de ses poils de pubis pour les comparer aux traces trouvées sur le corps des deux femmes.

— Il vaut mieux que tu restes là, dit Maguire à Hockney quand ils furent de retour à l'hôtel de police.

— Rien à faire.

— D'accord. Si j'étais à ta place, je ferais comme toi.

Tandis que Callahan appelait le médecin spécialiste de la police, ils retournèrent à la Petite Havane.

— Il a peut-être un pote qui partageait sa piaule, dit Maguire en s'arrêtant à deux immeubles de la sordide « pension » où habitait le Mariel. Ils étaient deux à l'hôtel. On va demander à l'autre pédale au premier.

Ils escaladèrent rapidement les escaliers branlants jusqu'à une porte entrebâillée. A l'intérieur, un homme au teint

234

basané, la cinquantaine, était vautré, torse nu, dans un fauteuil d'osier cassé, le ventre bombant au-dessus d'un slip sale. Des cafards couraient sur une pile d'assiettes grasses dans un évier qui, à l'odeur, devait également servir de pissoir. Manifestement, l'homme ne s'était ni lavé ni rasé depuis des lustres. Il se leva, surpris, puis se laissa retomber dans son fauteuil comme si ça n'en valait pas la peine.

— Demande-lui, pour le Mariel, dit Maguire à Martinez.

La première réponse de l'homme fut une éructation. Hockney remarqua une pile de boîtes de bière de l'autre côté du fauteuil.

— Rappelle-lui qu'il était censé se pointer au commissariat la semaine dernière, dit Hockney à son acolyte.

Il expliqua, à l'intention de Hockney, qu'une femme de l'immeuble avait déposé plainte contre l'homme pour violences sur son fils, âgé de cinq ans. Malheureusement, le récit du garçonnet avait été par trop incohérent pour tenir devant un tribunal.

Hockney montra du doigt l'interrupteur électrique de l'entrée, devant la porte. Entouré d'une plaque métallique, on l'avait gravé et peint pour en faire un gros homme avec son pantalon aux chevilles, le bouton de l'interrupteur pointant exactement entre les cuisses du gros homme.

— Ouais, dit Maguire. C'est bien le mec. Wilson, dis-lui qu'à moins qu'il se montre coopératif, on le boucle ce soir.

Menace de bluff, sans doute, mais il n'existait aucune raison pour que le gros Cubain — encore un des arrivés de l'armada de 1980 — le sache.

L'homme pourtant se montra nettement plus accommodant.

— Il y en a un qui est arrivé il y a quelques jours, traduisit Martinez. Il est là-haut.

— Son nom?

— Il dit que le gars là-haut s'appelle Coco Marín.

— Bon, allons-y, dit Maguire retournant vers le palier. On l'emmène.

— Attends, intervint Hockney tandis que l'inspecteur commençait à grimper les escaliers.

— Où est le problème? demanda Maguire, son revolver à la main, penchant la tête pour tenter de saisir un bruit ou un mouvement au-dessus.

– Eh bien, dit Hockney, réfléchissant rapidement, suppose que Callahan se trompe. Suppose que c'était voulu. Si nous arrêtons l'autre maintenant, il se peut qu'on ne puisse jamais rien prouver.

– Si cette ordure sait quelque chose, je lui ferai cracher promit Maguire.

– Ça ne nous a pas menés loin avec l'autre, lui rappela Hockney.

– Oh, il ne savait rien.

Mais l'inspecteur demeura à mi-chemin de l'étage. Puis il redescendit sur le palier.

– Tu restes là, Wilson, ordonna-t-il à son coéquipier. Je vais appeler Callahan pour voir s'il accepte une surveillance en planque.

Hockney le suivit jusqu'à la voiture.

Lorsque le commissaire Callahan se fit entendre, à la radio, il ne cacha pas que l'idée d'une surveillance ne le séduisait guère.

– De combien de flics vous vous imaginez qu'on dispose? demanda Callahan. Emballez ce métèque tout de suite. Ça me gênerait pas qu'il se fasse descendre en refusant de se laisser arrêter. C'est bien lui qu'il nous faut. On a épinglé son acolyte.

– Je crois qu'on devrait attendre le matin, insista Maguire. S'il s'agit d'un contrat, celui qu'on a ici – Coco – pourrait bien s'inquiéter en ne voyant pas rentrer son copain et essayer de prendre contact avec celui qui les a payés.

– Un contrat? s'exclama Callahan d'un ton railleur. C'est une paire de chiens enragés. Des putains de camés pervertis sexuels. Vous savez ce qu'on a trouvé sur l'autre?

Il expliqua que le pathologiste avait découvert une minuscule tache de mucus sous le prépuce du *Marielito*, qui contenait des traces de fibres de couleur. Au microscope, il était apparu que les fibres provenaient du dessus-de-lit de la chambre d'hôtel de Hockney.

En entendant l'explication, Hockney se mit à trembler. Il croisa les bras sur sa poitrine, enserrant ses genoux, mais son corps continuait à trembler. Les poumons oppressés, comme si ses côtes s'enfonçaient, il pouvait à peine respirer. Il pouvait imaginer chaque détail de ce qui s'était passé à l'hôtel, et tout cela se mêlait au spectacle sordide qu'il avait surpris au bar des *Marielitos*.

Maguire posa la main sur l'épaule de Hockney, la serra doucement.

– On va amener Coco, dit-il. On devrait en avoir assez pour boucler ces deux fils de pute à vie. Et, bon Dieu, j'aimerais que ça ne s'arrête pas là.

Ils avaient ouvert les portières de la voiture quand ils entendirent le coup de feu.

Ils trouvèrent Martinez accroupi sur le palier du premier étage, se tenant la jambe.

– L'escalier d'incendie, souffla-t-il.

– Ça va? lui demanda Maguire, hésitant un instant.

– Ouais. J'ai entendu du bruit – on dirait que le salopard m'a bousillé la rotule. Je ne peux pas marcher.

Maguire escalada les escaliers en trombe. Il trouva la fenêtre de l'étage ouverte, jeta un coup d'œil sur l'escalier d'incendie et aperçut une ombre qui s'enfuyait derrière la maison. Il tira deux coups de feu mais l'homme disparut en courant au coin de l'immeuble.

Maguire bouscula Hockney au passage, fonçant vers l'entrée principale. Il ne vit que des voitures à l'angle de deux immeubles, plus au nord. Coco pouvait avoir trouvé refuge dans l'une quelconque des maisons de la rue.

– Merde, jura Maguire tandis que Hockney le rejoignait. Nous l'avons perdu. Retourne auprès de Wilson et essayez d'obtenir une description de cet abruti au premier étage. Faut que j'appelle une ambulance.

Ils restèrent auprès de Martinez jusqu'à l'arrivée de l'ambulance. Ensuite, Hockney rentra à l'hôtel de police avec Maguire et attendit qu'il ait fait son rapport. La description de Coco aurait pu être celle de milliers d'Hispaniques en ville : jeune et mince, moustache noire, cheveux bruns coupés court.

– Où allons-nous? demanda-t-il enfin à Maguire.

– Chez moi. Dans le Grove. Je crois qu'il vaut mieux que tu viennes dormir chez moi cette nuit. Si tu es d'accord.

– C'est parfait. Merci.

Hockney commençait à ressentir une légère sensation d'étourdissement, de chute.

Lorsqu'ils furent dans son appartement, le flic ouvrit deux bières et défit le canapé de la salle de séjour.

– Est-ce que Callahan est dans le vrai? demanda Hockney.

– Je ne sais pas.

– Cela paraît si incroyable, insista Hockney.

Il ne parvenait pas à accepter que Julia ait pu être engloutie par cette horreur simplement parce que l'homme du *Sugar Shack*, rendu fou par la drogue, était tombé sur elle par hasard. Cependant, Callahan sur un point avait raison : l'homme n'avait rien d'un tueur professionnel.

Maguire n'était plus certain de rien. La chasse à l'homme avait oblitéré sa propre souffrance. Mais, là à plus de trois heures du matin, il sut que la petite prostituée d'Okeechobee comptait plus pour lui qu'il ne le croyait. Elle avait représenté la seule arme qu'il pouvait utiliser contre Julio Parodi. Coïncidence ou pas, Parodi était le seul à avoir gagné quelque chose dans cette double tragédie.

– Je ne vais pas le laisser s'en tirer, jura Hockney. Il va payer.

– Tu veux dire que tu vas aller chez lui et lui demander d'avouer qu'il a commandité une paire de Mariels pour tuer ta femme ?

– Non. (Hockney n'avait à priori aucun plan, mais, comme ça, en parlant, il commençait à en entrevoir un.) Je vais essayer de savoir ce qu'il était si important que Parodi garde secret.

– Et comment ça ?

– Je vais le suivre, l'espionner.

– Gloria a dit qu'il était sur le point de quitter la ville, lui rappela Maguire.

– Eh bien, je vais surveiller ses hommes. Je vais forcer Harold Whitman à parler. Tu veux m'aider ?

– Tu te le demandes ? répondit Maguire en posant son 38 sur la table basse. Tu sais te servir de ça ? demanda-t-il en tapotant la crosse de l'arme.

– Un peu.

– Tu ferais bien d'en prendre un.

Pendant une demi-heure, Hockney posa des questions au flic sur tous les gens qui, à Miami, étaient connus pour fréquenter Parodi, notant les noms et les adresses. A côté de certains noms, il marqua de grosses croix noires : Mama Benitez, le chauffeur-garde du corps de Parodi ; Felix Rey, le directeur de la société d'exportation d'armes, et Andres Fortin, le *jefe militar* de la *Brigada Azul*. Il griffonna également les noms de deux ou trois Cubains, bien connus pour être des ennemis de Parodi – un rival, trafiquant de cocaïne convaincu que Parodi l'avait donné, et un homme d'affaires influent dans les milieux politiques de droite, adversaire de la *Brigada Azul*. Il estimait qu'elle ternissait l'image de la communauté cubaine exilée tout entière.

Maguire ne manifestait nullement le désir d'aller se coucher, aussi demeurèrent-ils là, silencieux. Hockney pensait à des questions plus terre à terre : aviser la famille de Julia, prendre des dispositions pour les obsèques, appeler le journal afin de leur signifier qu'il demeurerait absent et ce, pour une durée indéterminée. Il essayait d'oublier la scène qui s'était déroulée dans la chambre d'hôtel. Mais il l'imaginait sans cesse; le visage de Julia lui apparaissait aussi nettement que si elle était assise là, à la place de Maguire, si réelle qu'il avait le sentiment de pouvoir la toucher en étendant la main. Il était effrayé de pouvoir la distinguer si nettement. Il ne parvenait pas à la regarder en face, ni à supporter sa muette accusation, qu'il était, lui, le responsable.

NEW YORK

Il y avait un excellent restaurant sous le pont, dans le quartier des entrepôts, côté Brooklyn, mais l'ami de Parra avait préféré un bistrot moins élégant de la Front Street voisine.

Le capitaine Joe Fischer, chef de l'unité des services d'urgence, attendait Franck Parra dans la minuscule arrière-salle aux lanternes suspendues et aux murs revêtus de bandes métalliques.

– Comment ça va, Cadsup? lui demanda Parra en signe de bienvenue.

Cadsup – l'abréviation de cadre supérieur – constituait un nom de code utilisé par certains flics comme mot de reconnaissance ou injure amicale.

La pétulante serveuse portoricaine sautilla jusqu'à Joe Fischer, posa devant lui un autre Rob Roy et lui plaqua un baiser sur la tête, laissant sur son crâne chauve et brillant une marque de rouge à lèvres gras.

– Vieille coutume portoricaine, expliqua-t-il à Parra en souriant. Les chauves portent bonheur.

– Je regrette d'avoir tant de cheveux, commenta l'homme du F.B.I.

Au cours des quelques semaines passées dans son nouveau bureau de la 56ᵉ Rue, Parra avait appris que ce n'était pas le grand amour entre ses collègues du F.B.I. et les services de police de New York. Tout comme à San Juan. Et probablement partout ailleurs. Les services rivaux, jaloux de leurs prérogatives, n'aimaient pas partager leurs sources, ni les honneurs. Mais Parra ne croyait pas à la vertu de l'attente dans un bureau, dans l'espoir que les renseignements arriveraient par des voies légales. Pour obtenir des renseignements, il fallait des amis. Joe Fischer était l'un de ces hommes : membre du quartier général de la police, il s'était arrangé pour gagner son amitié.

– Qu'est-ce que c'est que ce bordel, à Miami ? demandait Fischer.

– Je crois que c'est manipulé, répondit Parra. Il avait passé une bonne partie de la matinée à assister à un briefing sur les émeutes, dans l'immeuble du F.B.I. On se trouve là devant quelque chose de nouveau. Tout d'abord, il existe au moins deux organisations extrémistes qui lancent leurs troupes dans la rue. Les Fedayines Noirs et ces Cubains cinglés de la *Brigada Azul*.

– Ouais, répondit Fischer d'une voix traînante. Ces Musulmans Noirs ont manifesté hier soir à Harlem, dans la 125ᵉ. Ils ont tenté de tirer sur une voiture de patrouille. Et les Cubains ? Est-ce que c'est la même organisation que ceux qui ont tenté d'abattre le diplomate cubain à l'O.N.U., voilà deux ans ?

– Différents, dit Parra. Ou bien ces mecs-là sont dingues, ou ils travaillent pour Castro.

– Des saboteurs ? s'enquit Fischer en commandant un autre verre.

– C'est le plus inquiétant, répondit Parra. Et c'est ça l'élément nouveau. Ils ont entrepris de saboter tout l'approvisionnement en eau et en électricité, et ils y sont presque parvenus. Mais personne n'a rien revendiqué et la police, tout comme notre bureau local, n'a absolument rien ramené. Sauf une chose. Vous connaissez ce réacteur de Turkey Point ?

– Ouais. Ils ont coupé les câbles de transmission ou quelque chose comme ça, non?

– C'est ce qui a provoqué la panne de courant sur Miami, confirma Parra. On a aussi essayé de bricoler le système de refroidissement de la centrale pour provoquer une sérieuse fuite. Tout cela ressemble beaucoup à un boulot effectué depuis l'intérieur. Nous avons vérifié et découvert que l'un des techniciens a disparu à peu près à la même époque. Il vivait dans un camp de caravanes appelé Southern Comfort ou un nom bidon dans ce genre-là. Il a tout bonnement disparu.

– Américain?

– Non, cubain.

– Vous pensez que ce sont eux qui sont derrière tout ça?

– Possible, répondit Parra.

– Lorsque je suis allé assister à ces conférences de votre boîte à Quantico [1], fit observer Fischer, j'ai appris un truc – mis à part qu'il valait mieux porter des lunettes noires pendant les cours pour que le prof ne remarque votre sommeil profond. On nous a distribué des petites brochures de Robert Williams. Vous vous souvenez de Robert Williams?

– Sûr! Le militant du Black Power des années soixante. Il se prétendait maoïste.

– Ouais. Et il est allé faire un tour à Cuba. Il y a découvert qu'on pouvait détruire les États-Unis en quatre-vingt-dix jours environ – je me souviens qu'il avait dit quatre-vingt-dix jours – en combinant terrorisme, sabotage, incendies monstres. Il voulait que les extrémistes noirs s'emparent des villes du Nord, poussent la population des ghettos dans les quartiers blancs en foutant le feu et tiennent les banlieues blanches en otage tandis qu'ils installeraient, dans le Sud, une sorte de république dissidente. Il était prévu de liquider les Noirs modérés qui s'y opposeraient. Vous pensez qu'on pourrait se trouver devant un truc du même goût?

– Je n'exclurais rien, répondit Parra. Mais je ne crois pas que Robert Williams puisse aujourd'hui compter sur beaucoup de disciples dans la communauté noire.

---

1. Ville de Virginie, près de Washington, où, sur un campus de cent cinquante hectares, se trouvent l'Académie du F.B.I. et diverses installations pouvant recevoir sept cents stagiaires. Certains des cours dispensés sont reconnus comme unités de valeur par l'Université de Virginie. (*N.d.T.*)

— Et je me souviens, poursuivit Fischer en fronçant les sourcils, que Williams a aussi abordé l'angle technique. Ses équipes de terroristes obtiendraient l'aide de complices infiltrés dans la police et les forces armées. Bon, ça ne s'est pas encore produit. Mais certains de ces Fedayines Noirs ont combattu au Vietnam.

— Oui.

— Et — ça n'a peut-être rien à voir, remarquez — mais je pensais à ce vol avec effraction, il y a quelques nuits de ça, dans le Queens.

— Quel vol?

— Un magasin de vêtements du Queens qui nous fournit pas mal d'uniformes, expliqua Fischer. Des types sont entrés là-dedans et ont pratiquement tout raflé — des uniformes, de toute taille, y compris casquettes et matraques. Bon, qui aurait l'utilisation de tous ces uniformes de flics? Un organisateur de bal masqué?

Frank Parra réfléchit à la question. N'importe quel criminel peut avoir l'utilisation d'un uniforme de la police. Des tas de cambriolages étaient commis par de faux policiers. Il n'y avait aucune raison pour que cette affaire soit liée à une conspiration visant à déclencher des émeutes.

Néanmoins, l'hypothèse de Fischer l'inquiétait.

— Huit voitures de police ont disparu dans cette ville. On en connaît le nombre depuis ce matin. Quelqu'un a piqué une voiture au 19e district.

Voilà qui était beaucoup plus troublant. Parra avait rencontré un jeune journaliste spécialisé dans les affaires criminelles. Un gars qui se débrouillait pour aller absolument où bon lui semblait, dans les limites de la ville, à n'importe quelle allure, simplement en collant un gyrophare rouge sur le toit de sa voiture et en actionnant une sirène. On pouvait aller bien plus loin dans une voiture de police, habillé avec toute l'élégance d'un flic new-yorkais...

MIAMI

Le joueur en chemise rouge plongea rapidement sur la droite, capta la *pelota* dans sa chistera et la balança contre le fronton. Elle rebondit sur la surface dure, aussi rapide et dangereuse qu'un boulet de canon. Le joueur en bleu bondit de côté, essayant de la capter, mais il ne se montra pas assez rapide. La *pelota* le frappa à l'avant-bras. Il hurla de douleur et chut sur le sol du court. Sifflets et murmures se firent plus forts parmi les quelques spectateurs des gradins. Sur la droite, dans la partie la plus vaste située au-delà des grillages, certains spectateurs qui avaient suivi la partie sur un immense écran de télévision en circuit fermé commencèrent à refluer vers les guichets des paris.

On comptait plus de préposés à la sécurité que d'habitude, répartis autour du fronton et chargés de veiller sur les dizaines de milliers de dollars qui changeaient de mains aux guichets des paris. C'était là le seul signe du train-train nocturne à avoir été affecté par les événements qui agitaient d'autres quartiers de la ville. Seul indice : on semblait parier plus frénétiquement que d'habitude. Une petite vieille, menue, tout de noir vêtue et coiffée d'un chapeau démodé, posait un paquet de huit mille dollars sur la *quiniela,* jouant son numéro favori – la date de son mariage – et toutes les combinaisons possibles. Avec la multitude de dangers qu'offrait la ville, il paraissait raisonnable de tout jouer ici.

Un homme au moins, dans la foule, ne prêtait nulle attention aux évolutions de la *pelota.* Il faisait les cent pas le long du grillage qui bordait le court, consultant sans cesse sa montre. L'homme qu'il attendait était en retard; Coco Marín se sentait isolé et vulnérable.

Il avait passé une nuit blanche, à errer dans les rues, à éviter les flics. Il voulait ramasser son fric et se tirer de la ville. Lorsqu'il repéra enfin la familière silhouette obèse de Mama Benitez, le chauffeur de Parodi, il eut du mal à ne pas manifester son impatience.

Sans paraître le reconnaître, Mama se fraya un chemin dans la foule, épaule en avant, se plaça à côté de Coco, contre le grillage, son attention portée sur le jeu.

– Tu as le fric? murmura Coco.

– Plus tard, murmura en retour Benitez.

– Mais tu avais promis...

– Plus tard, répéta Benitez. Les flics ont emballé ton acolyte.

Ce qui confirma les pires craintes de Coco. Il fut

également surpris de découvrir que Benitez connaissait l'identité de son complice.

— Comment tu as su? murmura-t-il, toujours sans regarder Benitez.

— Ça te regarde pas. Qu'est-ce qu'il sait?

— Il ne sait rien.

— Comment as-tu justifié le fric?

— J'ai dit que c'était un contrat. C'est tout. Je le jure.

— Tu as intérêt à ne pas mentir. Tu lui as parlé de moi?

— Non. Je t'ai dit, Vasco ne sait rien.

Quelques applaudissements, parmi les spectateurs du match de pelote basque, saluèrent un bel échange entre deux nouveaux joueurs. Mama Benitez remarqua que le joueur qui avait fini par perdre le point portait son numéro favori : le quatre.

Il saisit le poignet du *Marielito* et le serra avec tant de force que Coco sentit sa circulation s'arrêter.

— Sur la vie de ta mère?

— Sur la vie de ma mère, répéta consciencieusement Coco. Et l'argent? demanda-t-il lorsque Benitez eut desserré son étreinte.

— Dehors.

A trente mètres de là, juché sur son tabouret au bar, Hockney avait une vue imprenable sur la scène. Il avait loué une voiture le matin même – une vieille L.T.D. au moteur gonflé qui appartenait à un fana de la bagnole, un ami de Jay Maguire – et il s'était mis à faire le tour des coins que fréquentait Parodi. Dans l'après-midi, il avait repéré le chauffeur qui quittait l'armurerie de Flagler Street. Hockney avait décidé de le suivre, dans l'espoir que Benitez le mènerait à Parodi. Mais Benitez s'était livré à une sorte de rallye, s'arrêtant à une banque, puis aux bungalows du quartier général de la *Brigada Azul*, près de l'Orange Bowl. Hockney avait passé la plus grande partie de l'après-midi assis dans la chaleur étouffante, à attendre. Il était sur le point d'abandonner sa planque quand Benitez avait pris la route de l'aéroport. Puis le chauffeur avait quitté la voie rapide et laissé la Dodge à un parking de la 36e Rue nord-ouest, face au fronton de pelote et à ses enseignes rouge corail.

Benitez s'était arrêté pour parier, en se rendant vers le fronton et pendant un instant Hockney avait été convaincu qu'il perdait son temps. Le chauffeur passait son après-midi à regarder des matchs de pelote basque, plus populaire pour un parieur cubain que les courses de chevaux ou de chiens. Lorsqu'il vit Benitez serrer le bras du jeune homme frêle, Hockney réalisa qu'il s'agissait d'un rendez-vous.

– *¿Teléfono?* demanda Hockney à la fille derrière le snack-bar.

Elle désigna une rangée de taxiphones dans le hall.

La standardiste de l'hôtel de police décrochait quand Hockney aperçut Benitez et le jeune cubain passer devant lui, se dirigeant vers la porte.

– Le commissaire Callahan, à la Criminelle, bafouilla-t-il. Urgent.

Il attendait toujours que le poste de Callahan réponde lorsque Benitez franchit la porte. Il raccrocha le téléphone et les suivit, se frayant un passage dans la foule.

Il arriva à temps pour voir Benitez et l'autre homme engagés dans une sorte de querelle, à côté de la Dodge. Benitez sortit un pistolet et le jeune cubain cessa de protester et grimpa dans la voiture. Hockney, sans arme, se sentait nu et impuissant. Mais il sauta dans la L.T.D. et suivit la Dodge bleue qui descendit la route et tourna dans LeJeune Avenue. Hockney laissa deux ou trois voitures entre eux.

Il savait que le Cubain tenu en joue par Benitez ne pouvait être que le second tueur, Coco Marín.

Mama Benitez descendit LeJeune Avenue vers le sud, une main sur le volant, l'autre serrée sur l'automatique trapu.

– Laisse tomber l'argent, suppliait le *Marielito*. Laisse-moi partir, c'est tout. Je te jure que j'en parlerai jamais à personne.

– Pour ça, tu as raison, dit Benitez avec un sourire mauvais.

Il avait appris l'arrestation du complice de Coco par un contact à l'hôtel de police. Le coup de fil lui était parvenu vers midi, à son retour à l'appartement de Key Biscayne après qu'il eut accompagné son patron à l'aéroport. Parodi avait ordonné à Benitez de « régler ça » et le chauffeur avait bien l'intention de respecter scrupuleusement ces instructions. Parodi avait imaginé qu'en utilisant Coco Marín et son chien enragé de complice pour massacrer les deux femmes, il détournerait tout soupçon, que les flics croiraient à un crime commis par des dingues. Coco était le seul lien entre Parodi et le double meurtre de l'hôtel. Nul ne se soucierait de la disparition d'un étranger, immigrant illégal, dont on n'avait pas enregistré l'entrée aux États-Unis.

Une chose troublait Mama Benitez. Dans son rétroviseur, il apercevait une vieille Ford L.T.D. de couleur crème. La nuit tombait vite, mais il était sûr d'avoir vu cette voiture un peu plus tôt dans la journée, alors qu'il se rendait au Q.G. de la *Brigada Azul* pour remettre à Andres Fortin quelque argent et de nouveau devant la banque. Si on le suivait, il s'agissait d'une filature maladroite, trop flagrante. A moins que cette maladresse ne fût voulue. Il savait que les flics se livraient parfois à ce petit jeu, pour faire pression sur leur gibier, essayer de le rendre nerveux, de lui faire commettre une faute. Eh bien, il n'avait plus le temps à présent de modifier ses projets.

A deux pâtés de maisons au nord de Flagler, Benitez vira à droite et descendit la bretelle qui menait au parking de l'aéroport. La L.T.D. suivit. Il prit suffisamment de vitesse pour la distancer puis vira brutalement sur un embranchement menant à un terrain vague et braqua jusqu'à ce que la Dodge ait fait demi-tour dans un crissement de pneus. Puis il appuya à fond sur l'accélérateur et fonça tout droit sur la L.T.D.

Coco Marín se mit à hurler, se saisit du volant. Mama Benitez le fit lâcher prise d'un coup de crosse dans les côtes. Il vit le conducteur de la L.T.D., bouche ouverte, braquer à son tour. Bruit de tôles froissées lorsque les voitures s'accrochèrent puis choc plus violent lorsque la L.T.D. alla heurter l'arrière d'une fourgonnette garée.

Benitez sortit en trombe du parking. Dans le rétroviseur il vit que la L.T.D. n'avait pas bougé. Le chauffeur essayait de décrocher son pare-chocs.

Lorsque Hockney réussit à dégager la L.T.D., Mama Benitez avait disparu. Dans un grand bruit de ferraille, la voiture l'amena jusqu'à l'hôtel de police. Fébrile, presque incohérent, Hockney frappait du poing sur le bureau, crachait plusieurs phrases d'affilée puis s'arrêtait au milieu d'une phrase pour reprendre son souffle.

— Doucement, dit Callahan. Tenez, fumez une cigarette. Prenons tout cela dans l'ordre. Vous dites avoir suivi le chauffeur de Parodi. Le gars qui devrait porter une gaine.

— Oui, confirma impatiemment Hockney. Et je l'ai vu forcer Coco Marín à monter dans sa voiture sous la menace d'une arme.

— Comment savez-vous que c'était Coco Marín?

— Le signalement concorde : Mince, cheveux noirs, moustache.

— C'est le signalement de la moitié de la population mâle d'origine cubaine que vous me donnez là.

— C'était *forcément* lui, insista Hockney.

— Un instant. Ça pouvait être un contact pour une histoire de drogue, ou plus vraisemblablement quelqu'un qui devait de l'argent à Benitez ou à son patron. Cela expliquerait la présence d'une arme. A condition qu'il s'agisse bien d'une arme. Il devait faire bien sombre dans le coin.

— Et Benitez qui m'a foutu en l'air. Qu'est-ce que vous en dites?

— Ma foi, ça ne me plairait pas à moi non plus qu'on me suive toute la journée.

Hockney s'en prit furieusement à Callahan qui se hâta d'ajouter :

— Bon, vous avez peut-être trouvé quelque chose. Peut-être. On va vérifier, d'accord? Et puis, je pense que vous venez de passer deux jours plutôt éprouvants, non? Alors, je crois que vous devriez aller vous reposer et me laisser faire.

— Vous voulez dire que vous n'allez rien faire, lui dit Hockney d'un ton de reproche.

— Allons, écoutez, Bob. Vous avez le droit d'échafauder toutes les théories que vous voulez, mais nous n'avons pas la plus petite preuve permettant de relier ces meurtres à Parodi ou à ce gros tas de Benitez. Vous ignorez si le type que vous avez vu à la pelote basque était bien Coco Marín. Vous voulez que ce soit lui. Vous ne pouvez pas aller enfoncer la porte de M. Parodi avec ce seul argument. L'autre Mariel a avoué. Il a dit que c'est lui et son ami Coco qui ont fait le coup, de leur propre initiative. Ils ont suivi la fille dans la rue, dans l'hôtel, ont commis leur forfait et ont pris l'argent et les bijoux.

Hockney n'écouta pas la fin des propos de Callahan. Il sortit en claquant la porte, écœuré, prit l'ascenseur, fit le tour

247

de la réception au rez-de-chaussée et fonça dans le dédale des box vitrés de la Voie publique. Le flic, à la réception, lui fit un signe de la main; on commençait à le connaître.

Il faillit rentrer, tête la première, dans Wilson Martinez. Le flic cubain se protégea d'une main. De l'autre, il tenait une béquille.

— Excusez-moi, grommela Hockney. Il faut que je trouve Jay.

— Vous avez de la veine, dit Martinez. On s'apprêtait à repartir courir les rues.

A cloche-pied, il conduisit Hockney jusqu'au parking où Maguire l'attendait, moteur en marche. En quelques mots, Hockney lui expliqua ce qu'il avait vu.

— Merde, dit Maguire. On peut toujours arrêter Benitez pour conduite dangereuse. J'ai toujours voulu jeter un œil sur la piaule de Parodi. Tu en es, Wilson?

— Bien sûr.

— Bon sang, tu es aussi dingue que moi. Callahan pourrait nous faire retirer nos insignes pour ça.

Les excités armés jusqu'aux dents et qui montaient la garde sur la voie express Rickenbacker s'écartèrent pour laisser passer la voiture de police.

— Regarde-moi ces cons, murmura Maguire. On croirait qu'il y a eu la révolution.

Les gardiens du poste de garde de la voie privée qui menait à l'immeuble où habitait Parodi se montrèrent moins accommodants. Ils voulurent appeler le logement de Parodi avant de les laisser passer.

— Levez ce truc, dit Maguire en montrant la barrière, ou je vous fous au trou.

Une jeune femme, en uniforme de soubrette, vint leur ouvrir la porte. Elle expliqua, en un anglais approximatif, que Parodi était parti à l'étranger le matin même et qu'il serait absent assez longtemps.

— Et M. Benitez? lui demanda Maguire.

Hockney remarqua la grimace de dégoût sur le visage de la fille et il se demanda quelles privautés on permettait à Mama Benitez avec le personnel de maison.

Elle répondit que Benitez aussi était parti.

Sans prononcer le moindre mot, Maguire passa devant la fille et se livra à une inspection de l'appartement pièce par pièce. Il siffla à la vue des batteries d'équipements électroniques et des larges terrasses qui dominaient la ville et l'océan. Il s'assit sur le lit circulaire des appartements du maître et joua avec la console encastrée dans le mur. Une touche pour la musique d'ambiance, une autre touche pour un projecteur de cinéma. Des scènes, d'une sexualité peu accessible au commun des mortels, se projetèrent sur un écran et se réfléchirent dans les glaces qui tapissaient le plafond et la plus grande partie des murs, des scènes où se mêlaient deux filles, un homme et un berger allemand.

– Joli, commenta Maguire en éteignant le projecteur.

Hockney visitait le bureau.

Éparpillés sur le bureau se trouvaient les divers papiers dont un homme pressé pouvait débarrasser ses poches avant d'aller prendre un avion : vieux reçus de cartes de crédit, vieux billets d'avion, tickets de paris, deux billets, la carte professionnelle d'un avocat, celle d'un agent immobilier, un relevé bancaire. Tout cela paraissait bien innocent. Il n'était guère vraisemblable, après tout, que Parodi laissât traîner des preuves compromettantes bien en évidence sur son bureau. Puis, Hockney examina de nouveau l'un des billets : un billet d'entrée au Yankee Stadium de New York.

« Comme ça, Parodi aime le base-ball », songea-t-il. Mais un billet pour le Yankee Stadium *à New York*? D'après ce qu'il savait des habitudes du Cubain, cela ne tenait pas debout. Il fourra le billet dans la poche-poitrine de sa veste.

Par une nuit où les incendiaires avaient détruit l'équivalent de cinq ou six pâtés de maisons, nul, à l'hôtel de police, ne prêta beaucoup d'attention à un rapport des pompiers, concernant un D.M.A. Découvert mort à l'arrivée sur les lieux. Rapport à l'attention du commissaire Callahan. Signalant des fractures du crâne vraisemblablement provoquées par un instrument contondant avant qu'ait brûlé la voiture renversée sur la 16e Rue nord-ouest, un quartier relativement calme. On avait découvert le corps dans la position du boxeur en garde, poings en avant, jambes fléchies. Pose classique, ainsi que le savait Callahan, des cadavres découverts dans un incendie, la chaleur du foyer provoquant la contraction des muscles tandis que brûlaient lentement la peau et les tissus et que se rompaient les os. Ce qui restait du corps rendait impossible toute tentative d'identification. Il ne restait, non plus, aucun effet personnel à part quelques fragments de vêtements carbonisés. Tout ce qu'on tira de l'autopsie, le lendemain, fut que l'homme était certainement mort avant l'incendie : aucune trace de suie ou de fumée dans les voies respiratoires. Un meurtre, donc, que le feu eût été accidentel ou pas. On consigna l'affaire, avec les douzaines d'autres cas de victimes non identifiées, dans les registres de la brigade des Attentats contre les personnes, aux fins de contrôle avec la liste des personnes disparues. Aucune raison, donc, en ce qui concernait le commissaire Callahan, de lier cela à l'enquête en cours sur le meurtre de Julia Hockney et de sa compagne.

— Je vais chercher un hôtel aujourd'hui, dit Hockney à Maguire, devant son petit déjeuner. Je ne veux pas te déranger.

— Ferme-la et bois ton café, lui répondit Maguire. On est collés l'un à l'autre, maintenant.

— Il faudrait au moins que je récupère mes affaires. Je suis en train d'user ta garde-robe.

Il regarda les manches de la chemise bleu clair empruntée au flic. Les manches s'arrêtaient à environ cinq centimètres des poignets.

— Prends ce qu'il te faut, dit Maguire en se glissant dans la cuisine étroite et sans lumière. J'ai faim, annonça-t-il en inspectant les cases presque vides du réfrigérateur. J'ai des œufs.

— Parfait, répondit Hockney en regardant Maguire battre les œufs avec un morceau de margarine. Puis il demanda : Jay, tu pourrais me trouver l'adresse du domicile d'Arnold Whitman?

— Notre gentil organisateur local, hein? dit Maguire sans goûter à son mélange. Ouais, je crois que le moment est venu de lui demander à quoi il joue avec Parodi. Je peux avoir son adresse. C'est-à-dire, si un chef de station de la C.I.A. est abonné au téléphone. J'ai un ami à la compagnie du téléphone qui peut me fournir n'importe quel numéro ne figurant pas à l'annuaire.

Maguire remua les œufs avec une cuillère pour les empêcher d'attacher au fond de son poêlon noirci.

Il y avait une démarche que Hockney avait décidé de faire et dont il ne parla pas, bien que ce fût Jay Maguire qui, le premier, eût abordé le sujet. Il n'avait jamais possédé d'arme ni songé à en avoir une. Depuis la nuit précédente et l'amère frustation ressentie en arrivant si près des deux hommes qui – il le savait dans sa chair – étaient responsables de la mort atroce de Julia, sans pouvoir les maîtriser, il réalisa qu'il lui fallait être armé.

A l'armurerie de Flagger Street, il paya trois cents dollars un Walther P.38 9 millimètres – sans qu'on lui ait posé la moindre question.

Derrière la maison d'Arnold Whitman à Miami Beach s'étendait un jardin, petit mais amoureusement entretenu, ainsi qu'une piscine et une jetée. Il aimait à s'asseoir là, lorsque la chaleur de la journée commençait à diminuer, avec une bouteille de scotch et aucune autre lumière que la lueur bleue de l'appareil acheté par Betsy, sa femme, pour attirer et brûler les moustiques. Whitman, étendu sur une chaise longue, évoquait la façon dont il avait dû attacher aux mâts et aux rambardes de leurs bateaux de pêche les Cubains de l'armada arrivée à Crawl Key et ce afin de les empêcher d'envahir les installations de la base secrète de la C.I.A. Malgré tout ce qui se passait, l'ordre de Washington n'avait pas varié : renvoyez-les. Il se demandait combien, parmi tous ceux qui avaient tenté de débarquer à Crawl Key, avaient survécu au voyage de retour, escortés par un dragueur de mines de la Marine, appelé pour soulager les garde-côtes surchargés.

Il était rentré des Keys en hélicoptère l'après-midi même et avait pu voir, d'en haut, le ruban de résidents et de touristes effrayés dont les voitures bloquaient le Ten-Miles Bridge.

Au moins tirait-il satisfaction de la nouvelle liaison radio. Ils l'avaient essayée dans le courant de la nuit et avaient reçu un signal parfaitement clair, à l'autre bout, de moins d'une seconde : une transmission flash, relayée par satellite et à peu près impossible à intercepter pour les Cubains – ou impossible à décrypter dans le cas fort improbable où elle serait interceptée. L'opérateur, côté La Havane, était un agent en sommeil que, depuis plus de cinq ans, la C.I.A. tenait en réserve. Désormais, il transmettrait les communications entre Arnold

Whitman et Julio Parodi. Tout se passait parfaitement, pensa Whitman. A certains moments, il avait douté de la valeur de Parodi – et de sa loyauté – qu'il n'avait jamais tenues pour acquises. Il apparaissait maintenant que les investissements Parodi commençaient à payer généreusement.

Il entendit la sonnette de la porte d'entrée et la voix de Betsy qui annonçait depuis la cuisine :

– J'y vais.

Il lui avait instamment demandé de rejoindre sa famille dans le Maine, et d'y demeurer jusqu'à la fin des émeutes. Mais Betsy était la solide épouse d'un agent de la C.I.A., et elle avait prouvé tout son calme au milieu de coups d'État et d'insurrections dans divers pays du tiers monde où il s'était trouvé en poste. Elle aurait même pu apprendre deux ou trois trucs à Quayle, le chef du groupe des Opérations cubaines de l'Agence.

Whitman pensa que le visiteur nocturne pouvait être un messager de la station, sans doute porteur d'un nouveau message de Quayle. Mais Betsy paraissait s'attarder dans l'entrée.

– Qui est-ce? demanda-t-il.

N'obtenant pas de réponse, il se tira à contrecœur de sa chaise longue et entra dans la maison. Il y trouva Betsy en pleine discussion avec un homme jeune, grand, les cheveux ébouriffés, qui semblait ne pas avoir dormi depuis pas mal de temps.

– Qui êtes-vous? lui demanda peu aimablement Whitman.

– Un journaliste, répondit Betsy. Je lui ai dit que tu ne pouvais pas le recevoir.

– Robert Hockney, dit-il en se présentant.

– C'est bon, dit Whitman à sa femme. Puis à Hockney : Venez donc par là.

Ils se rendirent dans l'antre de Whitman, une petite pièce encombrée qui sentait le mégot froid. Quelques plaques au mur témoignaient de la gratitude de divers gouvernements étrangers. Whitman tira une bouteille de Famous Grouse de sa réserve personnelle et en versa une bonne rasade dans chaque verre.

– J'ai eu beaucoup de mal à vous trouver, dit Hockney.

– Je l'imagine, reconnut le chef de station. Écoutez. J'ai

252

appris ce qui était arrivé à votre femme. C'est horrible, nom de Dieu. Je suis désolé.

– Je suppose que vous avez également entendu parler des tueurs.

– J'ai entendu dire que les flics avaient arrêté un *Marielito*.

– Ils étaient deux dans le coup. Le second travaillait pour Julio Parodi.

– Ce n'est pas possible, dit Whitman en pêchant un cigare à demi fumé dans un gros cendrier de cuivre et en essayant de le rallumer. Il gratta vigoureusement l'allumette et un éclat de phosphore enflammé vola, troua sa chemise, sous sa poche-poitrine.

– Le second tueur, fit Hockney très vite, est un homme du nom de Coco Marín. Je l'ai vu avec le chauffeur de Parodi hier soir au fronton de pelote basque de Miami. Mama Benitez le tenait sous la menace d'une arme. Je les ai perdus, mais je sais ce qui s'est passé. Benitez l'a assassiné pour l'empêcher de parler.

– Bob, je sais que vous êtes terriblement bouleversé...

– Le fait que je sois bouleversé n'a rien à voir, poursuivit Hockney, furieux à présent. Je vous dis ce qui s'est passé. Et je suis ici pour que vous m'expliquiez *pourquoi*.

– Je crains de ne pas vous suivre.

– Vraiment?

Il y avait de la méfiance tout autant que de la colère sur le visage de Hockney. Il ne pouvait exclure la possibilité d'une complicité de Whitman et de la C.I.A. avec les assassins. Whitman voulut rallumer son cigare.

– Je veux savoir quel jeu joue Parodi. Je crois que vous connaissez la réponse. On a tué ma femme parce qu'elle rencontrait une autre femme – une femme qui s'appelait Gloria – qui savait quelque chose de si explosif sur Parodi qu'on a dû la tuer pour cela. Je sais que Parodi a partie liée avec Cuba. C'est pour cela que les Cubains m'ont arrêté à La Havane et ont essayé de me faire chanter. Je suis sûr que vous savez tout cela.

– Continuez.

– Je sais également que Parodi travaillait pour vous.

– Vous n'espérez pas sérieusement que je vais confirmer cette histoire?

– Il faut que *quelqu'un* commence à me dire la vérité, hurla Hockney.

Il sentait le poids de l'arme contre ses côtes et pendant un fol instant il fut sur le point de la sortir et de la brandir sous le nez de Whitman.

– La police a fouillé l'appartement de Parodi la nuit dernière. On dirait qu'il a quitté le pays. Tout comme Benitez. Si vous ne me dites pas ce que vous savez, je ferai afficher votre portrait en première page de tous les journaux de ce pays.

Menace peu convaincante, mais cela valait toujours mieux que de brandir un pistolet.

Whitman y réfléchit un instant en silence, époussetant le devant de sa chemise.

– Vous avez avancé quelques très graves allégations, fit observer le chef d'antenne. Pouvez-vous prouver quelque chose?

– Je viens de vous le dire. J'ai vu le chauffeur de Parodi et Coco Marín de mes propres yeux.

– Pouvez-vous prouver que Benitez l'a tué? Pouvez-vous prouver que ce type, Coco, est dans le coup pour le meurtre de votre femme? Êtes-vous seulement sûr que l'homme que vous avez vu est bien Coco Marín?

Hockney hésita. Les questions étaient quasiment les mêmes que celles du commissaire Callahan.

Il contra par une autre question.

– Parodi s'est enfui. Ce qui prouve qu'il est coupable.

– Parodi ne s'est pas enfui.

Cette simple et nette affirmation marquait un tournant dans la conversation. Pour la première fois, Whitman reconnaissait implicitement ses relations avec le trafiquant de drogue.

– Dans ce cas, où est-il? demanda Hockney.

– Je ne peux le dévoiler.

– Est-ce qu'il est à Cuba?

– Je suis un type normal, Bob. Je peux comprendre vos sentiments. Je suis prêt à parler dans la mesure où ce que je vous dirai ne sortira pas de cette pièce.

Hockney vit le vieux piège s'ouvrir devant lui, le traquenard de prétendues confidences, de mensonges, ou de demi-mensonges, murmurés en douce par une personne qui ne pouvait être tenue pour responsable. Il décida de ne pas retomber dans ce piège. Quoi qu'allait lui dire Whitman, il était prêt à s'en servir.

– Julio Parodi est une ordure de première grandeur, poursuivit Whitman. Mais il se trouve qu'en ce moment même il se livre à une importante mission pour ce pays.

– Vous voulez dire en laissant ces gangsters de la *Brigada Azul* déchaîner une guerre raciale dans cette ville?

– C'est regrettable, dit Whitman. Des choses nous échappent. Je ne crois pas Parodi personnellement responsable. Mais, franchement, c'est secondaire.

– Secondaire? s'étouffa Hockney. Vous avez vu ce qui se passe en ville?

– J'ai vu, répondit Whitman. Nous savons vous et moi que c'est une saloperie. Il est parfois nécessaire d'utiliser des gens qui ne sont pas des enfants de chœur. C'est tout ce que je puis vous dire.

– Vous êtes incroyable, dit Hockney avant de lancer la question qu'il brûlait de poser : Parlez-moi de Monimbo.

– Monimbó, corrigea Whitman. C'est un village indien du Nicaragua.

Il ne paraissait que modérément surpris par la mention de ce nom. Le journaliste avait espéré une réaction plus vive. Avançant à tâtons, il demanda :

– Quel rapport entre Parodi et Monimbó?

Cette fois-ci, il fit mouche. Whitman était vraiment touché.

– Je ne comprends pas, dit l'homme de la C.I.A., tripotant son verre.

– Gloria – la fille qu'on a assassinée en même temps que ma femme – a découvert une chose concernant Monimbó. C'est pour cela que Parodi l'a fait exécuter.

– Oh, Seigneur, soupira Whitman. Hockney sut qu'il tenait le bon bout. Mais il ignorait toujours ce que signifiait Monimbó.

– Je vais rendre tout cela public à moins que vous ne me disiez tout.

Cette fois, la menace se révéla plus efficace.

– Confidentiellement, commença Whitman. Nous avons mis la main sur un déserteur nicaraguayen. Ça date de la semaine dernière. On l'a ramassé à la frontière du Honduras et il a demandé qu'on le conduise à l'ambassade des États-Unis à

Tegucigalpa. Il est lieutenant dans l'armée de terre. Un gamin, vingt ans peut-être.

— Il a un nom?

— Díaz. Jesús Díaz.

Whitman se souvenait de tous les détails car il avait jeté un coup d'œil sur le rapport envoyé par Quayle le matin même.

— Selon Díaz, reprit-il, une rencontre secrète s'est tenue à Monimbó au cours de l'été 1980. Un certain nombre de chefs révolutionnaires d'Amérique centrale et des États-Unis étaient présents. Fidel Castro a prononcé un discours. Il y affirmait que les Cubains avaient un plan pour détruire, saper les États-Unis : actions coordonnées de sabotage et de terrorisme, incitation à des émeutes raciales dans les principales villes.

— Le Plan Monimbó, murmura Hockney. Et qu'est-ce que vous avez fait de ce déserteur nicaraguayen?

— On l'a gardé au frais, là-bas au Honduras.

— Le type chargé de l'interrogatoire a déclaré qu'il s'agissait d'une source douteuse, avoua Whitman, l'air plus embarrassé que jamais. Vous vous souvenez de ce déserteur de Managua que le State Department a laissé passer à la télé il y a deux ans? Celui qui a retourné sa veste et a raconté aux médias qu'on l'avait contraint à raconter des mensonges? Les gens du ministère avaient bonne mine!

— Je me souviens.

— Eh bien, le type chargé de l'interrogatoire a pensé que ce Díaz était de la même veine. Son histoire ne paraissait pas tenir debout. Je veux dire qu'il avait environ dix-sept ans quand Castro aurait révélé l'existence de ce prétendu Plan Monimbó. Comment un adolescent aurait-il eu accès à une réunion ultra-secrète organisée par la D.G.I.? Notre agent a eu l'impression que cette affaire Díaz était un coup monté et que si on livrait le gosse aux médias, il se mettrait à tout nier et à prétendre qu'on lui avait appris la leçon sous la menace. Ou, pire, que l'Administration goberait tout ça et en ressortirait si traumatisée que nous pourrions finir par nous lancer dans quelque action précipitée contre Castro. Inutile de vous rappeler ce qui s'est passé quand votre journal a publié ce morceau de désinformation sur notre prétendu plan d'invasion du Nicaragua?

— Non.

– Et je pense qu'intervenait également un autre facteur dans cette prise de position – ce que vous appelleriez un facteur politique.

– Et c'était...?

– Eh bien, on a entendu le directeur du F.B.I. déclarer plus d'une fois qu'il n'existait pas de preuves irréfutables de l'implication de Cuba dans la violence terroriste aux États-Unis, mis à part quelques Portoricains. Bon, l'Agence n'est pas censée s'occuper des affaires intérieures, n'est-ce pas? De quoi cela aurait-il l'air si on brandissait soudain un rapport affirmant que Castro a mis au point un plan visant à faire sauter nos villes, sans autre preuve pour étayer notre accusation que la parole d'un gamin nicaraguayen inconnu qui maintiendra ou ne maintiendra pas sa version première des faits devant les caméras de la télé. Vous me suivez? Vous voyez, qu'est-ce que dirait votre rédacteur en chef si vous entriez dans son bureau pour lui annoncer que Fidel avait l'intention de déclencher une guerre raciale aux États-Unis, sans autre preuve?

– Ils penserait probablement que je viens d'adhérer à la John Birch Society [1].

Hockney imaginait la tête de Len Rourke et sa moue de dédaigneuse incrédulité.

– Mais on ne peut comparer, poursuivit-il. Moi, je ne paie pas Julio Parodi.

Whitman pesait ce qu'impliquait tout ce que Hockney venait de lui raconter. Jamais, au cours de ses rencontres avec Parodi, le Cubain ne lui avait révélé qu'il était au courant d'un quelconque Plan Monimbó. Et cependant, le fait que la call-girl en avait entendu parler laissait penser que Parodi se trouvait directement dans le coup, et que pendant tout ce temps il avait amusé Langley avec quelques potins – des fuites qui s'étaient traduites par l'arrestation d'une paire d'agents de la D.G.I. de petite envergure et la saisie de plusieurs livraisons d'armes à des guérillas d'Amérique centrale – alors que sa loyauté était avant tout acquise à La Havane. Cela signifiait que la dangereuse opération dans laquelle se trouvait maintenant embarquée la C.I.A. avec Cuba pouvait être une ruse de la

---

1. Organisation d'extrême droite, du nom d'un ancien missionnaire protestant abattu par les communistes chinois peu après la fin de la Seconde Guerre mondiale. (*N.d.T.*)

D.G.I., une bombe à retardement réglée pour éclater à la figure de l'Agence, de telle sorte qu'elle provoque – et justifie – la phase suivante du Plan Monimbó. Quel meilleur moyen de préparer une vague de manifestations et d'émeutes à l'échelle du pays que d'impliquer la C.I.A. dans une nouvelle tentative d'assassinat contre Fidel Castro?

Hockney soulevait en son for intérieur une question connexe. S'il existait vraiment un Plan Monimbó, quelle en serait la phase suivante? Les émeutes de Miami constituaient un feu d'artifice spectaculaire, certes, mais guère plus qu'un feu d'artifice en ce qui concernait la plus grande partie du pays. On n'avait pas touché aux autres villes. Où et quand serait porté le prochain coup des Cubains?

9

NEW YORK

En traversant le pont de Triborough, l'homme installé à l'arrière de la grosse limousine contemplait le paysage de l'East River qui se découpait sur le ciel, jusqu'à ce que disparaisse derrière les cathédrales du capitalisme le lugubre Harlem, couleur rouille et excréments. Toute la scène se replia comme un diorama dans un livre d'enfant qu'on renferme. Puis, la voiture suivit la boucle d'accès descendant sur la voie Franklin-Roosevelt qui longeait le fleuve; c'était une voiture de luxe, une longue limousine grise pour laquelle les trous et les bosses de la route ne comptaient guère. Le chauffeur portait casquette, petit nœud papillon noir et costume noir. Cet équipage n'était pas rare au point de se faire remarquer par les passants, du moins pas à Manhattan où les immenses limousines étaient plus courantes que les rames de métro réfrigérées ou les cyclistes s'arrêtant aux feux rouges. Des vitres fumées garnissaient la limousine, le genre de vitres censées empêcher les badauds d'y venir coller leur nez pour voir la figure du passager.

L'homme installé à l'arrière arborait une coupe en brosse démodée qui lui donnait tout l'air de sortir d'une ancienne gravure de salon de coiffure. Avec sa cravate club, sa chemise au col blanc amidonné retenu par une coquette barrette d'or et ses lentilles de contact teintées dont la couleur changeait avec l'éclairage, il ne ressemblait guère à l'homme que Hockney avait aperçu sur le pont du *Duchess,* fixant, le regard dur, les eaux clapoteuses de San Juan. On aurait pensé qu'il se rendait à Wall Street, ou encore à Madison Avenue.

Mais en passant sous le tunnel de l'immeuble de l'O.N.U., le chauffeur lui annonça :

— On arrive.

La limousine glissa dans la file de droite, faisant tomber sa vitesse de cinquante à quinze kilomètres à l'heure.

Beacher tripota une montre qui n'aurait pas paru déplacée sur le tableau de bord de la navette spatiale, puis appuya sur un bouton de la portière de droite commandant la lente descente de la vitre.

A hauteur du pâté de maisons situé entre la 39ᵉ et la 38ᵉ Rue, parfaitement visible au-dessus d'un mur de brique surmonté de fils de fer, on apercevait un énorme transformateur de couleur framboise, entouré de tout un enchevêtrement de rouleaux, de tuyaux et d'isolateurs de porcelaine.

Le chauffeur accéléra au moment où disparaissait le transformateur.

— Tu l'as repéré? demanda-t-il.

— Facile, répondit Beacher.

Il s'était écoulé assez de temps pour tirer une, peut-être deux balles de fusil dans le réservoir de refroidissement à huile fixé au transformateur de haute tension, sans qu'il soit nécessaire d'arrêter la voiture. Beacher se retourna pour jeter un coup d'œil aux cheminées de la centrale électrique qui, le long des quais, alimentait le transformateur.

La grosse voiture poursuivit sa route, passant devant l'hôpital Bellevue et les logements à loyer modéré de Stuyvesant Town. Au-dessus de la voie rapide, la pancarte verte annonçait : Sortie 6-15ᵉ Rue est.

— C'est là, dit le chauffeur en la désignant du doigt.

Pris en sandwich entre deux immenses bâtiments de la Consolidated Edison, Beacher aperçut le second transformateur, cible aussi facile à atteindre que la première.

— Il fait partie de *ça,* dit le chauffeur, désignant une autre série de cheminées. La centrale de l'East River. Quelque chose a pété, là, accidentellement, il y a deux ans. Plus de lumière à Greenwich Village, Soho, la Petite Italie, le bas de l'East Side, Wall Street et tout le tremblement. Tu veux jeter encore un coup d'œil? On peut sortir à Houston et revenir de l'autre côté.

– Non, répondit Beacher, descendons au World Trade Center.

– C'est toi le patron.

La nuque du chauffeur avait la couleur douce du chocolat au lait. Beacher était content de son guide, efficace et peu bavard. A Cuba, on l'avait surnommé Bujia – la Bougie – du fait du vif intérêt qu'il portait aux voitures et à leur moteur. Le surnom lui était resté. Né à Brooklyn, élevé par une mère célibataire, Bougie ne s'était guère intéressé à la politique jusqu'à ce qu'il reçoive sa feuille de route pour le Vietnam. Il avait suivi les conférences d'un centre communautaire opposé à la guerre, dans le bas de l'East Side. Il avait eu droit, entre autres, à un récit enthousiaste de la vie à Cuba par un jeune activiste qui rentrait juste de La Havane et qui avait exhorté tous ceux qui voulaient aider la cause de la libération de l'Occident à rejoindre les Brigades Venceremos. Il n'avait dit mot du pénible voyage vers La Havane à bord d'un navire moutonnier transformé, depuis le port gelé de Saint-Jean, au Canada, ni de la corvée fastidieuse, monotone et harassante de la coupe des cannes à sucre. Dans la bouche de l'activiste, son séjour à Cuba paraissait un enchantement. Il avait regardé Bougie en déclarant qu'à Cuba il n'existait qu'une seule race, la race humaine.

Bougie était fier de faire partie d'un corps d'élite. Il s'amusait comme un fou, là sur le siège avant de l'immense limousine, avec cet homme qui, à l'arrière, avait tout de l'agent de change prospère du Connecticut, père de 2,1 enfants, mais qui avait de la glace dans les veines et qui savait sur les explosifs tout ce qu'il y avait lieu de connaître.

– Repasse me prendre dans vingt minutes, dit Beacher lorsque la voiture s'arrêta dans West Street, devant la tour du World Trade Center.

Au sommet de la tour géante, un mât de quelque cinquante-trois mètres, comportant tout un fouillis d'antennes de télévision et de radio qui diffusaient les signaux de toutes les stations publicitaires de la zone métropolitaine, tandis que le Cable News Network avait ses studios au rez-de-chaussée.

Trente policiers de l'administration portuaire surveillaient le Centre. Beacher avait bien noté que le Centre disposait de cinq groupes électrogènes de secours, censés faire fonctionner les ascenseurs et distribuer l'électricité pendant les quelques heures d'une coupure accidentelle.

261

Beacher, porteur de valises Samsonite, traversa l'immense hall de la tour 1 du World Trade Center et son océan de moquette pourpre. Il posa les valises à côté du premier bureau sur la droite – celui de la Federal Express – tout en surveillant les guichets de la compagnie aérienne un peu plus loin, puis, juste en face de lui, le cœur de l'énorme bâtiment : deux gigantesques cages d'ascenseur enchâssées dans le marbre blanc, contenant des douzaines et des douzaines de cabines en mouvement. Certains de ces ascenseurs grimpaient directement jusqu'au soixante-dix-septième étage, ou jusqu'au Skylobby au quarante-quatrième, où l'on pouvait utiliser une autre cabine afin d'accéder au somptueux restaurant *Windows on the World* – Fenêtres sur le Monde – ou à la terrasse du sommet. Beacher observa les centaines de personnes qui, se hâtant, montaient ou descendaient par les batteries d'ascenseurs, leur grouillement évoquant celui d'une ruche.

Aucune trace de gardien, si ce n'était un homme âgé au bureau de renseignements qui lisait dans un quotidien la page consacrée au base-ball.

Baecher ramassa ses valises, se dirigea d'un bon pas vers la batterie d'ascenseurs qui desservaient les étages du trente-troisième au quarantième. Des dizaines de personnes, attendant l'ascenseur suivant, ne firent nulle attention à lui tandis que, le long du mur, au bout du couloir, il déposait ses valises. Il attendit qu'arrive l'ascenseur et que les gens commencent à s'y entasser, puis il jeta un coup d'œil à sa montre, arborant l'expression de quelqu'un qui vient juste de se souvenir d'un truc important. Puis il sortit du même pas alerte, très homme d'affaires conscient de ses responsabilités, la mine un peu sévère même. Il franchit les portes à tambour donnant sur le hall en sous-sol, avec ses boutiques et restaurants. Il attendit douze minutes avant de remonter et de récupérer ses valises. Nul n'y avait touché. Nul ne lui prêta la moindre attention lorsqu'il les reprit.

Ce serait donc aussi simple que Bougie le lui avait dit, pensa Beacher en ressortant par l'accès donnant sur West Street. Il avait manifesté quelque doute avant de procéder à cet essai et avait même répété l'explication qu'il aurait à fournir si on lui posait des questions concernant ses valises.

Bougie rangea les valises dans la malle de la limousine.

Le chauffeur noir haussa les sourcils, sa façon d'interroger, alors qu'ils démarraient et Beacher lui répondit en levant le pouce.

Lorsqu'il reviendrait au World Trade Center, les valises contiendraient cent cinquante livres d'explosifs, du plastic P.E.T.N. – assez pour provoquer l'affolement de la police et de tous les services d'urgence de la ville qui se mettraient alors à gigoter comme un canard décapité.

WASHINGTON, D.C.

– Depuis combien de temps la Compagnie emploie-t-elle Julio Parodi?

Le directeur de la C.I.A. regarda Quayle qui regarda Whitman.

Ce fut Whitman qui répondit :

– Depuis 1960, grosso modo.

– Combien de fois a-t-il été soumis au détecteur de mensonges?

– Cinq ou six fois. Mais on ne peut espérer de ce système qu'il vous confirme autre chose que le bon fonctionnement des glandes sudoripares du sujet.

Ils étaient assis dans le bureau du directeur, au dernier étage de l'immeuble de la C.I.A. à Langley, Virginie, immeuble aussi attrayant qu'un réfrigérateur. Néanmoins Blair Collins avait choisi le décor de son bureau : quelques nouveaux meubles, quelques peintures de sa collection privée. Une lithographie d'Escher avait attiré l'œil de Whitman, une de ces curieuses compositions géométriques dans lesquelles des figures du Moyen Age, un peu sinistres, montaient et descendaient des escaliers, toute règle de perspective abolie, le haut étant également le bas. Un choix judicieux pour cette pièce, semblait-il.

– Vous me racontez qu'on ne peut plus faire confiance à Parodi parce qu'une de ses putes a entendu parler de Monimbó, résuma Blair Collins.

– C'est bien cela, confirma Whitman.

– En d'autres termes, nous nous sommes fait posséder.

– C'est mon avis.

Quayle essayait de saisir son regard. Quayle aimait bien faire face aux gens, à leurs regards. Il pensait pouvoir ainsi les désarçonner. Whitman regarda par la fenêtre, vers les bois qui s'étendaient au-delà du parking de la Compagnie. Quayle fit :

— Je crois qu'il convient de ne pas tirer de conclusions hâtives. Certes, Parodi a pu nous mener en bateau. C'est bien le genre de type à cela. Prêt à tricher chaque fois qu'il pense pouvoir s'en tirer. Mais il nous a aussi fourni du solide. Nous ne devrions pas renoncer à toute cette opération parce qu'il ne nous a pas avisés d'une combine ayant trait au Nicaragua. Cela revient à supposer que c'est par lui que la fille a entendu parler de Monimbó et non que quelqu'un d'autre lui a fait gober l'histoire dans le but de nous embrouiller.

— De nous embrouiller ? répéta Whitman incrédule. On a assassiné la pute — et la femme de Robert Hockney — pour que rien de cela ne filtre.

— Pure hypothèse, objecta Quayle. Pour la Criminelle de Miami, il s'agit d'un crime de maniaque sexuel.

— Les flics de Miami ne sont pas infaillibles.

— Est-ce vraiment important ? demanda dédaigneusement Quayle. Supposons que vous ayez raison. Supposons que Parodi ait liquidé la femme parce qu'il pensait qu'elle servait d'indic. Qu'est-ce que cela signifie ? Tout simplement qu'il craignait de se faire encore taper sur les doigts pour une histoire de drogue.

Whitman émit un bruit de soufflet de forge.

— Croyez tout ce qu'il vous semble bon de croire, dit-il. Moi je prétends qu'il existe un Plan Monimbó, que Parodi était au courant et qu'il est prêt à tuer encore — et plus d'une fois — pour qu'en dehors de la D.G.I. personne ne connaisse son rôle exact.

— C'est là une sérieuse accusation que vous portez contre un associé que vous utilisez depuis des années, fit observer Blair Collins. Je me souviens que lorsque j'ai pris ce poste on m'a laissé entendre que Daiquiri représentait ce qu'on avait de mieux à Cuba. J'ai fait parvenir au Président plusieurs rapports fondés sur ce point de vue. Et voilà que... Seigneur, je ne veux même pas y penser. Que décide-t-on à présent ?

— Limitez les dégâts, répondit Whitman. Laissez tomber l'opération Cuba — ou tout au moins remettez-la — jusqu'à ce que nous puissions mettre la main sur Parodi et le faire passer à l'essoreuse. Il convient de considérer comme brûlé tout le réseau Parodi à Cuba, et le traiter en conséquence. Il convient de considérer que toutes les émissions radio nous parvenant depuis La Havane sont surveillées par la D.G.I., sinon inspirées par elle.

Blair Collins fit la grimace; il imaginait Parodi tenant une conférence de presse à La Havane, y révélant les détails de l'opération montée par la C.I.A.

– Nous avons une autre solution, lança Quayle (et le directeur de la C.I.A. reporta toute son attention sur le petit homme, avec une faible lueur d'espoir dans le regard). Je ne prétends pas qu'Arnie ait tort. Nous avons utilisé Parodi comme agent double et il est tout à fait possible qu'à un certain moment les Cubains lui aient passé les poucettes et se soient mis à serrer. Qu'il ait été retourné la semaine dernière, ou bien au début des années soixante, peu importe.

– Je parierais pour le début des années soixante-dix, coupa Whitman, lorsque nous l'avons licencié, lui et des tas d'autres paramilitaires.

– Possible, confirma Quayle poursuivant son idée. Mais la question est purement rhétorique. Nous disposons de Parodi à La Havane; il est lié aux groupes de résistance qui représentent l'opposition la plus dangereuse que Fidel ait eu à affronter depuis deux décennies.

– Ou du moins c'est ce qu'il prétend, dit Whitman.

– Écoutez, continua Quayle refusant d'abandonner son idée, je ne tiens pas à me bagarrer avec vous, Arnie. Tout cela ne pourrait être qu'un écran de fumée. Nous savons – ou tout au moins on nous a dit – qu'existaient à La Havane des gens haut placés dans les milieux militaires et du renseignement qui souhaitent renverser Castro. Des personnes qui aimeraient reprendre les relations commerciales avec les États-Unis, obtenir quelques devises fortes et se mettre à reconstruire leur économie. Et ils n'ont rien contre les bénéfices personnels. De *cela* au moins nous sommes sûrs, non? Nous savons que Parodi a versé d'importantes sommes à des généraux de la D.G.I. et à des amiraux de la marine cubaine, ces mêmes personnes qui l'ont aidé à faire passer sa drogue sur le territoire américain. Nous sommes au courant de ses transferts de fonds dans les banques de Panama et de Mexico et sur des comptes numérotés en Suisse. Je suis certain que les distingués socialistes cubains que Parodi a arrosés ne goûtent guère la perspective de se retrouver derrière les barreaux pour avoir reçu des pots-de-vin. Cela signifie que nous les tenons, dans une certaine mesure.

— Vraiment, dit Whitman, railleur. (Il s'était beaucoup remué les méninges depuis sa rencontre avec Hockney.) Je crois que nous n'avons rien fait d'autre qu'alimenter en dollars les fonds de la D.G.I. Oui, il est possible que Calixto Valdés ou le général Abrahantes aient eu les doigts quelque peu chargés de glu, mais je commence à en douter. Je crois que la D.G.I. contrôle toute l'opération, de A à Z.

— Et si vous vous trompiez? contra Quayle. Nous laisserions passer une occasion unique. S'il n'existait que vingt pour cent de chances que Parodi ait joué le jeu avec nous, je crois qu'il faudrait les tenter. Ainsi, nous saurions rapidement si nous avons été possédés. Bon, on nous a dit qu'il existe à La Havane un groupe prêt à tenter un coup d'État antisoviétique; voilà qui résoudrait la quasi-totalité de nos problèmes en Amérique centrale. Tout ce qu'ils attendent de nous, c'est la garantie que nous les soutiendrons s'ils réussissent, et que nous contrerons les Russes s'ils tentent d'intervenir.

— Vous avez omis l'essentiel, fit observer Whitman. Ils nous ont également demandé de leur fournir l'arme spéciale censée éliminer Castro, et une liaison radio depuis La Havane. Cela signifie que nous sommes plongés jusqu'au cou dans la mélasse.

— Et qu'avons-nous à perdre? reprit Quayle. Si nous laissons le complot se dérouler jusqu'à son terme, nous saurons vite si Parodi est pour nous ou pour la D.G.I. Au pire, on nous accusera d'être mêlés à des histoires de cape et d'épée. Au mieux, nous serons débarrassés de Castro.

— Je crois que vous êtes fou, protesta Whitman.

Il craignait que la mort de Castro ne se traduisît par une mainmise, soutenue par Moscou, des prosoviétiques les plus inconditionnels du régime cubain aux lieu et place de tout ce qu'avait pu raconter Parodi quant à l'influence croissante d'une organisation de résistance. A présent, il n'était plus loin de croire que le projet d'assassinat avait été concocté dans l'immeuble de onze étages situé à l'angle de Linea et de la rue A à Vedado; le quartier général de la D.G.I.

Ce qui le surprenait, c'était l'enthousiasme avec lequel les responsables avaient écouté la fable de Parodi. Il savait que cet enthousiasme avait gagné la Maison-Blanche. Avec réticence, il avait obéi à l'ordre de passer à Parodi un stylo à bille, imitation parfaite d'une marque est-allemande. Le corps de plastique du stylo contenait une sorte de fiole de gaz inerte pouvant projeter à près d'un mètre de minuscules cristaux de cyanure. La victime présenterait tous les symptômes d'une mort consécutive à une crise cardiaque. Seul un examen microscopique du visage de la victime pourrait révéler des traces de cyanure. L'arme avait été fournie par la C.I.A. Dans les mains de Parodi, elle pourrait maintenant constituer la preuve matérielle de la complicité de l'Agence dans un complot visant l'élimination de Castro. Les arguments de Quayle tenaient donc debout. Si Parodi était un agent provocateur à la solde des Cubains, la C.I.A. se trouverait mouillée aux yeux de l'opinion mondiale. Pourquoi déchirer le ticket de pari avant le départ de la course?

Whitman proposa :

— Si nous faisons avorter l'opération, si nous donnons l'ordre à Parodi de se rendre à un rendez-vous hors du territoire cubain, alors nous le forçons à découvrir son jeu. Tout au moins pourrons-nous prouver que nous ne nous sommes jamais lancés dans cette histoire de complot contre Castro. Vous vous imaginez les répercussions politiques si tout cela était rendu public? C'est certainement la dernière chose nécessaire au Président pour sa réélection.

Ce dernier argument toucha Blair Collins, nommé par Newgate et l'un de ses amis les plus proches.

— Whitman a raison, dit-il à Quayle. Il faut faire avorter l'opération. Pouvez-vous faire passer le message immédiatement?

— Il nous faut contrôler les fréquences, répondit Quayle.

— Faites-le tout de suite, ordonna le directeur de la C.I.A. Tenez, servez-vous de mon téléphone.

Quayle s'assit sur le bord du bureau du directeur et appela son adjoint. Il changea d'expression en entendant la réponse à l'autre bout du fil. Lorsqu'il reposa le récepteur, la bouche se figea en une grimace assurée et ses yeux marron inexpressifs s'illuminèrent.

— Pas mèche, dit Quayle.

— Quéssaveudire, pas mèche? jappa Collins.

Sa patience, jamais angélique, commençait à s'épuiser et il avait du mal à imaginer comment il annoncerait la chose au Président.

– Crawl Key a capté un message de La Havane, expliqua Quayle. Ils viennent juste de finir de réenregistrer et de décrypter. Daiquiri affirme que tout est en place pour jeudi. Ils suivent le Plan E. Il a dit qu'il interrompait les liaisons radio parce qu'il craignait que la Sécurité ait détecté les émissions.

– Vous voulez dire que nous n'avons aucun moyen de communiquer avec Parodi?

Quayle secoua la tête, arborant l'air d'un homme qui vient de gagner un lot de consolation à une tombola.

– Nous pourrions envoyer un de nos hommes, proposa Whitman. Ce ne serait pas très difficile, avec tous ces *boat people* qu'on renvoie. Ou encore on pourrait demander à nos amis des ambassades européennes à La Havane de nous rendre ce service. Les Britanniques, les Italiens nous doivent bien ça.

– Trop risqué, dit Quayle. Si Parodi est toujours notre homme, nous le brûlerions définitivement. Et s'il ne l'est plus, nous en brûlerions un autre.

Collins massa la chair flasque sous son menton.

– Vous avez peut-être raison, concéda Collins. Qu'est-ce que le Plan E?

– Les *boat people* que nous renvoyons à Cuba, commença Quayle. Fidel les fait garder dans une zone réservée – un camp de concentration, en fait – pas très loin de notre base de Guantánamo. Il souhaite faire une grande démonstration, prouver que l'Oncle Sam ne veut désormais plus jouer les hôtes pour les Cubains désireux de quitter le paradis socialiste. Nous savions qu'il devait y prononcer un important discours. Je crois que c'est pour jeudi.

La main du directeur de la C.I.A. grimpa jusqu'au lobe de son oreille. Il se mit à le tirailler.

– Guantánamo, hein? répéta-t-il.

– Oui, monsieur le Directeur.

– Cela ne signifie pas que l'assassin pourrait essayer de trouver refuge en territoire américain, non?

– Je ne suis pas certain qu'on n'ait pas prévu quelque chose dans ce goût-là, répondit Quayle, imperturbable comme

268

le sont les bureaucrates, mais sa belle confiance paraissait quelque peu ébranlée.

— On nous a possédés, dit Whitman.

Blair Collins jaillit de son fauteuil avec une telle soudaineté qu'il en fit tourner le siège, éparpillant divers documents sur son large bureau d'acajou.

— Il faut que j'aille à la Maison-Blanche, dit-il. Faites votre possible pour faire fonctionner cette liaison radio. Si nous ne pouvons toucher Daiquiri (il fixa Quayle) vous avez intérêt à vous manier le cul jusqu'à Guantánamo et essayer de limiter les dégâts. Vous me suivez?

— Oui, monsieur le Directeur, répondit Quayle, calmé. Je vais voir avec le Pentagone.

— Monsieur le Directeur, encore un mot, demanda Whitman alors que Collins pêchait un attaché-case de la taille d'un fourre-tout et allait décrocher son chapeau de feutre mou.

— Oui?

— Le Plan Monimbó. Nous avons épluché les rapports de débriefing concernant ce déserteur nicaraguayen.

— J'ai vu. Quelle est la conclusion?

— Fiabilité inconnue, monsieur.

— Mettez fiabilité moyenne, à la place, et faites passer ces rapports au Bureau et autres boutiques. Et, Whitman, que sait Hockney à cet égard?

— Il a le numéro de Parodi. Il ignore ce que fait Parodi à Cuba, je crois qu'il essaie de retrouver les filières de Parodi hors des États-Unis.

— Bon, comment s'appelle son patron?

— Leonard Rourke, répondit Quayle.

— Je connais Rourke. N'avons-nous pas quelque chose sur lui?

— Il a travaillé pour nous comme contractuel, au début des années cinquante, répondit obligeamment Quayle.

— Il n'a pas fait grand-chose pour nous ces derniers temps, fit observer Collins, irrité au souvenir de la « fuite » sur le Nicaragua.

— Vous devriez peut-être lui parler, dit Quayle.

— C'est ce que je vais faire.

269

NEW YORK

Glacken's, sur le Grand Concourse dans le Bronx, était un établissement où l'on biberonnait dur. Pas de tabourets le long du bar : on restait debout jusqu'à ce qu'on soit mûr pour la chute. On y servait des rasades de dix centilitres d'alcool sec pour un dollar quarante ou bien des boissons plus « allongées » dans des verres ayant un tirant d'eau suffisant pour accueillir un yacht. Les clients avaient la jouissance d'une antique télé noir et blanc. En face, se tenait un vieux salon de loto luxueux, éclairé comme Radio City. La nuit, le ciel au-dessus de *Glacken's* miroitait d'un bleu électrique, reflet des lumières du Yankee Stadium.

Frank Parra sirotait un bourbon sec. Au-dessus de lui, une gravure représentait un nu dont le buste avait une couleur algue, ainsi qu'une affiche invitant à quelque manifestation au profit des « Guardians », l'association des œuvres de la police. Un bon coin pour se cuiter ou se calmer. Hockney, pas très loin de ce dernier état, commençait à se sentir merveilleusement maître de lui, et de ce qu'il racontait. Il savait qu'il pourrait tout expliquer à Frank Parra, si seulement sa langue toute gonflée reprenait sa taille normale et permettait le libre flux des mots.

Parra lui offrit une Camel. Il l'accepta, mais le goût ne lui plut guère, et le papier collait à sa lèvre.

— Vous vous sentez bien? demanda l'homme du F.B.I.

— Jamais senti mieux, répondit Hockney, mais ses jambes se faisaient cotonneuses.

— Allons nous asseoir, nous serons plus à l'aise.

Il y avait deux ou trois tables près de la télé et Hockney en percuta une avant de pouvoir atteindre une chaise.

— Vous êtes déjà allé au Yankee Stadium? demanda Parra.

— Oh, ouais. J'y suis allé la saison dernière. Les Yankees jouaient contre les Rangers et Dave Winfield a marqué ses cinq points.

Les mots passaient mieux, maintenant. Il pensait au billet de Parodi. Difficile d'imaginer le Cubain assis là sur les gradins, à manger des hot dogs et hurler « Chargez! » quand le maître de claque battait sur son tambour le cri de guerre des

270

Yankees. Il parla à l'homme du F.B.I. du billet découvert dans l'appartement de Parodi à Key Biscayne.

– Je connais un autre Cubain qui est un enragé des Yankees, fit Parra après s'être essuyé la bouche. De mon point de vue c'est le Cubain le plus intéressant de l'État de New York. Vous avez entendu parler de Teófilo Gómez?

Le nom déclencha une volée de cloches. Gómez, l'homme qui avait organisé ce voyage à La Havane au cours duquel Hockney s'était fait magistralement piéger. Et – Hockney en était tout à fait sûr – Gómez était l'amant occasionnel d'Angela Seabury.

– Vous pensez que c'est pour Gómez que Parodi allait au Yankee Stadium?

– Faut vérifier, suggéra l'homme de F.B.I. Écoutez, nous avons des agents qui le collent sans arrêt. Il bouge pas mal. Nous l'avons suivi à Coney Island, dans un restaurant chinois du Queens, à la cage aux ours du zoo du Bronx, à la Boîte à Bon Dieu.

– La Boîte à Bon Dieu?

– Le centre religieux de Riverdale. On l'a suivi jusqu'à une villa de milliardaire de Southampton et dans un bar d'homosexuels de Christopher Street. Jamais encore nous n'avons pu le coincer à un rendez-vous clandestin. Il nous faudrait une douzaine d'hommes pour ça et on ne les a pas. Gómez est un pro. Il adore nous semer dans le métro. Mais son coin préféré, pour se livrer à cet exercice, c'est Bloomingdale's, le grand magasin.

– N'importe qui peut se perdre au Bloomie.

– Je vais vous dire, poursuivit Parra, cette ville est un paradis pour un espion. Vous pouvez y parler avec n'importe quel accent étranger et continuer à passer pour un authentique natif de New York.

– A moins de parler anglais, commenta Hockney. Je veux dire, à moins de parler comme un Rosbif.

– Je ne connais pas de meilleure ville au monde pour organiser une boîte aux lettres ou un rendez-vous secret. Quant aux communications, c'est le rêve. Où que vous alliez, vous trouvez une cabine où passer un coup de fil pour dix cents. Et puis nous avons le repaire d'espions le plus sûr du monde – le bâtiment de l'O.N.U. – et tous ces trucs religieux, comme la Boîte à Bon Dieu, que nous sommes censé ne pas toucher précisément parce qu'il s'agit d'institutions religieuses. Le seul grand risque, pour un espion à New York, c'est de se faire agresser.

– Je vois que vous êtes amoureux de la ville.

– Les journalistes boivent trop, dit Frank Parra en considérant leurs verres vides.

– Vous avez raison, dit Hockney. Presque autant que les flics et les agents du Bureau. C'est ma tournée.

Cette fois, il réussit à se rendre au bar et à en revenir sans renverser une goutte. Deux vieux supporters secs et noueux discutaient du renvoi du troisième entraîneur des Yankees au cours de la saison. La porte de *Glacken's* était ouverte, il faisait pourtant aussi chaud dehors qu'à l'intérieur.

– Il faut qu'on se demande où les Cubains veulent en venir avec tout ça, dit Parra. Et ce que les Soviétiques espèrent en retirer, car j'imagine que Fidel attendrait le feu vert de Moscou pour monter une opération de l'envergure de celle dont nous parlons.

Hockney y réfléchit. Pas facile de percer les calculs des Soviétiques. Ils avaient largement de quoi s'occuper dans leur propre jardin : la Pologne, l'Afghanistan, le foutoir qu'ils avaient mis dans leur économie. Au surplus, il apparaissait manifeste que la lutte pour le pouvoir à l'intérieur du Kremlin n'avait pas pris fin avec l'élection de Youri Andropov à la succession de Brejnev. Nul ne pouvait prévoir combien de temps l'ancien patron du K.G.B. conserverait son fauteuil. Était-il vraiment concevable que le nouveau leader soviétique – homme d'un pragmatisme impitoyable dont le plus grand principe consistait en sa survie personnelle – risquerait sa fragile emprise sur le pouvoir suprême en autorisant Castro à se lancer contre les États-Unis dans une guerre sans déclaration dont on ne pouvait prévoir les conséquences?

– Il y a deux hypothèses, suggéra Hockney. Ou bien Fidel s'est détaché de sa laisse et a profité de l'occasion créée par la confusion régnant à Moscou pour reprendre sa vendetta personnelle contre ce pays. Ou bien Moscou le soutient en secret, étant bien entendu que rien de tout cela ne pourra être directement imputé aux Soviétiques. Je pencherais plutôt pour la seconde hypothèse. Après tout, le Plan Monimbó ne date pas d'hier. Andropov se trouvait à la tête du K.G.B. lors de cette réunion au Nicaragua en 1980.

Il se souvint de ce qu'avait dit le dissident russe Vladimir Boukowky lors d'une émission à la télé américaine peu après qu'on eut annoncé la nomination de Youri Andropov au poste de Secrétaire général : « Vous sentirez bientôt la poigne d'Andropov sur votre gorge » avait prévenu Boukowsky, rejetant furieusement l'opinion de certains kremlinologues du Département d'État et des médias qui avaient exprimé l'espoir que l'ancien chef de la police secrète se révélerait « libéral dans son gouvernement ».

— Les Soviétiques se sentent vulnérables, poursuivit Hockney. Et Castro aussi. Ils se rendent compte qu'ils perdent du terrain. Ils constatent que l'Amérique est en train de réarmer. Ils craignent que l'administration Newgate saisisse l'occasion pour récupérer un peu de son patrimoine immobilier perdu en Amérique centrale ou ailleurs.

— Vous croyez donc, coupa Parra, que ce qu'ils veulent c'est donner tellement de soucis au Président chez lui qu'il ne pourra agir ailleurs.

— Quelque chose comme ça. Et si je ne me trompe pas – si leur objectif est bien de semer le chaos dans les villes et la haine raciale dans tous les États-Unis – New York devient alors terriblement importante. C'est la plus grande vitrine du monde. Ce qui se passe ici, quoi que ce soit, devient un théâtre pour le monde. Si je ne me trompe pas, répéta-t-il en regardant Parra dont le verre embué semblait coller à la bouche, si New York est le prochain objectif, seriez-vous prévenus? Reconnaîtriez-vous les signes?

— Je vous le dirai quand ça se produira, dit Parra reposant son verre.

Hockney avait pensé que Frank Parra était l'homme à qui s'adresser, après sa conversation avec Arnold Whitman à Miami. Celui-ci avait promis de jeter un coup d'œil sur le compte en banque de Parodi et les affaires de la Camagüey Internacional et de lui faire savoir s'il découvrait un lien quelconque avec Monimbó. Mais Hockney ne faisait pas confiance à l'homme de la C.I.A. Il comptait sur son ami le flic, Maguire, pour continuer à faire pression sur le commissaire Callahan pour poursuivre l'enquête sur les meurtres; jusque-là, le Mariel arrêté au *Sugar Shack* s'en tenait à la version à laquelle Callahan croyait : que lui et son copain étaient tombés sur les femmes par hasard, parce que c'était une nuit chaude, que la ville était sens dessus dessous, et qu'elles se trouvaient là.

Quant aux émeutes, il semblait que le pire fût passé en ce qui concernait les dégâts, et les citoyens de la Floride du Sud en étaient à faire leurs comptes – de vies humaines, d'immeubles éventrés, sans parler de la perte d'un sentiment de communauté et de respect de soi. Les deux leaders noirs opposés, le Commandant Ali et Wright Washington, avaient l'un et l'autre quitté la ville. Le Commandant Ali était recherché par le F.B.I. pour complot contre la sûreté intérieure de l'État et Wright Washington, à l'émission de télé d'Angela Seabury, avait sévèrement condamné l'action de la Garde nationale dans Liberty City, alertant les autorités sur le fait que si l'on n'admettait pas que les émeutes avaient constitué un moyen d'appeler l'attention sur une communauté jusqu'alors gravement négligée, les émeutes pourraient se reproduire ailleurs.

Aussi Hockney était-il parti pour New York, un peu à cause d'une intuition quant au billet d'abonnement pour le Yankee Stadium, un peu parce que s'y trouvait un homme mieux à même d'obtenir les tuyaux qu'il désirait des services de renseignement et également parce qu'il voulait fuir les lieux où Julia avait été tuée. Lorsqu'il se traîna du bar de chez Glacken jusque dans la voiture de Parra, et en contemplant les lumières qui brillaient le long de Harlem River alors qu'ils passaient le pont de la 3ᵉ Avenue, son cerveau brûlait d'une unique résolution, comme une flamme obstinée : il vengerait la mort de Julia.

– Vous avez un permis pour ce truc-là ? lui demanda Parra d'une voix douce.

La question prit Hockney au dépourvu. Il n'avait pas parlé du Walther glissé sous sa veste. C'était stupide de sa part d'avoir cru que Parra ne le remarquerait pas.

Il bredouilla et Parra poursuivit :

– On peut vous foutre à l'ombre pour un an, dans cette ville, si on vous trouve avec. J'ai un ami qui peut s'en occuper. Vous aurez une autorisation délivrée dans le comté de Nassau. Le temps d'en écluser un cinquième, pas plus.

– Merci.

– Hé, si vous commencez à me remercier, je vais changer d'avis. De toute façon, j'ai besoin de vous pour le travail de base.

Hockney traversait à pied le centre de la ville, se dirigeait vers l'immeuble du *World* sur la 8e Avenue, une forteresse couverte de suie, avec arcs-boutants, gargouilles et une horloge qui, parfois, donnait l'heure exacte. Il était descendu au *St. Regis* parce que le bar, *King Cole*, était un lieu agréable : on n'y était pas serré, on y servait les martini dans des verres parfaitement givrés, avec de longues tiges tarabiscotées, et le sourire des serveuses n'avait pas l'air trop faux. Dans le même groupe d'immeubles que le *World* se trouvaient un cinéma spécialisé dans les films classés X, un bar à « topless » et des galeries marchandes avec peep-show. Hockney évita un clodo vêtu d'une vieille queue-de-pie et étendu en travers du trottoir puis il pénétra, après avoir escaladé les marches larges et basses,

.

Lecapitaine Joe Fischer, chefde l'unitédesservicesd'urgence, attendait Franck Parra dans la minuscule arrière-salle aux lanternes suspendues et aux murs revêtus de bandes métalliques.

– Comment ça va, Cadsup? lui demanda Parra en signe de bienvenue.

Cadsup – l'abréviation de cadre supérieur – constituait un nom de code utilisé par certains flics comme mot de reconnaissance ou injure am1IWorld sur lequel il savait pouvoir compter.

– Y aura-t-il une messe? demanda Rourke.

– A St. Bart, vendredi en huit, répondit Hockney qui se reprocha aussitôt d'avoir laissé à la mère de Julia le soin de prendre toutes les dispositions.

– Nous y serons tous, dit Rourke. C'était une sacrée chic fille. (Rourke était lui-même passé par deux divorces et savait combien la perte d'un être cher peut marquer un homme.) Si je peux faire quelque chose... ajouta-t-il d'une voix qui dérailla.

– Je suis venu vous raconter une histoire, dit Hockney.

– Allez-y, parlez.

– Avez-vous entendu parler de Monimbó?

– Oui. Ça a semé la panique dans le coin. Un prêtre a été arrêté, et il y a eu des manifestations antigouvernementales. Des gosses ont occupé l'église catholique. Le gouvernement a déclaré que tout cela faisait partie d'un complot antiaméricain.

– Cela se pourrait bien.

Hockney lui rapporta l'histoire du déserteur nicaraguayen, et du plan révélé par Castro à Monimbó. Puis il expliqua les raisons pour lesquelles, à son avis, les Cubains avaient provoqué des émeutes raciales à Miami. Enfin, il en arriva à Julio Parodi.

Rourke se trémoussait, passant d'une de ses fesses pointues sur l'autre. Mais il écouta Hockney jusqu'au bout.

– Vous vous souvenez de ce que je vous ai dit quand vous vous êtes lancé sur cette enquête? Nous publions des informations. Nous ne les fabriquons pas. Cela vaut toujours, Bob. Vous avez allumé un sacré feu de brousse, mais vous ne m'avez fourni aucun fait concret. Vous êtes assez bon journaliste pour l'admettre.

– Et si je prenais l'avion pour le Honduras et que j'aille recueillir l'histoire du déserteur directement à sa source?

Le bruit que faisait Rourke avec ses dents lorsqu'il était agité ressemblait au crépitement lointain d'une machine à écrire.

– L'ennui, avec les déserteurs, c'est que leurs souvenirs deviennent de plus en plus précis au fil des mois. Surtout si on les y aide. On ne peut se fonder sur ce type de témoignage.

– Bon, et David Priest?

– Qui ça?

– Le Commandant Ali. Le chef des Fedayines Noirs. Nous savons qu'il a été formé à Cuba.

– Cela ne prouve pas qu'il reçoive à présent ses ordres de La Havane.

– Et la *Brigada Azul*? poursuivit Hockney sans tenir compte des objections de son patron.

– Pour l'amour de Dieu, ce sont des extrémistes de droite.

– Et alors? Qui vous dit que les groupuscules de droite ne peuvent être infiltrés et manipulés par les Cubains, ou les Soviétiques? Nous savons qu'existent en Europe des néo-nazis qui entretiennent des liens étroits avec les Allemands de l'Est et l'O.L.P. Nous savons combien il est facile pour Castro de placer des agents dans ces réseaux d'émigrés. Et nous savons que Julio Parodi est le va-t-en-guerre de la *Brigada Azul*.

276

Rourke tripotait tout un tas de flacons de médicaments. Il prit un cachet de chaque, avala le tout avec une gorgée d'eau. Son triple pontage coronarien n'avait pas mis fin à ses ennuis de santé. Hockney l'observa avec des sentiments mêlés, colère et compassion.

– Je crois que votre point le plus faible, c'est Parodi, dit Rourke quand il eut avalé ses cachets. Vous êtes persuadé qu'il travaille pour Castro. Bon, je suis prêt à admettre que certains gros bonnets de La Havane sont dans le coup avec lui et avec d'autres trafiquants. Cela arrive dans les meilleures familles. Mais s'il existe une chance, même infime, que Parodi soit réellement un homme à nous...

Il se mit à tousser; une toux désagréable, sèche. Hockney répéta :

– Un homme à nous?

– Je veux dire, reprit Rourke après avoir avalé une autre gorgée d'eau, que nous pourrions mettre sa vie en danger en publiant vos allégations. Sans parler de nos avocats jetés dans un procès en diffamation avec un million de dollars de dommages et intérêts à la clé.

Hockney n'aimait pas ce genre d'objection. Jamais le directeur n'avait usé de ce type d'argumentation pour censurer les articles de Jack Lancer sur les opérations de la C.I.A. Hockney connaissait le point faible de Rourke à cet égard, car aux plus beaux jours du Congrès pour la liberté de la culture, lorsqu'on n'empêchait pas la C.I.A. de s'assurer la couverture des médias, les rapports du rédacteur en chef du *World* avec l'Agence allaient bien au-delà des simples rapports de camaraderie. Mais il ne lui était jamais venu à l'idée que l'Agence pouvait toujours avoir barre sur Rourke. Il y songeait à présent, les arguments de Rourke ressemblaient étrangement à ceux d'Harold Whitman.

– J'ai parlé à l'homme de la C.I.A. qui contrôlait Parodi. Je sais parfaitement que Parodi a bel et bien roulé l'Agence. Peut-être la roule-t-il *encore*. Mais ne voyez-vous pas ce que cela signifie? Je ne sais pas ce qu'il est censé faire à Cuba, mais je sais une chose : que cela va se terminer en catastrophe à moins que Washington ne se réveille. Je crois que nous avons la responsabilité de publier ce que nous savons. Si cela doit provoquer quelques crises d'apoplexie à Langley, eh bien ce ne sera pas la première fois. Et puis dire qu'il faut enterrer une bonne histoire parce qu'elle est susceptible d'embarrasser la C.I.A., voilà qui est nouveau!

Il avait fait mouche. Si on laissait entendre qu'un journaliste du *New York World* s'était fait duper ou suborner par les Cubains ou le K.G.B., on vous taxait incontinent de paranoïa aiguë. Mais si l'on insinuait une possible manipulation de l'information par la C.I.A., toutes les sonnettes d'alarme se déclenchaient et l'on se comportait avec vous comme si vous veniez de voler le sac à main d'une vieille dame veuve et aveugle. Rourke en avait les joues empourprées, les veines de son cou saillaient et sa pomme d'Adam montait et descendait comme un yoyo. Il grinça aussi des dents, bafouilla.

– Je suis tout à fait sérieux, Len, insista Hockney. Regardez ça. (Il suivit du doigt la devise du journal, à l'angle supérieur gauche de l'édition du matin : « TOUTES LES NOUVELLES DU MONDE ».) S'il a jamais été de notre devoir de nous y tenir, c'est maintenant. Sinon, nous risquons bien davantage que de perdre un titre à sensation. Nous serons responsables de ce qui pourra se passer à Cuba et ici chez nous.

C'était maladroit et, à l'expression de Rourke, il en prit conscience. Le propos culpabilisant ne marcherait pas.

– Je soulèverai la question à la conférence de rédaction, dit Rourke.

Hockney savait ce que cela signifiait. Il imaginait la manière dont Ed Finkel plisserait le nez.

– Je comprends ce que vous ressentez, disait Rourke. Mais je crois que vous prenez cela trop à cœur. Vous auriez bien besoin de prendre un congé. Ensuite, vous pourrez vous repencher sur la question avec plus de sérénité.

– Merci beaucoup, Len.

Hockney ramassa son exemplaire de l'édition du matin et se dirigea vers la porte. Il se retourna :

– Ça ne vous gêne pas si je propose l'article ailleurs?

– Vous savez ce que prévoit notre contrat, lui rappela Rourke.

– Il ne prévoit rien en ce qui concerne la télé.

– Bob, j'aimerais que vous suiviez mon conseil.

Il se leva. Hockney fut frappé de constater combien Rourke avait maigri. Sans les bretelles à rayures rouges, on aurait pu jurer que son pantalon allait glisser sur ses hanches étroites.

– L'année a été affreuse pour vous, lui dit Rourke. Avec cette histoire à La Havane, vos déboires professionnels à Washington – et Julia. Je comprends, je vous assure. Écoutez, ma vieille grand-mère irlandaise me disait toujours « voir, c'est croire, mais sentir c'est la vraie vérité de Dieu ». L'ennui, c'est qu'il faut faire en sorte que les gens voient. Et ça, vous ne pouvez pas le faire en l'état actuel des choses.

– Merci beaucoup, fit Hockney, répétant cette formule vide de sens. Mais je dois essayer.

SANTA MARÍA DEL MAR, CUBA

– Une vraie femme aime l'odeur d'un bon cigare. Pas vrai, Gisela?

La superbe *mulata* posa son plateau et se dirigea vers le Russe qui se faisait appeler Favio. Elle le débarrassa de son cigare non allumé – un cigare de la réserve personnelle de Fidel – le caressa du bout des doigts et en suça l'extrémité. Puis elle l'alluma d'une main experte, le faisant tourner au-dessus de la flamme, jusqu'à ce que l'incandescence fût également répartie. Elle tira une ou deux bouffées avant de le planter dans la bouche de Favio. Pour tout remerciment, le Russe lui flatta la croupe.

Il reporta ensuite son attention sur les deux autres fumeurs, installés sous la véranda ombragée de la villa Yagruma.

Valdés, en exhalant la fumée par le nez, fit entendre un bruit de papier froissé et commença :

– Tout est prêt pour demain. Fidel passera la nuit à Santiago de Cuba et se rendra en voiture à Guantánamo avant midi, avec escorte habituelle.

– Qui s'en occupe?

– Le colonel Sanfuentes. Il sait ce qui l'attend. Je me suis occupé du briefing moi-même.

– Parfait, dit le Russe qui tourna lentement la tête, comme s'il avait le cou pris dans une minerve et fixa Parodi de son regard lourd, ajoutant : A toi de jouer pour la dernière phase.

279

Julio Parodi, d'ordinaire, transpirait trop. Aujourd'hui il transpirait énormément.

– Il suffit d'un coup de fil, pas plus, dit Parodi. Mais l'homme est sérieux. Il se tiendra exactement à côté de Fidel. Est-ce qu'on ne ferait pas mieux de l'arrêter maintenant? Supposez qu'une bavure se produise...

– Il n'y en aura pas, répondit Valdés. Sanfuentes est un pro. Il sait comment s'y prendre.

– Le problème, coupa Favio, c'est que tout le monde doit *voir* l'assassin attenter à la vie de Fidel. Ainsi personne ne pourra croire aux démentis des Américains.

Son accent, les intonations de sa voix, donnaient aux mots espagnols une sorte de fluidité, de poésie. Il aurait pu tout aussi bien réciter du García Lorca au lieu d'évoquer une tentative d'assassinat. L'accent était castillan plus que slave. Favio, avec sa gueule tannée, était le dernier des officiers du K.G.B. en activité à avoir connu la guerre civile espagnole. Plus d'un demi-siècle sur le terrain avait contribué à parfaire sa connaissance des hommes. Les Cubains, pleins de ressentiment à l'égard des manières peu subtiles, arrogantes, des autres conseillers soviétiques, étaient pleins de respect pour celui-ci, qui avait vécu si longtemps parmi eux et qui parlait si bien leur langue.

– Va passer ton coup de fil, ordonna Favio à Parodi.

Lorsque Parodi eut disparu dans la salle de séjour, le Russe soupira – un soupir nostalgique, comme si quelque chose de particulièrement agréable venait de resurgir dans sa mémoire.

– Est-ce que tu lis Machiavel?

– Il y a longtemps que je ne l'ai pas lu, avoua l'homme de la D.G.I.

– Dommage, poursuivit Favio. Certains auteurs sont toujours d'actualité. Il y a un passage dans Machiavel où il affirme que tout préjudice causé par un prince à un homme doit être tel qu'on ne puisse craindre vengeance. Voilà un excellent conseil, à mon avis. Demain, nous nous arrangerons pour que les Américains ne puissent tirer vengeance, quoi que nous leur fassions.

A PROXIMITÉ DE LA BASE DE GUANTÁNAMO, CUBA

De la fenêtre de sa chambre monacale, Juan Garrido pouvait apercevoir la masse confuse et grise des bâtiments à l'intérieur du périmètre de sécurité de la base navale américaine de Guantánamo, à un peu plus d'un kilomètre et demi au bas de la route. Fidel avait personnellement choisi ce lieu pour y installer le camp de détention réservé aux émigrés renvoyés par les Américains. C'était là une habile propagande. La proximité de la base navale américaine narguait les espoirs des réfugiés qui avaient tenté de passer aux États-Unis. Et aussi, en les rassemblant là, Castro pouvait appeler l'attention sur sa revendication, depuis longtemps formulée et de façon pressante; l'évacuation de Guantánamo par les Américains. Les *boat people* otages attendaient, derrière leurs fils de fer barbelés, que Fidel décide de leur sort.

Juan Garrido, mince, nerveux, avait un visage en lame de couteau. Capitaine dans la police chargée de la sécurité, sa tâche consistait à passer au crible les milliers de Cubains amenés au camp de détention, afin d'y repérer les dissidents politiques, les éventuels agents de la C.I.A. infiltrés. Ses ordres, pour la journée, étaient de se tenir à la disposition du colonel Sanfuentes, le chef de la garde personnelle de Castro – l'unité 49. On s'attendait que Fidel prononçât, au début de l'après-midi, un de ses sermons de quatre heures sur l'infamie des États-Unis; y assisteraient la presse écrite, la télé et au moins un journaliste américain : Brad Lister, correspondant de plusieurs journaux américains.

Le jour venait à peine de se lever, Juan Garrido avait les yeux rouges et irrités par le manque de sommeil. Toutes ses fonctions naturelles étaient bouleversées. Trois fois déjà, depuis son lever, il avait couru aux toilettes, avec la sensation de se vider. Il savait qu'il n'aurait pas dû boire, la veille, mais après le coup de fil, l'alcool avait constitué pour lui le seul remède à ces heures d'attente.

A certains moments, entre minuit et l'aube, Garrido s'était dit qu'il n'y arriverait jamais. Mais il était aussi risqué de se retirer de l'affaire que de passer à l'exécution. Les secrets sont denrées périssables chez les Cubains. Il existait un risque qu'une personne, Parodi peut-être, laisse échapper un mot de trop. Participer au complot était insuffisant pour l'envoyer devant un peloton d'exécution – ou pire, il pouvait passer le reste de ses jours dans un cachot puant. Ses supérieurs de la Sécurité ne feraient montre d'aucune pitié s'il n'avait pas assez de couilles pour aller jusqu'au bout du complot. Aussi, arrivé à ce stade, il décida sombrement qu'il ne pouvait faire marche arrière.

Garrido n'avait rien du kamikaze. Il avait bien insisté sur le fait qu'il ne se chargerait pas de la mission sans une honnête chance de s'en tirer. Lorsqu'on l'avait muté au camp de Guantánamo, il avait tout d'abord pensé se trouver décroché de l'hameçon. Affecté à un camp de détention, tout au bout de l'île, il ne pouvait en aucun cas prendre part à une opération destinée à liquider Fidel. D'autres devraient s'en charger. Et puis Parodi – aux oreilles de qui semblait parvenir tout ce qui se tramait dans la capitale – avait apporté la nouvelle : Fidel préparait une grande opération de propagande dans le camp et Garrido, en sa qualité de responsable, ne rencontrerait aucune difficulté à s'approcher de lui.

– Tu peux aller lui serrer la main, avait dit Parodi.

Garrido comptait chaque millimètre de la distance qui séparait le camp du poste de contrôle de la base navale américaine.

– Ils t'attendront, avait promis Parodi.

– Il y a intérêt, avait répondu Garrido. J'aurai le feu au cul en descendant la route.

Maintenant, alors qu'il finissait de boutonner la veste de son treillis, Garrido tapotait le stylo à bille, dans sa poche de poitrine. Un stylo au cyanure, l'élément qui lui laissait une chance d'accomplir sa mission et de s'en tirer pour ramasser sa récompense. Dans la mesure où il pourrait s'approcher à un mètre d'El Líder Máximo.

Les meneurs chauffaient la foule jusqu'au délire bien avant qu'apparaisse le cortège de Fidel. On avait amené des dizaines de milliers de Cubains depuis les villes voisines à seule fin qu'ils brandissent le poing et braillent des sarcasmes, des injures aux détenus de l'autre côté des barbelés.

– ¡Esoria!
– ¡Mariquitas!

— ¡*Gusanos*!

De temps à autre, les meneurs poussaient les manifestants à jeter des pierres et des ordures aux émigrés rassemblés en troupeau à l'intérieur du camp. Les gardiens n'intervenaient pas. Certains prisonniers reculaient, cherchant refuge derrière les mornes baraques préfabriquées où ils dormaient, entassés épaule contre épaule, cuisse contre cuisse, sur d'étroites paillasses puantes. Nul ne savait pourquoi Fidel devait venir. Des bruits couraient dans le camp que pour faire publiquement honte aux *yanquis,* il allait se montrer magnanime et peut-être même permettre aux *boat people* de rentrer chez eux et de reprendre leur emploi.

Mais pour la plupart de ces gens, le président de Cuba était tout aussi imprévisible, tout aussi difficile à saisir que le diable. Ils attendaient, tout à la fois anxieux et résignés.

— *Hola, linda,* cria un gros militant à une adolescente détenue derrière les fils de fer, lui jetant un de ces regards qui déshabillent. Je te serrerais bien la papaye.

Un vieil homme voûté, qui pouvait être le grand-père, montra le poing à l'homme, dans un geste de rage impuissante.

Puis, s'éleva une voix aiguë, flûtée, qui cria :

— ¡*Mejor Batista con sangre que Fidel con hambre*! Mieux vaut Batista et le sang que Fidel et la faim.

Les gardiens se mirent à courir, poussant et bousculant les rangs des prisonniers, cherchant l'auteur de cet éclat.

Les militants reprirent leurs attaques, jetant pierres et bouteilles.

Le ton changea lorsque se répandit le mot que le convoi de Castro approchait. Les meneurs rivalisèrent d'imagination, hurlant des slogans de plus en plus extravagants.

Debout à proximité de l'estrade, Juan Garrido vit approcher une jeep bourrée d'hommes de la sécurité, flanquée de motocyclistes dans un nuage de poussière et sa main se porta au stylo agrafé à sa poche de poitrine.

La veille, on avait dressé le podium face au camp de détention. Derrière l'estrade, on avait déployé un immense drapeau cubain. Une batterie de micros prêts à amplifier les déclarations de Fidel au peuple cubain et au monde. La tribune de presse se trouvait sur la gauche du podium et Garrido reconnut le correspondant américain, Brad Lister, parmi les journalistes présents. Fidel s'adresserait aux *gusanos* derrière les barbelés par-dessus la tête de ses supporters. Selon l'habitude, les premiers rangs face à la tribune étaient constitués d'hommes de la Sécurité, dont beaucoup en civil.

La Zil blindée s'arrêta lentement près de l'estrade, entourée de gorilles de l'unité 49 armés de kalachnikov. Tandis que la solide silhouette familière descendait de la limousine, le commandant du camp s'avança pour saluer et le capitaine Juan Garrido se glissa derrière lui.

Fidel était tout sourire.

– *Compañero Presidente,* lui dit le commandant du camp, le peuple t'attend.

Garrido se racla la gorge. De l'autre côté de la Zil, il pouvait apercevoir Sanfuentes, le chef des gardes du corps de Fidel, scrutant la foule, les paupières presque closes.

Le commandant fit les présentations : le chef de la cellule locale du parti, son adjoint, le médecin du camp. Puis vint le tour de Garrido.

Fidel tapota le bras du capitaine de la Sécurité et se mit à plaisanter sur le silence total qui s'était abattu sur les *boat people* du camp depuis son arrivée. Un bras sur l'épaule de Garrido, Fidel faisait de grands gestes avec son cigare. Il était plus pâle et plus gros que le pensait le jeune Cubain, son tour de taille encore élargi par le gilet pare-balles qu'il portait sous son uniforme à la russe. Lorsque son regard se tourna vers Garrido, le capitaine se rendit compte que Fidel souffrait d'un léger astigmatisme. A cela non plus il ne s'attendait pas – ni au regard bizarre. Le regard intense de quelqu'un qui vous reconnaît, le regard d'un homme qui vient de reconnaître la mort et dont la bouche, incrédule, forme le mot : « Toi! ».

A l'instant où Garrido portait la main au stylo à bille dans sa poche, il vit le bras du colonel Sanfuentes s'abattre comme un couperet de guillotine. Il entendit le cliquetis d'armes dont on enlevait la sécurité et sentit, plutôt qu'il ne vit, deux hommes de l'unité 49 faire mouvement vers lui. Deux hommes seulement, avançant d'un pas rapide mais décidé, essayant de ne pas provoquer de mouvements.

Fidel tourna les talons et commença à grimper les marches menant à l'estrade. Devant lui, dans le chemin qu'on avait frayé dans la foule, les cameramen de la télé se bousculaient, cherchant le meilleur angle. Le président se trouvait à cinq ou six mètres, hors de portée du stylo au cyanure.

Garrido courut derrière lui.

– A l'abri! hurla-t-il. Un attentat!

Fidel se retourna pour regarder le capitaine de la sécurité, maintenant à deux mètres de lui, un solide garde du corps de l'unité 49 sur ses talons. Le garde du corps mit un genou à terre et fit feu, au moment même ou un autre homme des services de sécurité de Fidel s'interposait entre le président et Juan Garrido. Le capitaine fit un pas d'esquive de côté et la rafale traça des trous bien nets dans la veste d'uniforme du garde.

– Couchez-vous! Couchez-vous! continuait à crier Juan Garrido au Président. Il y eut des cris dans la foule. Derrière eux, le colonel Sanfuentes hurlait des ordres que seuls comprenaient les hommes qui se trouvaient près de lui. Fidel demeurait étrangement passif. Il ne bougea pas, ne se baissa pas. Il demeura là, face à Garrido, comme fixé au sol.

Garrido tourna brusquement la tête, comme pour scruter le mouvement derrière lui. Sa main droite se leva, braquant la pointe du stylo au cyanure sur ce visage pâle, révélé au monde par des millions de photos.

Puis le cigare du gros homme tomba en tournant et le président s'écroula – non pas d'un seul coup, mais par saccades, comme une marionnette articulée au bout de ses fils.

Quelqu'un empoignait la veste de Garrido.

Il se libéra et vit qu'il s'agissait d'un de ses hommes, un des hommes de la sécurité du camp.

– ¡Medico! hurla Garrido.

Il vit le colonel Sanfuentes essayer de se frayer un chemin dans la foule qui s'était formée sur son chemin. Il vit le journaliste américain – Lister – tenter de s'approcher pour suivre ce qui se passait. Le visage de l'Américain paraissait figé.

Garrido s'était tenu si près de Fidel, le stylo caché dans sa main, que personne, vraisemblablement, ne l'avait vu tirer les cristaux de cyanure. Dans la confusion générale qui régnait maintenant, il n'avait à craindre que Sanfuentes et les gardes du corps placés directement sous ses ordres. A sa grande surprise, les hommes de l'unité 49 qui convergeaient maintenant de leurs positions vers l'estrade ne firent aucun geste pour l'arrêter.

Du doigt, il désigna le journaliste américain et cria :
— *Yanki* assassin!

Ce qui créa une utile diversion. Des fidèles du gouvernement et des gardes se précipitèrent sur Brad Lister, poings en avant.

Déjà, Garrido se frayait un passage dans la foule, la tête baissée. On lui fit place en voyant son uniforme. Dans le coin réservé à la presse, il vit l'un de ses collègues de la Sécurité mettre la main devant l'objectif d'une caméra de télévision. On ne pourrait cacher longtemps la nouvelle, pensa-t-il.

A l'autre extrémité de l'estrade, il s'arrêta suffisamment longtemps pour laisser tomber le stylo au cyanure et avaler une dose d'un antihistaminique d'un flacon qu'il avait dans son autre poche.

Et il se remit à courir, à courir jusqu'à sentir le sang dans sa bouche, vers la jeep qu'il avait laissée hors des limites du camp. Il vit un soldat qu'il ne connaissait pas, à côté de la voiture, probablement un des hommes de Sanfuentes, mais qui ne broncha pas.

— Vite! hurla-t-il. Ordre du colonel Sanfuentes.

Le soldat fit enfin un pas de côté et Garrido démarra, se retenant d'écraser l'accélérateur au plancher. Il passa devant un plein camion d'hommes de l'unité 49 qui fonçaient vers l'estrade. Ils ne firent aucun geste pour l'arrêter.

Puis il entendit des cris, le hurlement d'un avertisseur et le sifflement des balles au-dessus de sa tête. Garrido ne s'en soucia pas. Tandis que la jeep sautait et cahotait sur la route défoncée, encore en cours de construction, il distingua les silhouettes vert olive du poste de contrôle, côté cubain, de la grille de sécurité qui entourait la base navale américaine. Un officier s'avança au milieu de la route et lui fit signe d'arrêter. A son tour, Garrido fit signe, comme pour le saluer, puis fonça avec sa jeep et l'officier dut se jeter de côté pour ne pas être renversé.

En apercevant les marines de garde au poste de contrôle américain, Garrido rejeta la tête en arrière et éclata d'un rire fou. Il venait de changer le destin de Cuba. Et devant lui l'attendaient cinq millions de dollars et un sauf-conduit pour les États-Unis.

De l'autre côté de la fragile barrière du poste de contrôle américain, un sémillant petit homme en costume safari taillé sur mesure surveillait la jeep. A côté de lui se tenait un jeune capitaine des marines, bâti comme un deuxième ligne de rugby. Les marines prirent position le long de la grille, prêts à faire feu.

— C'est lui? demanda le capitaine à Quayle.

— C'est bien lui, confirma l'homme de la C.I.A.

Quayle jeta un nouveau coup d'œil à travers ses jumelles. Le Cubain avait les yeux trop rapprochés, tout comme lui. Un sourire illuminait son visage, comme s'il se rendait à un pique-nique.

Sans hâte, Quayle reposa ses jumelles et dit :

— Capitaine, je veux que vous donniez à vos hommes l'ordre d'abattre le Cubain qui se trouve dans cette jeep.

— Mais monsieur, bégaya l'officier, je ne pense pas pouvoir faire cela, *monsieur*.

Le dernier mot claqua comme un salut mais le capitaine avait l'air aussi surpris que si l'arbitre avait sifflé une faute de jeu imaginaire.

— Vous m'avez bien entendu, dit Quayle.

— Oui, monsieur. Mais on ne m'a pas donné l'ordre de tirer sur les Cubains, *monsieur*.

— Il s'agit d'un Cubain armé, en uniforme, dans les limites d'un camp militaire américain. Exécution, capitaine.

Tandis que l'officier de marines hésitait, Quayle sortait son pistolet passé dans la ceinture de son pantalon Permapress immaculé.

Juan Garrido avait ralenti, il conduisait doucement, en première. Il adressa des mots de salut amical aux gardes. Derrière lui, le colonel Sanfuentes et un détachement de l'unité 49 sortaient de leurs camions et avançaient avec précaution, fusils pointés dans le dos de Garrido. Sanfuentes lui aboya l'ordre de faire demi-tour.

— Je l'ai fait! hurlait Garrido aux marines. Cuba est libre!

Quayle prit la position accroupie, son pistolet pointé devant lui, la main gauche soutenant le poignet droit.

Juan Garrido n'était plus qu'à quelques mètres du territoire américain lorsque la balle le frappa juste sous l'œil droit. En jaillissant de la boîte crânienne, le projectile fit un énorme trou en forme d'étoile aux branches inégales. Son corps s'affaissa sur le volant, la jeep quitta la route, heurta une pierre et versa sur le côté.

Quayle renifla le canon de son pistolet, l'air absent, et le reglissa dans sa ceinture.

Alors seulement, Quayle se permit de sourire. Il fit plus que sourire. Il fit un petit saut en l'air.

— Bon Dieu! dit-il au capitaine des marines atterré. Savez-vous ce que nous avons fait? Nous venons de faire la révolution à Cuba.

Le marine en resta bouche ouverte tandis qu'il regardait l'homme de la C.I.A. disparaître en sautillant, en bombant le torse comme un coq de combat.

Son regard se reporta sur les hommes de la sécurité cubaine qui chargeaient le corps de Garrido dans un camion.

— ¡Asesinos! cria l'un d'eux qui se racla la gorge et expédia un gros crachat jaune sur la route.

10

NEW YORK

La ville vivait une de ces journées de fournaise où les gens s'évanouissent dans le métro, où les gosses ouvrent les bouches d'incendie pour se rafraîchir dans leur jet, où les chambres du ghetto deviennent de vraies cocottes minute près d'exploser. Mais à l'intérieur de la tour de verre noire qui abritait la chaîne de télé d'Angela Seabury, la fraîcheur régnait. Il y faisait si frais que même vêtu d'une veste on s'y enrhumait. Angela occupait un bureau voisin de la suite du chef des programmes. Elle avait adouci la rigueur des installations fonctionnelles techniques par des carpettes de couleurs vives et divers objets indiens, mexicains et marocains.

Angela se montra amicale, compréhensive, mais Hockney sentit que ce qu'il lui racontait ne lui plaisait guère, encore qu'elle ne pouvait se décider à le lui dire aussi brutalement. Elle portait un chemisier de soie rouge, avec rouge à lèvres assorti. La couleur ne lui allait pas, pensa Hockney. Sur ce rouge, la blancheur de son long cou au galbe parfait semblait d'une fragilité de coquille d'œuf.

— Il faut que j'en parle à mon producteur, dit-elle.

Il croisa le regard de ses doux yeux gris-bleu. Elle décrocha le téléphone et composa le numéro du poste de Simon Green.

— Simon est sur une autre ligne, on l'appelle de l'extérieur. Non, ne quittez pas.

– Angela, écoutez donc cela, dit le producteur. J'ai Brad Lister en ligne, de Cuba.

La voix de Lister, dans l'amplificateur posé sur le bureau d'Angela, était faible, étouffée. Des parasites brouillaient une partie de ses phrases.

– Voulez-vous répéter, Brad, demanda le producteur.

– Fidel... assassiné... un tueur de la C.I.A.

– Brad! hurla Angela en se penchant sur la boîte. Vous m'entendez? Vous dites qu'on a assassiné Fidel?

– Assassiné, cria Lister encore plus fort. A Guantánamo... le tueur a tenté de s'échapper... la base navale américaine... le capitaine Juan Garrido... la C.I.A.

Il ajouta quelque chose à propos de cyanure et d'un stylo empoisonné.

– Brad, hurla Angela, comme si élever la voix allait améliorer la réception à l'autre bout. La mort de Fidel est-elle confirmée?

– Je l'ai vu, j'y étais...

– Brad? Je veux passer cela. Brad?

Ils prêtèrent l'oreille mais ne purent entendre qu'un bruit de vagues qui déferlaient.

– Brad? répéta Angela.

– Nous avons été coupés, dit le producteur. Qu'est-ce qu'on fait?

– On peut le rappeler?

– Je ne sais pas. Il appelait d'un village.

– Essayons. En attendant, il faut nous préparer à passer l'information.

Elle raccrocha et fixa farouchement Hockney.

– Tu repasseras, avec ton histoire de complot cubain. La C.I.A. a finalement réussi. Ça fait des années qu'ils essaient, et cette fois ils ont réussi. Ça, c'est la fin de la C.I.A. – et peut-être de toute l'administration Newgate.

– Attends, Angela. Tu es sûre...

– Il faut que je voie mon patron, lui lança-t-elle par-dessus l'épaule en sortant en trombe de son bureau.

Vingt minutes plus tard, assis dans la salle de contrôle derrière Simon Green, Hockney regardait Angela qui s'apprêtait à interrompre le feuilleton de l'après-midi avec le flash d'information. Puis la lumière de la caméra 1 s'alluma, et Angela se mit à lire sur le téléprompteur.

– Nous interrompons *Les Feux dans la nuit*, articula-t-elle soigneusement, pour vous annoncer une bouleversante nouvelle. Notre correspondant à Cuba vient de nous faire savoir qu'il y a un peu plus d'une heure un tueur armé d'un pistolet au cyanure a tiré sur le président Fidel Castro et l'a assassiné. Le tragique événement s'est produit au moment où le président Castro s'apprêtait à prononcer un discours devant les réfugiés cubains déportés par l'administration des États-Unis, près de la base américaine de Guantánamo. L'assassin, identifié, est le capitaine Juan Garrido. Il aurait été abattu en cherchant à trouver refuge dans la base navale de Guantánamo. Selon des sources autorisées du Département d'État – nous ne pouvons révéler de nom –, on confirme la mort du président Castro et on nie toute participation américaine dans l'affaire. Nous attendons les commentaires officiels de La Havane et de Washington.

Au milieu de l'annonce, l'un des téléphones de la salle de contrôle se mit à bourdonner. Hockney vit le visage de Simon Green passer de la surprise au soulagement, puis à la hâte professionnelle en écoutant la voix à l'autre bout du fil.

Angela commençait juste à répéter le titre quand la voix du producteur se fit entendre dans son micro.

– On coupe pour une pub, lui dit-il.

– Nous reviendrons dans un instant sur les derniers développements de l'assassinat de Castro, annonça Angela en regardant la caméra.

La lumière de la caméra s'éteignit et le producteur se précipita dans le studio.

– J'ai de nouveau Brad Lister en ligne, lui dit Green. Il a l'air assez bouleversé. Mais voici les dernières nouvelles : Castro est sain et sauf. On a dû l'emmener pour des soins d'urgence. Il va paraître en direct à la télé dans trente minutes. Lister dit qu'il fournira les preuves irréfutables que c'est bien la C.I.A. qui a monté la tentative d'assassinat.

– Je ne comprends pas, dit Angela. Le Département d'État a confirmé que Fidel a été tué.

Hockney, derrière la porte ouverte du studio, se rappelait que, dans la confusion et l'incertitude qui avaient suivi l'annonce, sur les téléscripteurs, de la mort du président

Sadate, une des chaînes avait diffusé une interview de son correspondant diplomatique qui avait prétendu que, « selon des sources autorisées du Département d'État », le président Sadate ne souffrait que de blessures légères. Une heure plus tard, on annonçait officiellement la mort de l'homme d'État égyptien. S'agissait-il encore d'une information bidon? Une autre explication traversa l'esprit de Hockney. Simon Green eut la même intuition.

– J'ai compris, dit le producteur. Cela prouve que la C.I.A. est dans le coup. Ils ont pensé que Castro était mort parce que ce sont eux qui ont monté l'opération. Sans quoi, pourquoi aurait-on eu une déclaration de Washington avant d'avoir eu en ligne La Havane? Nous allons pouvoir les épingler, ajouta-t-il, triomphant. Bon Dieu, avec ça on peut vraiment mettre le paquet.

WASHINGTON, D.C.

– Je l'ai rédigée dès l'annonce de la nouvelle. Elle prend effet maintenant.

Le directeur de la C.I.A. posa sa lettre de démission sur le bureau du président Newgate. La prose en était aussi alambiquée qu'il convenait.

– Ramassez cela, Blair, dit le président Newgate d'un ton las. Ça ne nous apporterait rien, ni à l'un ni à l'autre en ce moment. Nous en reparlerons plus tard, quand les choses se seront tassées.

Blair Collins se laissa tomber dans un fauteuil.

– Je vais tenter de formuler ma question avec toute la circonspection souhaitable, Blair, poursuivit Jerry Newgate. Est-ce que Castro peut prouver que nous étions dans le coup? Ou que nous étions au courant?

Ils avaient l'un et l'autre suivi les déclarations de Castro à la télé. Le leader cubain avait clairement mis en cause la C.I.A., montré le stylo au cyanure et insisté sur le fait que l'assassin avait tenté de se réfugier à la base navale de Guantánamo. Mais il n'avait pas fait comparaître Parodi, l'agent double qui aurait pu apporter des preuves irréfutables.

– Il y a un risque, dit Blair Collins en passant la main sur les plis de chair flasque de son menton.

– Lorsque je vous ai demandé de prendre la direction de la C.I.A., je vous ai donné entière liberté. Je vous ai simplement demandé d'éviter qu'on traîne cette administration dans la boue. Maintenant, je peux faire ce soir une déclaration à la télé, m'adresser à l'ensemble du pays, avec la conscience parfaitement sereine, et prétendre que j'ignorais tout d'un complot visant à assassiner Castro. Je suis prêt à le faire, Blair. Mais je ne le ferai pas s'il existe la moindre possibilité que Fidel Castro vienne me scier les pattes. Vous me dites que cette possibilité existe.

– Elle existe, reconnut Collins après avoir dégluti.

– Le stylo à bille empoisonné, ou quoi que ce soit...

– Est de marque est-allemande.

– Mais vous dites que les Cubains ont une carte maîtresse dont ils pourraient se servir.

– C'est possible.

– Très bien, Blair. Que faisons-nous, dans ces conditions?

– Je vous conseillerais de rester en dehors de ceci pour l'heure, monsieur le Président. Que le porte-parole du Département d'État formule le démenti habituel. Il n'y a aucune raison pour que vous soyez personnellement impliqué.

– Vous savez que nous aurons vraisemblablement une commission d'enquête sénatoriale. Que comptez-vous faire à cet égard?

– Je n'ai jamais considéré le Capitole comme un confessionnal, répondit Collins.

– J'aimerais savoir une chose, demanda le président après avoir hoché la tête. Si ce tueur – Garrido – se trouvait aussi près de Castro que vous l'êtes de moi, et qu'il lui a projeté du cyanure au visage, comment diable Castro a-t-il pu s'en sortir?

– Il avait un sosie. Selon nos renseignements, le corps a été incinéré. Tous les films de télé ont été confisqués.

– Un sosie, hein? dit pensivement le président Newgate. Ça me serait utile, à moi aussi.

Au même instant, Wright Washington se trouvait dans une salle du Congrès du Rayburn Building. La salle avait été retenue, en toute hâte, par Coleman North, le démocrate progressiste, le plus virulent critique de la politique de l'administration Newgate en Amérique centrale.

Il ne pouvait subsister aucun doute quant à l'état d'esprit qui animait les participants de cette réunion. Willard Holmes, épiscopalien de la Nouvelle-Angleterre par ses origines, parlait avec la rude passion d'un prédicateur d'un État du Sud. Vêtu comme un homme de la rue, d'une chemise à carreaux et d'un pantalon gris, il fixa Wright Washington en faisant un grand geste des mains tout en déclarant :

– Dante a parlé d'un lieu de douleurs et de lamentations aux portes de l'enfer, réservé à ceux qui ne se rebellaient pas contre Dieu ni ne lui étaient fidèles, une sorte d'enfer à part pour ceux qui ne prennent pas position lors des crises morales. Nous savons tous que la paix est indivisible. Nous ne pouvons condamner la violence des rues de nos villes sans condamner la violence dont sont responsables les États-Unis dans tout le tiers monde. Nous n'avons pas moralement le droit de condamner les souffrances de notre propre pays et de tourner le dos aux souffrances qu'inflige notre gouvernement au peuple des autres pays. Wright, je sais combien chacun, ici, admire ce que vous avez fait – ce que vous avez essayé de faire – à Miami. Vous vous êtes dressé entre les Fedayines Noirs et la Garde nationale. Bien des gens dans ce pays – et pas seulement des Noirs – s'identifient à vous. Le Président lui-même a dû vous écouter.

– Je suis très flatté, le coupa Wright Washington. Qu'attendez-vous de moi, exactement?

– J'attends de vous que vous franchissiez le Rubicon. Nous allons organiser une manifestation à l'échelon national contre la tentative d'assassinat de Castro, en commençant par un grand rassemblement à New York. Je veux autant de monde dans Central Park que nous en avons eu pour la campagne pour le gel des armements nucléaires. Et je veux que vous soyez présent à la tribune.

– Il me semble que vous vous êtes parfaitement passé de moi la dernière fois, fit observer Washington.

Un jeune membre de l'équipe Coleman North, au visage en lame de couteau, prit la parole :

– Il refusera parce que l'administration lui a offert la commission des Droits civils qu'il ne veut pas.

294

Cela porta. Effectivement, un collaborateur de la Maison Blanche avait pris des contacts avec Wright Washington pour le sonder à cet égard. Il était décidé à refuser si l'offre devenait officielle, parce qu'il savait que nombre de ses amis, comme tous ses adversaires, penseraient qu'on l'avait acheté.

– C'est absurde, répondit sèchement Washington.

Willard Holmes attendait, mains au dos, avec l'air d'un instituteur guettant patiemment qu'un élève peu brillant lui donne la réponse à une question simple.

– Parfait, dit Wright Washington. Vous pouvez compter sur moi.

NEW YORK

Au cours de l'après-midi, dans un bruyant restaurant du Bronx, Parra rencontra un jeune Portoricain bâti comme un débardeur et qui arborait, sur ses avant-bras musclés, des tatouages de femmes nues. Rico travaillait aux halles de Hunts Point. Une des premières sorties de Parra, après sa nomination à New York, avait été pour ce marché de fruits et légumes, le plus important des États-Unis. Quatre mille camions à l'heure franchissaient ses postes de péage. Hunts Point constituait, pour les trafiquants de drogue, un entrepôt naturel. Il savait qu'un nombre de plus en plus important de trafiquants, rendus nerveux par les opérations de la marine américaine au large des côtes de la Floride et par les ennuis rencontrés à Miami, réexpédiaient des cargaisons directement sur New York et autres ports de la côte Nord-Est.

Rico commença par évoquer cette question.

– Ça va flinguer dur, prédit-il. Comme dans un film de James Cagney. Il y a des Colombiens qui vendent directement leur camelote à New York et les Cubains aiment pas ça. Ils veulent leur part. On en parle beaucoup, dans les rues.

Parra acquiesça et avala son café. Il ne se souciait guère de bandes rivales de trafiquants qui pouvaient s'ouvrir le crâne à coups de pistolet. Ce serait toujours du travail en moins pour le Bureau. Le Portoricain ajouta :

– On a reçu un bateau de Panama hier. Mangues et bananes. Du moins, c'est ce qu'ils disent.

– Ouais?

– Ce qu'il y a de curieux, c'est que ces caisses pèsent une tonne. J'ai vu un mec en faire tomber une. Il a failli se casser le pied.

– Ouais? dit l'homme du F.B.I., soudain intéressé et songeant que, si la cargaison de fruits n'était qu'une couverture pour de la drogue, les caisses auraient été plus légères et non plus lourdes.

– J'ai traîné dans le coin un moment, poursuivit le Portoricain. Ils ont transporté la marchandise jusqu'à la halle de Harry Diva. J'ai pas vu ressortir grand-chose. Peut-être la moitié des caisses, au-dessus. Et les mangues se vendaient à prix d'or hier.

– Ouais? répéta Parra, jugeant le renseignement de plus en plus intéressant.

Il avait assisté à la fixation des cours, la nuit à Hunts Point, sous la lumière jaune fantomatique des hauts réverbères des quelque soixante hectares des halles. Chaque vendeur savait qu'il maniait des denrées périssables et que, plus le temps passait, plus la valeur de sa marchandise baissait. C'est pourquoi tous les grossistes souhaitaient se débarrasser du maximum de fruits avant l'arrivée des camions des acheteurs à trois heures du matin. Si les caisses contenaient des mangues et des bananes, on ne les aurait pas laissées à noircir et à moisir chez Harry Diva.

C'était un fil assez lâche, et il n'existait aucune raison pour relier cela aux deux ou trois choses qui trottaient dans la tête de Parra, mais il se sentait si désespéré qu'il était prêt à le saisir.

– Tu dis Harry Diva, répéta-t-il, et un sourire tordit le visage du Portoricain, marqué de hachures comme s'il avait dormi sur de la toile de sac.

– Je crois que ça vaut la peine de vérifier, non? suggéra-t-il.

– J'en sais rien, avoua honnêtement l'homme du F.B.I. Mais il glissa cependant au Portoricain une paire de billets de vingt dollars. Il convenait d'arroser les plantes.

Alors qu'il se trouvait au volant du gros camion plat, longeant Edgewater Road, il dut s'arrêter à un feu, et une pute en profita pour grimper sur le marchepied. Elle portait un imperméable noir brillant et rien dessous. Elle laissa Parra se rincer l'œil. Ce qu'il vit ne lui plut guère, mais il eut un sourire en coin et dit :

– Plus tard, mon chou.

– Allez viens, mon grand. Tu paies une tournée et tu as une tournée gratuite. Ton copain aussi a besoin de s'amuser un peu.

Wallace, l'un des quelques rares agents noirs du F.B.I. de l'équipe Parra, adressa à la fille un signe amical de la main.

Elle n'abandonna pas facilement, s'agrippant au camion jusqu'à ce qu'il commence à prendre de la vitesse. Lorsqu'elle lâcha prise, ils l'entendirent décrire, avec d'impressionnants détails anatomiques, ce qu'ils pouvaient aller faire ensemble.

Parra tendit sept dollars au préposé au péage des halles et annonça un numéro de pavillon :

– E-7.

Il n'en fallait pas plus pour pénétrer dans les halles de Hunts Point.

Le camion roula jusqu'au dépôt de Jack Diva. Derrière le pavillon de Jack Diva se trouvait un quai de chargement pour wagons et un autre devant pour les camions, haut d'un mètre cinquante environ.

Un petit homme basané et ventru criait :

– Dix-cinquante les vingt-sept de Californie.

Lorsque Parra s'arrêta à sa hauteur il lui dit :

– Jetez un coup d'œil, les cantaloups sont magnifiques. Bons à emporter.

Le regard de Parra suivait le break qui venait juste de démarrer, retenant le numéro de la plaque.

– Des mangues? demanda l'homme du F.B.I.

– Terminé.

Une odeur forte arriva aux narines de Parra tandis que passait un chariot de levage chargé de caissettes d'ail.

– Vous êtes Harry Diva?

– Harry Di Vitale, rectifia le négociant. Qu'est-ce que vous voulez?

– Un ami m'a dit que vous aviez des mangues formidables.

– Ça, c'était hier soir. Ce soir, j'ai des vingt-sept de Californie. Vous êtes preneur ou vous me faites perdre mon temps?

297

— Permettez que je jette un œil? demanda Parra, déjà descendu de son camion. Il traversa la plate-forme, se dirigeant vers le stand.

— Hé! lui cria Harry Diva. Où vous vous croyez?

Un manutentionnaire, à l'air peu commode, arriva, croisa les bras et jaugea Parra comme s'il voulait s'en faire un amuse-gueule. Pas de mangues dans le stand.

— Si tu allais faire quelques pompes? suggéra Parra au manutentionnaire.

Le gros homme sourit et saisit une barre de fer.

— Dis-lui d'aller faire un tour, fit Parra à Harry Diva. Faut qu'on cause. Mike Santini n'est pas content. Pas content du tout. Tu as joué les francs-tireurs, Harry.

Au nom de Mike Santini, le négociant devint aussi jaune que la lumière des lampes.

— Va faire un tour, Pete, dit-il au manutentionnaire.

On ne pouvait avoir grandi sur Arthur Avenue, comme Harry Di Vitale, et ne pas connaître Mike Santini. Son nom était aussi célèbre que la sauce-crevette. Harry Di Vitale n'avait rencontré Santini qu'une fois dans sa vie, mais il s'était incliné pour baiser la bague de l'homme. Mike Santini était le parrain de l'une des plus puissantes familles de la mafia de la côte Est. Et aussi le chiffonnier le plus compétent de New York. Lorsqu'on mentionnait le nom de Santini, il y avait au moins une chose à faire : témoigner du respect.

Frank Parra avait vérifié quelques détails depuis son entretien avec son indic de Hunts Point. Il avait appris par les spécialistes du crime organisé du bureau de New York qu'Harry n'était qu'un simple rouage dans la machine de Santini. Pour l'heure, il tentait un coup de poker. Mais à la manière dont l'homme s'était mis à bégayer et à protester, Parra fut convaincu qu'il avait reniflé la bonne piste. Une veine qu'il parlât italien.

— Je peux te couvrir. Mais Mike veut des tuyaux sur ces types qui ont pris la livraison.

— Je pensais que c'était O.K., expliquait le négociant. C'est un type de Miami qui nous a branchés. J'ai déjà travaillé avec lui.

— Ah ouais? Je suis sûr que ça va intéresser Mike. Qui a pris la livraison?

— Une paire de types que j'avais jamais vus,

– Ça serait pas gentil de ta part de me raconter des salades.

– Je peux te prouver que je suis régul, dit Harry Diva en bégayant de plus en plus.

– Je t'écoute.

Frank Parra n'avait pas beaucoup de veine, mais il était prêt à brûler un cierge pour ce coup-là.

– Il y a une autre livraison cette nuit, dit Harry Diva. Quatre heures.

Clinton Street, dans le bas de l'East Side, n'est pas un coin fréquentable, quelle que soit l'heure de la visite. Et moins encore aux sinistres petites heures précédant l'aube.

En descendant la rue à faible allure, à quatre heures quarante-cinq, dans sa voiture personnelle – une vieille Chrysler cabossée qui cachait, sous son capot, quelque quatre cent quarante chevaux, Parra filait une fourgonnette verte. Il en avait remarqué deux à Hunts Point, une verte, l'autre blanc cassé. Wallace suivait l'autre. Parra vit la sienne s'arrêter devant un immeuble délabré. Il ralentit, se demandant s'il avait été repéré, se maudissant de n'avoir pas mis davantage d'agents sur le coup. Un dealer – un gamin noir en toque à hauts revers et en bottes de cow-boy – s'approcha d'une démarche chaloupée, jambes souples, et le regarda, se demandant s'il s'agissait bien d'un client.

– Donne-moi une paire de sachets à dix, dit Parra à voix basse, essayant de jouer le coup.

Le revendeur fit claquer ses doigts, demandant l'argent, et Parra lui glissa un portrait d'Andrew Jackson.

– Hé, dit l'homme du F.B.I. tandis que le gamin noir s'éloignait en se dandinant vers un porche un peu plus bas. Comment je sais que tu me roules pas?

Le dealer revint vers la voiture, tendit à Parra un sac de plastique contenant des seringues.

– Tiens ça, mec.

Parra prit le paquet et remonta quelques pâtés de maisons, puis sortit son émetteur dissimulé sous le siège.

– Amenez-vous pour une planque, ordonna-t-il quand il fut en communication avec la voix ensommeillée de l'homme de garde au standard.

Il donna l'adresse, traîna dans le coin pour s'assurer que les renforts arrivaient bien et pas cravatés.

— Frank Parra dit que je peux vous faire confiance, et pour moi c'est suffisant, fit le commissaire Joe Fischer à Hockney. Mais je ne donnerais pas trop fort, dans le secteur, que je suis copain avec le F.B.I.

Ils se trouvaient au septième étage de la ruche-forteresse de Police Plaza. Fischer ouvrit la porte d'une salle portant le numéro 803.

— C'est là que ça se passe, dit-il à Hockney. Salut, Lew, ajouta-t-il avec un salut de la main au policier de service dans la salle des opérations.

— Nous avons des lignes directes avec le bureau du maire et tous les services d'urgence : pompiers, secours médicaux, administration portuaire, contrôle de la circulation, et même le F.B.I., expliqua Fischer. Ces téléphones, derrière le bureau de Lew (il désigna une batterie d'appareils rouge, noir, vert et jaune sur le mur), ce sont autant de lignes directes avec le bon Dieu. Pas vrai, Lew? Reliés au préfet de police et aux huiles. Celui-ci (il tapota un téléphone bleu sur le bureau) nous relie à la Con. Ed. en cas de panne de courant. J'espère qu'on n'aura pas à s'en servir aujourd'hui. Avec un peu de veine, notre plus gros souci sera les embouteillages.

— N'y compte pas trop, fit le policier de service. Ça va être un jour idéal pour les cambrioleurs et les casseurs de banques. Nous avons cinq mille flics bloqués par leur putain de rassemblement.

— Combien de personnes attendez-vous au rassemblement? demanda Hockney.

Les deux policiers se regardèrent et haussèrent les épaules.

— Peut-être cent mille, avança Fischer. Tant qu'ils s'en tiendront à l'itinéraire prévu, nous devrions nous en tirer. Nous avons passé un accord avec les organisateurs.

— Vous voulez dire Willard Holmes?

— Ouais. On s'est sentis un peu nerveux lorsqu'ils ont parlé de ce groupe qui allait descendre de Harlem — on pourrait bien avoir les Fedayines et les Panthères Noires —, mais Holmes jure qu'il les tient tous en main. Wright Washington s'occupe des Noirs. Vous le connaissez?

– Oui, je l'ai rencontré à Miami, dit Hockney. Très impressionnant.

– Eh bien, croisons les doigts, hein Lew?

Le policier croisa les doigts. Ensuite, il décrocha un téléphone à la sonnerie douce.

– Tenez, c'est pour vous, dit-il à Fischer.

Et Hockney vit le visage du gros homme prendre un air de soumission résignée.

– J'écoute, chef, dit-il.

Fischer écouta bouche bée avant d'articuler péniblement :

– Le World Trade Center? Sainte Vierge! Ouais, j'y descends tout de suite.

Il raccrocha brutalement et demanda à son collègue :

– Où sont les artificiers?

– Les deux camions sont sortis. Nous avons eu deux alertes à la bombe au cours des cinq dernières minutes.

– Merde. Je suis au World Trade Center. Envoie tous les hommes disponibles.

– Le patron a déjà lancé un dix-soixante-dix-sept.

Un 10.77 signifiait le rappel de tous les policiers qui n'étaient pas de service.

Hockney fonça sur les talons de Fischer jusqu'aux ascenseurs.

– Qu'est-ce qui se passe? demanda-t-il, essoufflé, un peu perdu.

– Un type a posé des bombes à la tour 1 du World Trade Center, répondit Fischer. Un type qui connaissait son boulot. Il a fait un gros trou en plein milieu du truc.

Hockney regarda sa montre : neuf heures trente passées. La manifestation devait commencer à onze heures.

Le commissaire Fischer dut se faufiler dans les embouteillages jusqu'au World Trade Center.

A deux pâtés de maisons de là, Hockney entendait les cris par-dessus le mugissement des sirènes. Il put apercevoir également un épais nuage de fumée qui s'élevait du rez-de-chaussée de l'une des tours. Déjà, la police avait délimité un périmètre en tendant des cordes autour de l'immeuble. Tandis que Fischer garait sa voiture, Hockney vit un véhicule d'incendie – Grande échelle, 8ᵉ compagnie – foncer tout droit à travers le verre brisé dans le vaste hall. En traversant les cordons de police, il aperçut les hommes des secours d'urgence qui se précipitaient, entrant et sortant avec des civières, charriant morts et blessés.

Un flic de l'administration portuaire se hâta vers Fischer.

– Quel est le tableau? demanda Fischer.

– Deux bombes – probablement du plastic – de chaque côté des cages d'ascenseurs. Elles ont fait sauter tout le cœur de l'immeuble. Plus d'ascenseurs, *idem* pour les escaliers de secours et l'électricité – les groupes électrogènes de secours ne peuvent alimenter les étages en hauteur. On ne connaît pas exactement l'étendue des dégâts. Au moins six étages, pense-t-on. Mais, bon Dieu, le hall... (le flic secoua son visage buriné.) C'est une vraie boucherie là-dedans. Des centaines de gens se trouvaient autour des ascenseurs. Et des centaines d'autres à l'entresol. Dieu sait combien il y en a de piégés dans les ascenseurs.

Hockney se dirigea vers un attroupement de journalistes entourant un collaborateur du maire.

– A-t-on une idée du nombre de personnes coincées dans l'immeuble? demanda quelqu'un.

– Difficile à dire. Il pourrait y en avoir jusqu'à vingt mille. Les pompiers ont lancé un appel aux comtés voisins. Toutes les compagnies équipées de lances et d'échelles des cinq comtés sont mobilisées. Nous essayons de descendre les blessés de l'entresol avec un système de cordes et de nacelles. Je crains qu'il ne faille un certain temps pour porter secours à ceux qui sont bloqués dans les ascenseurs et les étages supérieurs.

Deux infirmiers hurlaient après des badauds qui, sur le trottoir, se pressaient afin de mieux voir les corps brisés qui gisaient sur leur civière. Des policiers se précipitèrent pour repousser les curieux et les infirmiers purent glisser leur civière dans leur voiture noire au toit jaune.

Les hommes de Fischer avaient amené une forgonnette de transmissions mobiles, et le chef du S.S.U. lança quelques messages radio avant d'appeler :

– Hé, Hockney!

– Oui?

– Vous avez déjà entendu parler d'un groupe appelé les Libérateurs?

– Les Libérateurs? Tout court?

– Ouais. Une station de radio de Harlem vient de recevoir un appel. Un petit plaisantin prétendant parler au nom des Libérateurs nous annonce que son groupe va s'attaquer aux symboles du capitalisme américain et venger, de la sorte, la tentative d'assassinat contre Castro.

– C'est un appel crédible?

– Tout à fait, répondit Fischer. Le type a précisé où se trouvaient les explosifs. Il savait de quoi il parlait.

– Alors, les Libérateurs ne sont qu'un nom bidon, poursuivit Hockney. Mais je me demandais – ce n'est pas simplement une coïncidence si cela s'est déroulé le jour de la manifestation, non? Je veux dire, supposez que vous vouliez provoquer à New York une panique générale. Eh bien, vous commencez par distraire la police et les services d'urgence, vous les envoyez cavaler dans toute la ville, éteindre des incendies, secourir les blessés. Combien d'hommes cette affaire va-t-elle immobiliser?

– Un millier peut-être. Peut-être plus. Ouais, je vois ce que vous voulez dire.

– Et la manif doit commencer dans quarante-trois minutes, rappela Hockney au commissaire, en regardant sa montre. J'ai le sentiment que celui qui a monté ce coup – il fit un geste en direction du cœur brûlé de la tour 1 du W.T.C. – a dû prévoir d'autres réjouissances.

– Vous voulez dire d'autres bombes? Une confrontation entre les manifestants et la police?

– Je n'en suis pas sûr. (Hockney essayait de rassembler ses idées, d'y voir plus clair.) Les Libérateurs ont parlé de symboles. Je crois que c'est le mot clé.

– Un symbole?

– Un acte symbolique de violence qui enflammera toute la ville, peut-être toutes nos villes. Un attentat contre une institution – ou un homme.

Tout en finissant sa phrase, Hockney se souvint d'une scène : Wright Washington s'avançait, droit et seul, au milieu des incendies et des tueurs de Liberty City. Washington serait en tête du défilé aujourd'hui. Et Hockney eut peur pour sa vie. L'assassinat de Martin Luther King, le maître à penser de Washington, avait provoqué une explosion de colère et de douleur dans une centaine de villes d'Amérique. Il vint à l'esprit de Hockney, en un terrible instant, que, si les hommes qui se cachaient sous le nom des Libérateurs mettaient à exécution le projet Monimbó, la cible idéale n'était pas le président Newgate ou un milliardaire de Wall Street, mais un leader noir comme Washington, un modéré dont la nation tout entière pleurerait la perte, un homme qui faisait obstacle à la violence des militants radicaux.

– Il faut je me rende à la manifestation, dit-il à Fischer qui le considéra pensivement.

– Vaut mieux aller à pinces jusqu'à Fulton Street et prendre le métro, suggéra le commissaire. Rien de ce qui roule sur pneu ne vous sortira de cette merde plus vite.

Des militants déguisés menaient le cortège, agitant des cloches et soufflant dans des trompettes, fournissant le spectacle excitant d'immenses effigies en papier mâché représentant le président Newgate, la C.I.A. et les généraux du Pentagone en monstres crachant des flammes. Les banderoles et bannières qui suivaient annonçaient toutes les causes révolutionnaires possibles, depuis l'Armée républicaine irlandaise jusqu'à la Communauté des mères lesbiennes. On y trouvait les drapeaux rouges des marxistes, noirs ou noir et rouge des anarchistes, bleu pastel et blanc de la Communauté interconfessionnelle pour la paix. On y voyait les drapeaux cubains, de l'O.L.P., du Nicaragua et du Vietnam. Parmi les notabilités des premiers rangs, des hommes d'église, des acteurs, un amiral en retraite, un ou deux députés et un romancier à l'haleine chargée de whisky et qui espérait bien se faire arrêter à seule fin de pouvoir écrire un livre sur son procès.

On pouvait sentir monter la fièvre au fur et à mesure que la tête du cortège approchait du triste immeuble qui, en face de la formidable masse de verre des Nations unies, abritait la délégation des Etats-Unis auprès de l'organisme international. Mais commençait à circuler la rumeur de l'attentat à la bombe au World Trade Center.

Le groupe de Wright Washington fermait la marche du cortège. Il s'était ébranlé assez tard du Marcus Garvey Park, où il avait rassemblé plusieurs centaines de partisans du principal courant des organisations pour les droits civiques; des militants du Black Power l'avaient chahuté, conspué, lui déniant le droit de parler au nom de la communauté.

304

Les ennuis commencèrent aux alentours de la 60e Rue, alors que les manifestants venus de Harlem passaient devant une banque et deux restaurant huppés. Des gamins, en queue de cortège, lancèrent des pierres et des bouteilles. Washington entendit le bruit des vitres brisées, vit des visages apeurés dans la foule et les policiers intervenir avec leurs matraques. Il arrêta la marche, remonta les rangs du cortège.

– N'agissons pas ainsi! hurlait-il sans cesse. Nous n'obtiendrons rien par la violence!

Les Fedayines et les Bérets Noirs le huèrent.

– Si les poulets veulent la bagarre, on va pas les décevoir, hurla l'un d'eux.

Il y eut une brève échauffourée alors que la police arrêtait deux ou trois casseurs.

Un pasteur vint tirer Washington par la manche et lui désigna un homme solide, en uniforme de policier, qui attendait patiemment sur le trottoir.

– Il veut vous parler.

– Qu'y a-t-il, inspecteur? demanda Washington à l'agent.

– Vous avez quelques têtes chaudes parmi vos ouailles, mon révérend. Vous pourrez les tenir?

– J'essaie. Ce que nous voulons, c'est une démonstration pacifique.

– Il me semble qu'ils veulent déclencher une bagarre avec la police.

– Nous essaierons de les en empêcher, dit Washington moins convaincu qu'il n'en avait l'air.

L'inspecteur le considéra, l'air sceptique, mais lui fit signe de poursuivre.

Hockney renonça au métro à Grand Central et fonça en courant vers l'immeuble des Nations unies. Brandissant sa carte de presse, il traversait et retraversait le cortège, à la recherche de Wright Washington. Il aperçut Willard Holmes, le visage illuminé d'un sourire radieux alors qu'il sortait de l'immeuble de la représentation américaine aux Nations unies. Il venait d'y déposer sa pétition.

Hockney se fraya alors un chemin vers le côté nord de la Plaza; là, un groupe de travailleurs, en casques de chantier, lançaient des injures aux manifestants. Il entendit un chant, version rythmée d'un vieux *negro spiritual,* et aperçut Wright Washington, grand, droit, vêtu de son costume noir.

— Que demandons-nous? tonna l'un des meneurs.

La réponse ne fut pas le mot d'ordre des tenants des droits civiques : « La liberté! » mais : « La révolution *noire!* »

L'une des banderoles portait : « DU CYANURE POUR NEWGATE ».

Derrière la protection d'un cordon de police, un contre-manifestant hurla : « Retournez en Afrique », puis, voyant que son slogan ne provoquait pas grand effet, il ajouta : « Vive le K.K.K. »

Et ce cri produisit son effet. Sous l'œil des caméras de télé, plusieurs jeunes Noirs se précipitèrent vers le provocateur et réussirent à rompre le cordon de police. D'autres flics arrivèrent en renfort et se trouvèrent pris dans la mêlée. Un jeune homme coiffé d'un béret noir balança un coup de ce qui paraissait être un journal roulé à un flic ventru. Le policier, atteint à la tête, poussa un cri et s'écroula. Hockney vit le sang couler d'une blessure circulaire au-dessus de l'oreille. Tandis que le Béret Noir se baissait pour ramasser la barre de fer dissimulée dans le journal, un autre policier lui assena un solide coup de matraque sur la clavicule.

Un inspecteur, qui se tenait près de Hockney, répétait dans son walkie-talkie : « Casques et matraques, casques et matraques. »

Hockney se précipita vers Wright Washington qui tentait de se faire entendre au-dessus de la clameur de la foule, appelant les Fedayines et les Bérets Noirs à cesser la bagarre.

— Nous ne sommes pas là pour cela, protestait Washington.

— C'est toi qui le dis, grand-père, lui cracha quelqu'un. Je veux me payer quelques-uns de ces porcs!

Un certain nombre de policiers s'étaient avancés parmi les manifestants, essayant de briser le front de leur attaque.

Sur les trottoirs, les badauds se dispersèrent. Des femmes poussèrent des cris aigus, et Hockney vit quelqu'un trébucher et s'effondrer sur une poussette de bébé.

— Reculez! hurla à Hockney qui n'en tint aucun compte un policier au visage rouge, revolver au poing. Hockney courait maintenant, il courait vers l'endroit où, au-dessus de la foule, il apercevait les cheveux blancs de Wright Washington.

Bon nombre de policiers avaient sorti leur arme et d'autres arrivaient, vêtus de leur tenue anti-émeute. L'inspecteur demanda au groupe de Washington de se disperser.

La réponse fut un coup de feu venu de la foule.

Hockney ne se trouvait qu'à quelques mètres de Wright Washington lorsqu'il remarqua un élégant policier aux larges épaules, tenant une arme, s'appliquer à bien viser... Quelque chose, dans ce policier, parut familier à Hockney. Pas les cheveux. Ni les sévères lunettes cerclées d'acier. Et certainement pas l'uniforme, qui paraissait trop grand d'une demi-taille. Non, c'étaient les yeux : le vert pâle des yeux de chat ou des eaux des Caraïbes.

Il fallut une seconde avant que Hockney le reconnaisse vraiment. Il se mit en mouvement d'instinct, se glissa devant deux fidèles de Washington, percuta le pasteur noir et l'envoya s'étaler sur la chaussée. Ainsi, la balle tirée par le faux flic toucha le pasteur noir à l'épaule et non au cœur.

Hockney se releva et se lança à la poursuite de l'homme aux yeux verts. Cet homme qu'il avait rencontré pour la première fois à bord du navire de croisière voguant vers San Juan. Il lui fallait arrêter cet homme, rien d'autre ne comptait : il n'entendit pas les cris de colère, de frayeur qui s'élevaient autour de lui; le pistolet qu'il brandissait en était la cause. L'homme aux yeux verts s'enfonça dans la foule. Puis, un instant, Hockney l'eut dans sa ligne de mire.

Des poignes solides s'abattirent alors sur lui, on lui tordit le poignet jusqu'à ce qu'il laisse tomber son arme. Il se retrouva à terre, de lourdes bottes lui labouraient ventre et entrejambe.

Il entendit une voix, avec un fort accent irlandais : « On tuerait un flic, hein ? » Puis il reçut un coup de pied à la gorge et tout disparut dans l'obscurité.

A cinq heures de l'après-midi, un journaliste de la télé arrêta Joe Ficher sur les marches de l'hôtel de ville.

— Commissaire Fischer, voulez-vous dire un mot de l'action de la police en vue de rétablir une situation normale?

Fischer eut pour le micro un regard qui trahissait son vif désir de l'enfoncer dans la bouche du jeune journaliste, et ses yeux brillèrent d'une lueur bizarre lorsqu'il déclara :

– Nous commençons à reconnaître l'éléphant.

– Je ne comprends pas très bien.

– On ne vous apprend donc plus l'histoire, à l'école? demanda Fischer. C'est ce que disaient les combattants de la guerre de Sécession après être montés au feu pour la première fois. Nous avons vu l'éléphant.

A cinq heures pile, une série d'explosions démolirent cinq sous-stations de centrales électriques dans Manhattan, Brooklyn et Queens. Plus tard, l'enquête révéla qu'elles avaient été provoquées par des mines-ventouses commandées à distance. La Consolidated Edison avait déjà été contrainte de fermer plusieurs transformateurs endommagés par des tireurs embusqués. Tandis que les agents de la Con. Ed. qui n'étaient pas de service tentaient de rallier leurs postes au plus vite, on annonçait au maire que, toute la durée de la nuit ou presque, la ville, à l'exception de Staten Island et d'une petite partie de Brooklyn, demeurerait plongée dans l'obscurité.

Du fait des explosions qui avaient détruit la tour 1 du W.T.C., nombre de bureaux du quartier des affaires – suivant en cela un appel du maire – avaient fermé tôt, et les gens du New Jersey et des autres comtés de New York avaient tenté de regagner leur domicile par le réseau de ponts et de tunnels qui reliait l'île de Manhattan à leurs banlieues-dortoirs. Des embouteillages, pare-chocs contre pare-chocs, bloquaient toute la voie express Roosevelt jusqu'au pont de Triborough.

Vus de loin, les câbles de suspension du pont de Brooklyn paraissaient avoir la finesse et la légèreté de gaze d'une aile de libellule. Le plus résistant, en acier cordé, faisait vingt centimètres de diamètre. Aux premières heures de la nuit, il avait fallu au Portoricain de l'équipe Beacher moins de trois minutes pour se glisser sous le pont, côté Brooklyn, en s'aidant d'un tuyau d'évacuation. On le surnommait El Gato, car il se déplaçait comme un chat et se trouvait parfaitement à l'aise dans l'obscurité. Il accéda à l'endroit où quatre câbles de suspension étaient ancrés à un bloc de pierre de la taille d'un immeuble de trois étages. Il y plaça deux charges de plastic, les

détonateurs réglés pour dix-sept heures. La première partie de
sa tâche achevée, El Gato répéta l'opération côté Manhattan.
Lorsque les explosions jumelles sectionnèrent les câbles, à
chaque extrémité du pont, la police dut installer des barrières –
une série de chevalets d'un bleu brillant – pour arrêter la
circulation dans les deux sens.

Mais la police ne pouvait être partout, pas plus que les
hommes des services de sécurité de la ville. Des alertes au feu
se déclenchaient partout dans les cinq comtés, dont de nombreuses fausses alertes. Presque partout dans la ville, les vitres
des bornes d'appel avaient été démolies par douzaines.

Au poste de commandement d'urgence du F.B.I., au
vingt-huitième étage du 26 Federal Plaza, un agent, Malone,
répondait aux téléphones directement reliés au quartier général de la police et au bureau du directeur du Bureau à
Washington. Des deux côtés, on lui posait la même question, et
sa réponse ne variait pas.

– Non, répétait-il à l'intention de ses interlocuteurs. Nous
n'avons pas encore arrêté de saboteurs. Nous ignorons toujours
si ces appels émanant des Libérateurs sont à prendre au sérieux
ou pas. Personne, ici, n'en a encore entendu parler... Oui,
monsieur le Directeur, c'est en cours... Oui, monsieur le
Directeur, je vous avise dès que nous avons quelque chose.

Malone raccrocha et bâilla. Ce n'était pas un homme doué
d'une grande imagination : il ne parvenait pas à concevoir
comment tout ce grabuge avait pu être déclenché dans *sa* ville.
Mais maintenant que le bordel était généralisé, il savait ce qu'il
convenait de faire : appliquer le règlement. Le règlement
stipulait qu'en cas de troubles, l'une des premières responsabilités du F.B.I. consistait à s'assurer que nul ne pénétrerait dans
les chambres fortes des banques de New York pour en ressortir
les bras chargés de lingots. Plus de la moitié des huit cent
soixante agents F.B.I. de la ville y veillaient présentement, en
faction devant les énormes serrures à combinaisons, tapotant
les chambres de leur revolver en attendant Bonnie and
Clyde.

– Je parie que c'est un coup des Portoricains, dit Malone
quand un des agents lui apporta un gobelet de café. Tu te
souviens qu'on a piqué quelques-uns de ces métèques avec les

plans des installations électriques, au Madison Square Garden, voilà environ deux ans? Mais, putain, où est Frank Parra? Il devrait savoir, lui.

Lorsque Hockney reprit connaissance, il découvrit sur son menton un mince filet de bile. Il l'effleura puis se tâta du bout des doigts. Il avait le cou couvert de pansements. La lumière de la fenêtre ouverte lui fit mal aux yeux. Il les ferma, se détourna.

Il reconnut le visage penché sur lui – les yeux foncés, intelligents; le nez en bec d'aigle; les cheveux noirs un peu longs.

– N'essayez pas de parler, fit Frank Parra.

Sage conseil. Les premiers mots qu'essaya d'articuler Hockney produisirent un bruit de gargarisme. Et cela lui était douloureux.

– Vous pouvez vous estimer heureux qu'ils ne vous aient pas tué, poursuivit Parra. L'agent qui vous a porté ce coup de pied s'appelle O'Keefe. Il a grandi dans un quartier plutôt dur.

– Où... souffla Hockney.

– Vous vous trouvez à l'hôpital de Lennox Hill, dit Parra. Ne me remerciez pas. Remerciez plutôt le flic qui a fouillé vos poches avant de laisser O'Keele achever son boulot. Ils ont trouvé votre carte de presse. Et mon numéro de téléphone.

– Wa-shing-ton, demanda Hockney. Mais cela exigea un plus gros effort.

– Il est ici également. Je crois que vous lui avez sauvé la vie. On lui a extrait une balle de l'épaule.

Hockney essaya de se mettre en position assise. Parra prit l'un des oreillers, le plia et le lui glissa dans le dos.

– Vous avez été tous les deux les vedettes de cette petite fête, dit Parra. Après que ce faux flic eut tenté d'abattre Washington, nous avons eu droit à une émeute en règle. Près de cinq cents arrestations, rien que sur la place des Nations Unies.

Hockney aurait voulu pour consulter sa montre-bracelet, mais on la lui avait retirée.

– Vous avez été dans le cirage pendant environ cinq heures, lui expliqua Parra,

– Le flic... souffla Hockney.

– Reposez-vous, lui répondit l'homme du F.B.I. Le docteur dit que tout va très bien s'arranger pour vous si vous y allez doucement.

– Faut-que-je-parle, insista Hockney, faisant le geste d'écrire sur la paume de sa main, et Parra sortit un calepin et un stylo à bille.

Sa main trembla lorsqu'il se mit à écrire. Les lettres apparurent toutes molles et légèrement penchées à gauche; l'écriture d'un enfant qui tente de ne pas dévier de la ligne.

Flic qui a tiré sur Washington, écrivit-il. *Pas flic. Mitch Lardner. San Juan.*

Il repassa le calepin à Parra qui lut, fronça les sourcils et demanda :

– Vous êtes sûr?

Hockney essaya d'acquiescer de la tête, mais cela aussi était douloureux.

– Nous avons effectué des recherches. Aucun des autres flics de la rue ne connaissait ce type. Y compris votre ami O'Keefe. L'homme qui a tiré sur Washington semble tout simplement s'être évanoui dans la nature. Si vous ne vous trompez pas... (Il marqua une pause.) Eh bien, ils n'ont pas eu leur martyr aujourd'hui. Mais à entendre les gens là-haut, dans Harlem, on ne le croirait pas. Et Dieu sait ce que va déclarer Wright Washington quand il pourra sortir. Il semble croire que les flics étaient là pour l'abattre. Seigneur!

Hockney, impatient, fit signe à Parra de lui rendre le calepin.

Il faut que je lui parle, gribouilla-t-il.

– On verra, dit Parra. En attendant, je voudrais que vous jetiez un coup d'œil là-dessus.

Il fouilla dans une poche de sa veste et en retira une photo de format 13 × 18, avec beaucoup de grain. Un agrandissement, manifestement. La photo montrait deux hommes, en pleine conversation, assis à une table de restaurant. L'un d'eux se couvrait la bouche de la main, comme s'il craignait qu'on lise sur ses lèvres. On ne voyait que l'extrémité d'une abondante moustache. Un homme courtaud, au visage plat, mais très élégamment vêtu.

L'homme qui se trouvait avec lui semblait fixer l'objectif. Même avec ses vêtements de dandy, ses lunettes, ses cheveux teints en une nuance plus foncée et coupés très courts, on ne

311

pouvait s'y tromper. Rien ne pouvait masquer l'intensité de ces yeux pâles, une intensité qui ressortait même sur cette mauvaise photo en noir et blanc. Hockney contemplait l'homme qui avait tiré une balle calibre 38 sur Wright Washington l'après-midi même : l'homme qu'il avait rencontré pour la première fois à bord du *Duchess,* l'homme qui prétendait s'appeler Mitch Lardner et qui avait pour compagne une ravissante beauté latine.

— C'est lui, croassa Hockney en tapotant du doigt le visage de Beacher.

— Je pensais bien que ça pouvait être lui, fit Parra en empochant la photo.

Hockney avala une gorgée d'un liquide rosé dans un gobelet posé sur sa table de chevet. Après quoi, il parvint à articuler une phrase entière.

— Où l'avez-vous prise? demanda-t-il, la voix précipitée, rauque.

Le visage de Parra s'éclaira d'un sourire énigmatique.

— Officiellement, dit-il, c'est arrivé au courrier, expédié par un ami qui nous veut du bien. De vous à moi, on l'a prise hier après-midi à l'O.N.U., au restaurant du premier étage. Vous n'avez pas reconnu l'autre type, hein? demanda Parra.

Hockney secoua la tête.

— Bizarre, poursuivit Parra. J'aurais juré que vous vous connaissiez tous les deux. C'est le type qu'on filait. Il s'appelle Teófilo Gómez.

Il attendait une réaction et il l'eut. Hockney en fut si excité qu'il faillit s'étouffer en essayant de reprendre la parole. Il n'avait jamais vu Gómez en chair et en os, mais il savait que le chef du réseau d'espionnage cubain à New York jouait un rôle de tout premier plan dans les événements qui bouleversaient sa vie depuis deux mois. Le contact de Julio Parodi à New York! Et voilà que Frank Parra fournissait la preuve que le chef de station de la D.G.I. traitait directement avec les terroristes qui avaient tenté d'assassiner Wright Washington. C'était la preuve — si seulement on pouvait l'utiliser — qu'il existait un plan Monimbó. Et Hockney se posait la question essentielle, celle que se posait tout journaliste devant un scoop. Comment sortir l'histoire?

— Bande vidéo, réussit-il à dire à Parra. Il doit exister une bande vidéo de l'attentat. J'ai vu une caméra de télé.

— Il y en a une, dit l'homme du F.B.I. Une caméra de la

troisième chaîne a pris la scène. Il y a un os. Nous leur avons demandé une copie de la bande et ils ont refusé de nous la donner. J'ai eu affaire à un producteur pour qui aider le Bureau semblait être ce qu'on peut concevoir de pire si on met de côté une collaboration avec la Gestapo. Il a dit qu'ils allaient passer la bande aux actualités nationales et que nous pourrions alors la repiquer. Vous savez ce que ça signifie. Les aéroports sont fermés. On dévie le trafic aérien jusqu'aux Bermudes. Il faut donc attendre qu'un de nos hommes enregistre les actualités sur un Betamax et nous ramène la bande depuis Jersey.

— Une minute, dit Hockney en sortant du lit et en titubant jusqu'au placard.

— Je connais quelqu'un à la troisième chaîne. (Il s'agissait de la station locale du réseau d'Angela.) Passez le coup de fil, dit-il à Parra en désignant le téléphone près du lit. Demandez Angela Seabury.

— Je ne sais pas s'il y aura quelqu'un, dit Parra avant d'entamer une discussion avec la standardiste de l'hôpital pour justifier sa demande d'un numéro à l'extérieur. La troisième chaîne ne va pas diffuser grand-chose ce soir. Mais je crois que l'immeuble dispose d'un groupe électronique de secours.

Il fallut discuter encore avec l'homme de service au standard de la station de télé avant qu'il accepte de passer le bureau d'Angela.

— Miss Seabury?

— Qui est-ce? demanda-t-elle de son agréable voix de gorge; elle semblait pourtant marquée par la lassitude.

— Je suis un ami de Bob Hockney. Il est à l'hôpital. Il s'est fait tabasser plutôt sévèrement aujourd'hui.

— Je sais. J'ai vu cela à la vidéo.

— C'est la raison de mon coup de fil, Miss Seabury. Nous vous serions reconnaissants de nous permettre de jeter un coup d'œil sur cette bande.

— Je ne sais pas.

Parra tenait le récepteur à quelques centimètres de son oreille afin que Hockney puisse suivre la conversation. Angela semblait nerveuse, peu enthousiaste.

— Passez-la-moi, dit-il à Parra en prenant le combiné. Angela?

— Bob? Seigneur, je ne t'aurais pas reconnu. Tu as une voix terrible.

– Écoute, je suis à l'hôpital Lennox. Wright Washington aussi. Je vais le voir dans un instant. Il nous faut cette bande vidéo. Je ne peux pas tout t'expliquer, mais il est vital que Washington la voie ce soir.

– Je ne sais pas, répéta-t-elle, Simon l'a pratiquement confisquée.

– Qu'il aille se faire foutre, Simon!

Comme elle hésitait, il jeta dans la balance l'argument massue, le genre de carte que les bons journalistes répugnent à abattre mais dans le cas présent se jouait une chose qui comptait davantage qu'une simple gloire personnelle.

– Washington n'a encore fait aucune déclaration aux médias. Je crois que je pourrais t'avoir le scoop si tu m'apportes cette bande.

– C'est bon, dit-elle après un instant de réflexion. Mais comment vais-je parvenir jusque-là? Les rues sont dans un état indescriptible.

Hockney jeta un coup d'œil à Frank Parra.

– On va arranger quelque chose, dit l'homme du F.B.I.

– Attends une dizaine de minutes, dit Hockney à Angela. Tu vas bénéficier d'un traitement présidentiel.

Il absorba le reste du liquide rosé, s'en rinça la bouche et le recracha dans la cuvette. Lorsqu'il eut fini de s'habiller, il demanda à Parra :

– Quel numéro, la chambre de Wright Washington?

L'homme du F.B.I. le lui indiqua et ajouta :

– Je vous fais franchir le cordon de police. Pour le reste, il vaut mieux que vous vous débrouilliez tout seul. Washington a quelques amis avec lui qui n'adorent pas précisément le F.B.I. Je conduirai Angela quand elle arrivera.

Des policiers en uniforme montaient la garde à chaque extrémité du couloir, mais les hommes qui se tenaient devant la porte de Washington étaient des Noirs en vêtements de travail. Hockney en reconnut un qu'il avait vu à la manifestation.

– Je suis Bob Hockney, se présenta-t-il. Je suis un ami. Il faut que je lui parle.

– J'ai l'ordre de ne laisser entrer personne. Le maire arrive. Il ne veut voir personne avant.

– Il faut que je le voie, insista Hockney dont la voix se brisa.

L'homme devant la porte paraissait avoir eu plus que son compte de coups durs. Sa tête aurait pu servir de punching-ball, mais il avait un visage sensible, intelligent.

Il regarda les bandages qui entouraient le cou de Hockney et demanda :

– C'est vous qui vous êtes fait tabasser par les flics, hein?

– Exact.

– C'est bon. Je vais demander.

Il fut vite de retour et laissa Hockney pénétrer dans la chambre. Le journaliste trouva Washington à demi habillé, l'épaule entourée de pansements et le bras droit dans le plâtre. La posture de l'homme inquiéta Hockney. Tout son maintien, son port avaient changé : épaules affaissées, tête branlante comme si rien ne la soutenait.

– Toute ma vie j'ai essayé de lutter contre la violence, dit-il, sans s'adresser à quelqu'un en particulier. Et ma vie a été un échec. J'appartiens à mon passé.

Sur le lit était posée, ouverte, une bible sur papier de riz à la reliure de cuir usée. Il la prit, l'ouvrit et dit :

– Voilà, c'est là, dans Matthieu 10-34. Jésus dit : « Ne croyez pas que je sois venu apporter la paix sur la Terre; je ne suis pas venu apporter la paix mais l'épée. »

Il referma la bible et ajouta :

– C'est ce genre de passage qu'aiment citer les fondamentalistes du Sud, ceux qui ont déclaré que la ségrégation est la loi de Dieu et qu'il est juste de tuer nos ennemis. Je n'ai jamais cru que c'était là le message de la Bible. Peut-être ai-je eu tort. Vous savez ce qui se passe dehors?

Il se tourna vers Hockney et le journaliste remarqua qu'il avait les yeux embués.

– Je sais, répondit doucement Hockney. Il faut que vous arrêtiez cela.

– Que voulez-vous que je fasse? demanda Washington dont le regard s'embrasa. Vous voulez que je fasse ce que j'ai essayé de faire à Miami? Vous voulez que j'aille prêcher aux gosses noirs qu'il ne faut pas piller, incendier et tuer alors que le pouvoir les tue, *eux*? Alors qu'ils savent tous que la police a tué plusieurs personnes aujourd'hui simplement parce qu'elles étaient noires, ou en colère, et qu'un policier a tenté de me tuer, *moi*? Vous me demandez de faire quelque chose que je ne peux pas faire. Je n'en ai plus la foi.

315

— Il faut que vous compreniez bien une chose, commença Hockney.

Il se mit à lui expliquer, en phrases heurtées, l'histoire du terroriste en uniforme de policier et le rôle des Cubains, et il vit les yeux de Wright Washington se rétrécir jusqu'à n'être qu'une fente. L'un des autres Noirs présents dans la chambre intervint :

— Quelle salade essayez-vous de nous vendre?

— Je sais que cela paraît incroyable, répondit Hockney. Mais je crois pouvoir vous le prouver.

Pour autant qu'Angela tiendrait sa promesse, pensa-t-il.

Elle arriva quinze minutes plus tard, et Hockney dut sortir et fournir d'autres explications avant que les hommes qui montaient la garde devant la porte la laissent entrer.

Il prit le magnétoscope Betamax qu'elle avait traîné dans le couloir et le brancha sur le vieux poste de télé, face au lit. Sur l'écran apparurent des tortillons et des astérisques semblables aux exclamations des bulles d'une bande dessinée; puis apparut la scène du coup de feu. Ils n'eurent qu'un bref aperçu du flic aux yeux verts qui s'avançait, le revolver à la main. Hockney fit revenir la bande en arrière et repassa ces quelques images.

— On peut avoir un arrêt sur l'image? demanda-t-il à Angela.

Elle lui indiqua comment procéder.

— Il faudra que le maire nous explique pas mal de choses, murmura l'un des assistants de Washington. Et notamment pourquoi ils n'ont pas encore bouclé ce flic assassin.

— J'aimerais que vous regardiez ceci, dit Hockney au pasteur en lui tendant la photo du terroriste en compagnie de Teófilo Gómez.

— C'est le même homme, s'exclama aussitôt Washington.

— Exactement.

Angela s'avança et se pencha par-dessus l'épaule de Washington pour regarder la photo.

— C'est Teófilo, dit-elle, ouvrant tout grands les yeux.

— Encore exact.

Hockney raconta toute l'histoire, depuis sa rencontre fortuite avec l'homme aux yeux verts au cours de la croisière à San Juan, en prenant bien soin de ne pas mêler faits et hypothèses.

— Les Cubains voulaient faire de vous un martyr, conclut-il. Ils veulent déclencher une guerre raciale dans ce pays. Ils veulent mettre cette ville à feu et à sang. Ils veulent le désespoir, car ils peuvent utiliser les désespérés comme ils se servent des Fedayines. Peu leur importe leur communauté. Peu leur importe que Harlem soit dévastée.

— Cela pourrait se produire ce soir, dit doucement Washington. Je ne sais ce qui pourrait les arrêter. Pas ce soir.

— Il faut que vous essayiez, plaida Hockney. Les gens de Harlem vous écouteront. Ils n'écouteront ni le maire, ni le préfet de police, ni Robert Hockney, ni personne des médias. Il faut leur expliquer qu'on les a manipulés.

— J'ai une équipe de télé qui attend au bas des escaliers, dit Angela, sautant sur l'occasion. Nous pourrions passer l'interview au journal national de sept heures, ajouta-t-elle en consultant sa montre. Et expédier la bande à Newark par hélicoptère.

— Personne de New York ne la verra, fit observer Washington.

Il se redressa quelque peu; sa tête se fit plus ferme sur ses épaules, il ferma les yeux puis les rouvrit, le regard bien décidé, maintenant.

— Il nous faut un camion, dit-il à ses collaborateurs. Un camion à plateau, peut-être. Il nous faut de la lumière, un amplificateur et autant de monde de chez nous que vous pourrez en réunir. Nous nous occuperons nous-mêmes de notre sécurité. Je ne veux pas de policiers dans le coin ce soir.

Celui des assistants qui avait discuté avec Hockney commença à protester, mais Washington éleva la voix :

— Je sais quelle est ma voie. Il n'en existe qu'une. Martin Luther King avait coutume de dire qu'on ne verrait pas de Noirs en cagoule, comme le Klan, pas de croix noires enflammées, pas de lynchages commis par des Noirs. Je veux que cela se vérifie ce soir.

Angela avait l'air assez peu satisfaite.

— Tu m'avais promis une interview, siffla-t-elle à Hockney alors qu'ils sortaient de la chambre d'hôpital sur les pas du pasteur noir. Mais elle était trop secouée par ce qu'elle venait juste d'apprendre sur son ami Teófilo pour insister. Elle prit le bras de Hockney, comme pour éviter de chanceler.

317

Elle se souvint des mots que cet homme brun, séduisant, venu la chercher à son travail, lui avait demandé de rapporter.

— Ton ami — Frank — m'a dit de te dire qu'il devait partir. Il veut que tu l'appelles, plus tard.

En se rendant au bureau d'Angela, Parra reçut sur son walkie-talkie un message de Wallace.

— Malone est en train de fumer, lui annonça Wallace. Il dit qu'on ne peut affecter des hommes à la planque à moins d'être sûr d'avoir quelque chose. Il veut qu'on laisse tomber.

Wallace se trouvait dans le Bronx, gardant un œil sur un immeuble délabré près de People's Park, un coin envahi par l'herbe, un lieu de rendez-vous pour les *independentistas* portoricains et les extrémistes du Black Power.

— Et a-t-on quelque chose? demanda Parra.

— Peut-être. Ça bouge pas mal autour de l'immeuble. J'ai vu une paire de dandies y pénétrer il y a quelques minutes. L'un des deux est un Fedayine. Je crois que l'autre est un mec fiché.

— Qu'est-ce que tu en penses?

— Je crois qu'on pourrait avoir un coup de pot.

— On va laisser passer encore une heure. Il faut que je descende à Clinton Street. Mais si tu vois qu'on essaie de sortir la camelote, tu as intérêt à l'emballer vite fait. Tu as assez de monde?

— Je me débrouillerai.

— Encore une chose. Le type de la photo, avec le Cubain à l'O.N.U. C'est l'homme qu'on recherche. On ne connaît pas encore son nom. Il se faisait appeler Mitch Lardner à Porto Rico, mais on ne l'a pas retrouvé dans nos fichiers.

— On a des empreintes?

— On en a relevé sur le verre de son cocktail. Mais on n'a rien de semblable en ordinateur. Je vais faire bricoler la photo et la faire passer aux flics. Si tu tombes dessus, tu fonces. Mais fais-moi plaisir, tu veux? Essayons de le prendre vivant.

Frank Parra se garda bien d'appeler Malone au Q.G. Il était plus simple de s'excuser d'avoir oublié d'appeler que de justifier le refus d'exécuter un ordre formel, et il craignait terriblement que Malone lui ordonne de rappeler ses hommes en planque pour qu'ils aillent passer le reste de la nuit à jouer au poker dans les chambres fortes de quelques banques du centre-ville.

Le soleil se couchait sur le New Jersey recouvert d'une brume rougeâtre. Le bruit des guitares électriques résonnait à travers Grand Army Plaza, et les centaines de gens qui grouillaient autour du *Plaza Hotel* s'arrêtaient pour écouter l'orchestre rock. Les marchands de crème glacée faisaient des affaires en or. Les tensions se libéraient dans une gaieté de carnaval. Sous le regard surpris des automobilistes coincés sur la 5ᵉ Avenue, des couples se mirent à danser.

Dans Harlem, des groupes de Fedayines et de Bérets Noirs haranguaient la foule aux carrefours, annonçant que la chute des États-Unis était imminente. Ils poussaient les Noirs à s'engager dans une juste guerre pour venger la tentative d'assassinat sur la personne de Wright Washington. Ces mêmes militants déambulaient dans les rues et promettaient à quiconque voulait une arme qu'il en aurait une avant la fin de la nuit.

A vingt heures trente, un Fedayine organisa une leçon de choses pour la communauté. Le véhicule n° 2 – appartenant à l'unité des services d'urgence du commissaire Fischer – pénétra dans un poste de la 126ᵉ Rue, face à un terrain de jeux où, la nuit, se réunissaient de jeunes Noirs pour fumer un joint, faire entendre leurs énormes postes de radio et fanfaronner. Un groupe de Fedayines attendit tranquillement que plus de la moitié des hommes rattachés à l'unité n° 2 partent répondre à des appels. Puis leur chef perfora les solides portes d'acier du poste à l'aide d'un obus de mortier FN belge. Un seul agent se trouvait à l'intérieur du garage. Les Fedayines, s'en servant comme d'un bouclier, le firent avancer devant eux, un couteau sur la gorge et, par les escaliers intérieurs, gagnèrent le bureau situé au premier. Deux policiers jaillirent de la salle de radio pour se précipiter sur les portemanteaux du couloir où étaient accrochés leurs ceinturons et leurs armes; ils furent pris sous le feu d'un M.16. Dans la salle de télé, les Fedayines tombèrent sur le sergent, abrité derrière le vieux réfrigérateur. Une plaque, volée à la représentation libyenne aux Nations unies, pendait au mur, accrochée de guingois. Le sergent tint dix minutes environ, rendant coup pour coup avec son fusil à pompe. Après qu'il eut atteint l'un des Fedayines au ventre, le chef du groupe décida d'expédier l'affaire. A l'aide du mortier belge, il pulvérisa sur le mur du fond le sergent et le réfrigérateur. Puis il entra en plastronnant dans la salle de radio et appela le poste de commandement de Fischer.

– Nous venons d'investir l'un des forts de l'occupant colonialiste, annonça-t-il d'une voix aiguë et nasillarde. C'est le juste châtiment des crimes policiers contre notre peuple. Nous exigeons le retrait immédiat de toutes les forces d'occupation des quartiers noirs et portoricains avant minuit. Va te faire enculer, péquenot.

Le temps que le commissaire Fischer puisse parvenir jusqu'à l'unité n° 2 avec des renforts, les Fedayines avaient décroché. Il jeta un coup d'œil aux dégâts et commenta :

– Mais, bordel, d'où ces fils de pute sortent-ils des *mortiers?*

La nouvelle de l'attaque contre l'unité n° 2 circula bien vite, et on commençait à se dire que la police se trouvait sur la défensive. L'idée grandissait que, quoi qu'on fasse durant cette nuit, le risque d'être puni par un homme exhibant un insigne était tout à fait négligeable.

Mais la rumeur la plus folle, celle qui stimula les durs, se propagea à partir de l'annonce des Fedayines et des Bérets Noirs aux carrefours : tout le monde allait avoir une arme – pas seulement un vulgaire « Samedi Soir Spécial », mais un vrai pistolet, un fusil automatique, un fusil de chasse ou même de l'artillerie plus conséquente : bazooka ou lance-grenade. Certains prétendaient que les Fedayines avaient dévalisé un arsenal de la Garde nationale. D'autres affirmaient que l'Armée noire de libération était de retour et avait détourné tout un convoi d'armes de la 6e armée américaine.

Dans un bar de Mulberry Street, près de la boîte de fruits de mer d'Umberto, là où le mafioso Joey Gallo avait été abattu par un des membres d'une « famille » rivale, Mike Santini faisait ce soir une de ses nombreuses apparitions dans les quartiers italiens.

– Inutile de te faire le moindre souci, assura le caïd de la mafia au propriétaire du bar, un cousin du *capo* de sa propre famille. Nous nous occuperons de vous, comme toujours. Nous empêcherons le crime d'envahir nos rues.

Bien avant minuit, les hommes de la famille Santini faisaient sentir leur présence dans tous les coins de la petite Italie. Des hommes, élégamment vêtus, traînaient dans la rue ou prenaient position sur les toits, armés de fusils équipés de viseurs à infrarouge.

Frank Parra ne faisait pas très portoricain, mais il parlait come un Portoricain, et c'était ce qui comptait lorsqu'il alla frapper à la porte de la maison de Clinton Street. Il avait vu plusieurs véhicules – des fourgonnettes, des breaks et une camionnette de la compagnie du téléphone, qui n'avaient rien à faire dans cette rue à cette heure avancée de la nuit – s'arrêter tout près. Il possédait une mémoire quasi photographique des visages, et il reconnut un ou deux des hommes qui pénétrèrent dans l'immeuble d'après les clichés des gueules épinglées sur le mur du bureau de la brigade antiterroriste, à San Juan. Lorsque l'un d'eux ressortit, traînant une caisse, Parra décida que, s'ils s'apprêtaient à partir, il était temps pour lui d'arriver. Il avait tenté, sans succès, d'ébranler Joe Fischer. La brigade des services d'urgence de la police avait sans doute pas mal de soucis après l'attaque de l'unité n° 2 à Harlem. Il lui faudrait donc faire avec les moyens du bord : quatre hommes dont un jeune fraîchement débarqué de Wichita, Kansas, et qui attendait que sa femme le rejoigne le jour même. Parra en envoya deux derrière la maison, en plaça un de l'autre côté de la rue avec un fusil à lunette équipé d'un viseur à infrarouge, et il dit au gars du Kansas de le couvrir mais de ne pas intervenir tant qu'on n'aurait pas besoin de lui.

Lorsqu'il frappa à la porte, elle s'entrebâilla, et une voix peu amène lui demanda en espagnol ce qu'il voulait.

– *Soy amigo del Gato*, murmura Parra, qui avait échangé son costume contre un méchant pantalon.

Le surnom d'« El Gato » était l'un des rares tuyaux obtenus par le Bureau lors de l'interrogatoire de dizaines de suspects au cours de l'enquête sur la mort du sénateur Fairchild à Porto Rico. Le sobriquet en valait bien un autre. Pourquoi ne pas l'essayer?

321

– *No está,* répondit l'homme, entrouvrant davantage la porte pour pouvoir jeter un coup d'œil dans la rue. Les autres agents du F.B.I. se tenaient dissimulés dans l'obscurité derrière le réverbère brisé et sous les escaliers branlants du porche.

– *Me necesita algo,* insista Parra, certain maintenant que le tuyau était bon et que tous les fils se tressaient.

L'homme lui jeta un nouveau regard, haussa les épaules et lâcha un « *Espere* » avant de fermer la porte au nez de Parra.

Parra surveilla les alentours, afin de s'assurer que l'on ne pouvait voir le gamin de Wichita. Un novice, certes, mais apparemment on les faisait solides et costauds au Kansas, et il possédait, en outre, un joli fusil Remington calibre 12. Quant à Parra, il n'avait qu'un jouet – un 22 – dans un étui de cheville. La porte s'ouvrit de nouveau, son encadrement marqué de profondes rayures et d'éclats, comme si on l'avait forcée plus d'une fois.

– *Está bien,* dit l'homme.

Parra n'avait pas passé le seuil qu'on entendit un fracas derrière la maison, deux coups de feu et des cris de « ¡*Policía*! » Un grand Noir jaillit, armé d'une mitraillette à canon court. Parra ne se soucia pas de se présenter avant de l'arrêter d'une balle dans l'épaule. La mitraillette tomba sur le sol, Parra la cueillit et la braqua sur le Portoricain qui l'avait introduit, un jeune dégingandé aux cheveux crépus, pointant un magnum qui, à cette distance, aurait fait un trou gros comme le poing. Mais il n'y eut pas de trou car Wichita, passant le seuil de la porte en plongeant comme pour un plaquage, abattit le canon de son joli Remington sur la nuque du Portoricain.

Les autres Portoricains, dans la pièce du fond, vendirent chèrement leur peau; ils tuèrent un des hommes de Parra. Lorsque Parra enjamba les corps pour jeter un coup d'œil dans la pièce, il comprit aussitôt la nature des denrées périssables expédiées depuis Panama jusqu'à la halle de Harry Diva : des M.16; des FN belges; des Ambrust automatiques, calibre 300, fabriqués en Allemagne, des grenades, des bazookas et des lance-roquettes RPG-7. Il y avait là assez d'armes et de munitions pour équiper un régiment et assez d'explosifs pour faire sauter toute la basse ville.

– Bon, dit-il au Noir qui se tenait l'épaule. Maintenant tu me racontes tout.

322

— Lis-moi mes droits, mec. Je veux connaître mes droits, répondit en secouant la tête le terroriste qu'on appelait Bougie.

Parra eut plus de chance avec le Portoricain qui avait servi de portier. Il le fit emmener au premier où on lui appliqua l'habituelle technique du une-deux. D'abord, Wichita se montra gentil, lui expliqua comment il lui serait tenu compte de ce qu'il dirait et lui offrit des cigarettes. Et puis Parra entra et lui colla un solide coup de genou dans le bas-ventre.

Le Portoricain finit par s'allonger et raconta le peu qu'il savait.

Il faisait partie d'un réseau portoricain. On l'avait entraîné à Cuba. Le Noir appelé Bujia, ou Bougie, les avait contactés, ses amis et lui, avec l'offre alléchante de fournir les armes pour une insurrection de grande envergure à New York. Il ne savait pas qui étaient les généreux donateurs, mais il en avait une vague idée.

Lorsque Parra en eut terminé, il passa un coup de fil à Wallace dans sa planque du Bronx. Il ne lui dit qu'un seul mot : « Fonce. »

Il se trouvait à mi-chemin de son bureau lorsque Wallace rappela, n'hésitant pas à utiliser la radio maintenant que l'affaire était bouclée.

— On a eu deux des Fedayines qui se sont occupés des flics de la 126e Rue, raconta l'agent noir. Et on a trouvé un sacré paquet de dynamite et d'essence. On dirait qu'ils avaient l'intention de foutre le feu à tout Harlem.

— Des armes?

— Quelques caisses de M.16 et quelques pistolets. Je crois que le reste de la camelote est déjà dans la rue.

Le gouverneur appela le maire afin de le rassurer. Il lui promettait que les hommes de la Garde nationale, en manœuvres d'été à Camp Drummond, seraient prêts à intervenir dans la matinée. Le président Newgate le contacta pour lui apprendre que la 82e aéroportée serait prête à faire mouvement aux premières lueurs de l'aube.

— Je ne veux pas de ces cinglés de paras dans ma ville, lui répondit le maire avec un sens de la bravoure un peu contraint.

Le maire, dont la réputation de drôlerie n'était plus à faire, avait cette nuit perdu tout sens de l'humour.

Il était plus de minuit lorsque Wright Washington arriva à Gracie Mansion, traînant à sa suite un étrange cortège.

– Je croyais que nous avions rendez-vous à l'hôpital, lui dit le maire.

– Sans vouloir vous offenser, j'avais plus urgent à faire.

Washington venait de passer deux heures à Harlem, se montrant à l'arrière d'un camion à plate-forme sous un projecteur, tentant d'expliquer le malentendu : non, ce n'était pas un policier qui avait tenté de le tuer. Personne n'avait essayé de le faire taire. Certains de ses plus chauds partisans avaient repris courage en le voyant et s'étaient mis à la recherche de leurs gosses. Le leader des Bérets Noirs et un homme du nom de Deutéronome Jones, qui aimait se faire appeler le duc de Harlem, accompagnaient le pasteur. Deutéronome Jones connaissait toutes les formes de racket. Il avait purgé une peine à Attica; derrière les barreaux, il avait conservé son emprise sur le syndicat des trafiquants de drogue, et un bon nombre de revendeurs lui payaient la dîme. Il faisait partie de l'équipe que Wright Washington introduisit à sa suite dans la luxueuse et confortable demeure aux murs blancs du maire. Deutéronome se présenta en large panama, en costume de soie blanc et avec assez d'or autour du cou pour payer la Cadillac blindée qu'il avait laissée devant la porte. Dans les yeux des policiers de garde, on pouvait lire une envie non dissimulée de le balancer dans l'East River. Un long fume-cigarette fiché entre ses dents, il adressa un clin d'œil appuyé au maire.

Pour la première fois de la nuit, Hockney – le seul Blanc de l'entourage de Washington – put sourire sans avoir l'air d'un morceau de glace qui se fissurait.

– Le président veut envoyer la 82ᵉ aéroportée, rapporta le maire.

– Ne sait-il pas, répondit Washington, qu'une bonne partie de la ville ressemble déjà à Dresde en 1945? Nous avons une meilleure solution.

– Je vous écoute.

– La police a été débordée. Et de toute façon, dans Harlem on ne lui fait plus confiance. Nous courons à présent le risque que se reproduise ici ce qui s'est passé à Miami : des communautés ethniques prêtes à se sauter à la gorge. Nous savons que des provocateurs font tout leur possible pour en arriver là.

— Et quelle solution proposez-vous?

— Il nous faut accorder notre confiance aux communautés elles-mêmes pour faire la police dans leurs quartiers.

Et *lui?* demanda le maire en détaillant Deutéronome Jones du bout de ses chaussures en croco jusqu'à ses pendentifs en or autour du cou.

— Vous êtes pas obligé de m'aimer, Votre Honneur, dit le duc de Harlem. D'ailleurs, j'ai pas voté pour vous. Mais ce qui se passe est mauvais pour les affaires. Pour vos affaires, pour mes affaires.

— C'est un fait, reconnut le maire. Puis, se retournant vers Washington : Que proposez-vous?

— Nous organiserons à une conférence, dit Washington. Une réunion des vrais responsables de ces quartiers de la ville, auxquels vos conseillers financiers répugnent de s'intéresser. Nous les convaincrons d'appeler à la trêve. Nous les appellerons à se charger eux-mêmes de leurs excités.

— Comme ces bandits qui ont violé ces deux Italiennes à Brooklyn ce soir? demanda le maire en fixant Deutéronome Jones de ses petits yeux sagaces.

— On s'en occupera, répondit le duc de Harlem. Dites aux Ritals qu'on est prêt à causer.

— Et les Fedayines?

— On va leur expliquer, dit Deutéronome avec un sourire.

— Je n'aime pas beaucoup cela, dit prudemment le maire.

— Si cela peut vous consoler, intervint Washington, moi non plus. Vous préférez la 82e aéroportée?

— Je vois où vous voulez en venir. (Fixant soudain Hockney, le maire demanda :) Et *lui*, qu'est-ce qu'il fait là? Je croyais que nous étions d'accord : pas de journalistes.

— Sans Bob, coupa Washington, nous ne serions pas ici.

Il fallut toute la nuit et toute la matinée pour organiser la rencontre. Le maire est le préfet de police durent demander — et accorder — quelques faveurs pour y parvenir. Lorsque arrivèrent Wright Washington et Hockney, vers midi, on avait posté des tireurs sur les toits le long de Pleasant Avenue, dans les rares pâtés de maisons italiens qui subsistaient dans l'est de Harlem, et quelques hommes aux visages fermés à l'entrée de chez *Rao* au coin de la 114ᵉ Rue. On fouilla Hockney et Washington avant de les laisser passer. Le pasteur noir serra les dents de douleur lorsqu'un des Italiens tapota son plâtre.

– Excusez-moi, mon révérend, dit l'Italien, c'est le jeu aujourd'hui.

Une demi-douzaine de voitures étaient garées de chaque côté de la rue – de luxueuses limousines noir et blanc, deux Mercedes grises, une Cadillac blindée avec assez de chromes pour passer pour un arbre de Noël.

Un petit vieux s'activait dans la cuisine; en tablier, chapeau de paille et foulard à pois rouges, il touillait dans des casseroles sur le fourneau, ajoutant une pincée de sel çà et là, comme si rien n'avait changé dans son univers.

Le barman alignait sur un plateau diverses boissons. Derrière lui on avait laissé les tables, de telle sorte que chaque gang s'était installé aux places de son choix. Les Chinois occupaient la table la plus éloignée, sur la gauche, le dos au mur, comme s'ils se trouvaient dans le restaurant de fruits de mer d'Umberto. Un Oriental distingué, en costume noir, était assis entre les chefs des Dragons Volants et des Ombres Fantômes, formant zone tampon. De l'autre côté, les Portoricains, près de la porte à tambour des toilettes pour hommes. Plus près du bar, Deutéronome Jones et son équipe, celui-là tétant son long fume-cigarette bagué d'or. Les Italiens occupaient les autres tables. Hockney reconnut l'un d'eux dont la photo avait paru dans les journaux lorsqu'il avait été accusé d'avoir versé des pots-de-vin au maire de New Jersey et au ministre du travail.

Un Italien, avec une coupe à la Jules César – quelques mèches en dégradé sur le devant, de petites boucles sur les tempes – et des sourcils fournis, se leva pour accueillir les nouveaux arrivants.

– Mike Santini, se présenta-t-il. Ce n'est pas souvent que l'on reçoit des pasteurs, dit-il à Washington. Mais j'ai l'impression que les choses ont beaucoup changé.

De terribles réalités opposaient tous ces hommes, mais tous savaient que les affaires avaient souffert la nuit précédente. Wright Washington se trouvait parmi eux pour porter témoignage de ce qu'il avait déjà dit la veille à Deutéronome Jones : l'existence d'un plan, d'une savante orchestration derrière les émeutes et les attentats à la bombe. Le temps qu'il finisse de dire ce qu'il avait à dire, on avait senti un consensus se dégager de ces hommes durs qui, à d'autres moments, n'auraient pas hésité à se trancher mutuellement la gorge. En d'autres circonstances, le patron de la Criminelle se serait fait couper un bras pour pouvoir mettre ces hommes en prison. Aujourd'hui, ils jouaient quasiment les polices auxiliaires; ils allaient combler la brèche. De leur point de vue, après tout, le crime qu'ils ne contrôlaient pas, c'était la pagaille. Ils désapprouvaient la mise à sac des épiceries ou le vol des vieilles dames. Ils n'en tiraient aucun bénéfice.

– Encore une chose, dit Hockney.

Il se rendit bien compte de l'hostilité muette qu'il suscitait chez ces hommes, mais il poursuivit :

– Voici l'homme qui a tenté de descendre Wright Washington – il fit circuler des photos sur papier glacé.

L'une de ces photos était un agrandissement du visage du terroriste aux yeux verts. L'autre était un portrait de Beacher lorsqu'il avait les cheveux blonds, recomposé d'après la description de Hockney. On en avait distribué des exemplaires à toutes les unités de police.

– C'est lui qui était déguisé en flic, rappela Hockney aux hommes du restaurant.

– S'il est toujours en ville, dit Deutéronome Jones, on l'aura. Ça va chercher loin, ajouta-t-il ironiquement, le port illégal d'uniforme.

Il ne suffit pas d'appuyer sur un bouton pour mettre fin à une émeute dans une grande ville. Mais, rétrospectivement, Hockney fut persuadé que le tournant de l'affaire de New York fut pris lors de cette invraisemblable conférence au sommet du restaurant *Rao*.

Les hommes de Deutéronome Jones passèrent à l'action dans Harlem et dans certains quartiers de Brooklyn. Ils frappèrent en premier lieu dans un immeuble en ruine à deux pâtés de maisons au nord du dôme de la mosquée Malcolm Shabazz, là où les Fedayines qui avaient attaqué le poste de police de la 126e Rue se terraient. Le lieutenant du Commandant Ali sortit dans la rue obscure et aperçut les hommes rassemblés en face de l'immeuble. Leur chef arborait une toque violette et un costume assorti et se prélassait devant sa voiture de rêve, se nettoyant les ongles avec un couteau.

Les Fedayines étaient nerveux. L'un d'eux fit :

– C'est le Duc.

Mais l'homme qui avait mené l'assaut contre le poste de police se sentait en terrain sûr.

– Tu as un problème? lança-t-il d'un ton de défi à Deutéronome Jones.

– Je veux que tu te tires de là, connard, répondit le duc de Harlem.

– Tu as pas entendu? On fait une révolution.

– Oh, non, pas chez moi. Si tu veux faire une révolution, faut demander au Duc.

– Mais, putain, tu te prends pour quoi, mec? Pour un flic ou un truc comme ça?

– Tu vaux rien pour les affaires, connard. Et tu piges pas vite. Je répète juste encore un coup. Je veux que tu te *tires* de là. Tout de suite.

Le lieutenant d'Ali se rendit compte d'un certain flottement parmi ses hommes.

Ils étaient prêts à soutenir un siège contre toute l'armée des États-Unis, mais ils avaient peur de ce grand Noir dans son costume voyant qui, calmement, se tenait là, se curant les ongles.

Le chef fedayine invita le duc à aller se faire foutre. Et il commit une grave erreur : il retira bruyamment le cran de sûreté de son automatique.

D'un geste rapide du poignet, Deutéronome Jones lança son couteau. La lame atteignit l'homme à la naissance de la gorge. Il roula sur le trottoir. Les Fedayines firent quelques pas en arrière, cédant déjà le territoire.

– Un autre? demanda le Duc.

Personne ne répondit. L'un après l'autre, les Fedayines se dirigèrent vers leurs voitures, garées dans le haut de la rue. Tout esprit combatif semblait les avoir abandonnés.

De l'autre côté de l'East River, dans Brooklyn, des patrouilles armées de Noirs et d'Italiens ratissaient les frontières de leurs quartiers, dispersant les pillards et les bandes de jeunes. Lorsque les patrouilles se croisaient, on assistait à des échanges colorés où revenaient les mots « macaques » et

328

« Ritals », mais on en restait au stade des insultes. Ces hommes avaient compris que, pour cette nuit au moins, ils étaient alliés. Les Anges Gardiens vinrent en force, avec leurs bérets rouges, invitant fermement les pillards à rentrer chez eux. Des membres de comités de défense des citoyens, par groupes de deux, couvrirent les quartiers résidentiels. Quelques vigiles, ne représentant qu'eux-mêmes, en profitèrent pour rejouer des épisodes de *Death Wish* ou *Taxi Driver,* et, parmi les cadavres ramassés le lendemain matin, on compta quelques individus dont le plus grand crime avait consisté à attaquer une épicerie.

La 82e aéroportée ne sauta jamais sur New York. Et l'on réussit mystérieusement à convaincre le bureau du procureur d'abandonner, contre Mike Santini et Deutéronome Jones, des charges allant de la fraude fiscale à l'enlèvement et au vol à main armée. Il fallait accorder au moins une chose à New York, comme le fit observer le maire au président : la ville reprenait du poil de la bête.

Le lendemain, l'article de Hockney sur les émeutes faisait la une du *New York World,* ainsi que le compte rendu de l'expulsion de Teófilo Gómez, ministre-conseiller à la représentation cubaine aux Nations unies, illustré par la photo de Beacher que Hockney avait fait passer chez *Rao.* L'article donnait la liste des complices connus des terroristes : un extrémiste noir du nom de Bougie, actuellement détenu dans un quartier de haute sécurité sous l'inculpation de meurtre, trafic d'armes et incendie volontaire; un Portoricain surnommé El Gato et une provocante Cubano-Américaine qui répondait au prénom de Rosario. L'article, repris par les téléscripteurs, arriva jusqu'à San Francisco.

Cet article de Hockney eut plusieurs retombées. Xenophon Parrish Nutting, le propriétaire du *World,* l'invita à venir dîner chez lui. Il fut la vedette, avec Wright Washington, de l'émission de télé d'Angela. Et il déclencha un appel téléphonique d'une femme inquiète de Studio City (Los Angeles) à la police locale, concernant un couple qui vivait dans la maison voisine. Pour une fois, il ne s'agissait pas de l'imagination délirante d'une ménagère. S'il avait continué à fuir, Beacher aurait peut-être bien pu s'en tirer. Mais, pour des raisons connues de lui seul – la nostalgie, peut-être –, il avait décidé, après sa fuite de New York, de se terrer avec Rosario chez sa sœur à Los Angeles. Lorsque la police cerna le pavillon, il se mit à tirer et fut abattu. Mais ils prirent la fille vivante et, à la fin de la journée, elle avait tout avoué. Un nom revenait sans cesse dans son histoire, à la tête de tout, depuis l'enlèvement de Fairchild à Porto Rico, les émeutes de Miami jusqu'aux soulèvements de New York. Hockney ne fut pas surpris lorsque Frank Parra le lui apprit, par-dessus un verre destiné à fêter cette bonne nouvelle chez P.J. Clarke. Tout menait à Julio Parodi.

– Qu'est-ce que vous avez l'intention de faire? demanda Parra.

– J'ai un compte à régler, répondit simplement Hockney.

Il avait retiré les pansements de son cou et portait une chemise à col ouvert avec une écharpe de soie pour dissimuler les hématomes couleur mûre écrasée qui subsistaient.

Parra hocha la tête par-dessus sa bière, approbateur. Il tenait aussi à la mettre en garde.

– Vous ne pouvez l'atteindre, vous savez. Pas tant qu'il se trouvera à Cuba.

Hockney ne répondit pas, ce qui préoccupa l'homme du F.B.I. Mais il garda le silence, lui aussi, laissant Hockney à ses méditations, contemplant les bulles dans son verre.

Hockney se leva le premier, abandonnant sur la table un billet de vingt dollars froissé. Ses mots d'adieu furent :

– Je trouverai un moyen.

11

MIAMI

— Je vois que vous ne croyez pas aux avantages du téléphone, dit Arnold Whitman à Hockney après avoir retiré la chaîne de sa porte.

C'était la seconde visite que Hockney lui faisait sans se faire annoncer. Le journaliste ne prit pas la peine de s'en excuser.

— Ma femme est absente, dit l'homme de la C.I.A., sans doute pour expliquer les verres, les journaux froissés qui traînaient dans la pièce et la pile instable d'assiettes sales dans l'évier. Il introduisit Hockney dans son antre. Ils durent se glisser derrière une table de jeu entièrement recouverte par une immense carte, divisée en tout petits hexagones. Hockney put y lire les noms de villes russes, distinguer des routes et des voies ferrées qui serpentaient, et une douzaine de petits cubes représentant des unités militaires.

— Ne vous inquiétez pas, fit Whitman, comme sur la défensive.

— Qu'est-ce que c'est?

— Une maquette de la bataille de Stalingrad. Ça me détend.

Les jeux de stratégie militaire constituaient l'une des passions secrètes de Whitman. Il pouvait demeurer là pendant des heures, penché sur la carte, jouant le rôle de chacun des deux commandants en chef. Cela le détendait de livrer une

331

bataille dont les seules pertes étaient des cubes de bois et où malgré tout l'on pouvait rejouer l'Histoire.

Whitman apporta une bouteille de Chivas Regal – cadeau d'un de ses homologues mexicains – et versa deux généreuses rasades.

– Je dois le reconnaître, Bob. Vous aviez raison dès le début. On s'est fait avoir. Difficile de croire que Parodi ait pu si longtemps s'en tirer. J'imagine que c'est de cela que vous êtes venu me parler.

– Où est-il? demanda Hockney qui n'avait pas touché à son verre, assis tout au bord de son fauteuil, tout son corps tendu, les jambes un peu tremblantes.

Il ne s'était écoulé que quarante-huit heures depuis que, sur l'ensemble des réseaux de télévision, le président Newgate avait formellement accusé les Cubains d'être à l'origine des troubles de Miami et de New York. Et moins de quatre jours depuis que Hockney s'était retrouvé dans ce restaurant italien d'East Harlem en compagnie de Wright Washington, assistant tous deux à cette invraisemblable réunion des patrons de la pègre à seule fin d'obtenir un cessez-le-feu. Les journaux regorgeaient de folles spéculations quant aux mesures de rétorsion envisagées par l'Administration contre les hommes qui, à La Havane, avaient conçu le Plan Monimbó. Pour Hockney, une seule mesure de rétorsion comptait. Julio Parodi devait être châtié. Non pas au nom de tous ces gens qui, à New York comme à Miami, avaient été ses victimes, non pas au nom du sénateur Fairchild; moins encore pour panser les blessures d'amour-propre de l'Agence et de l'Administration. Pour Julia. Certaines nuits, Hockney allait jusqu'à redouter le sommeil de peur de revoir la scène à l'intérieur de cette caravane réfrigérée, quand on lui avait demandé d'identifier le corps de sa femme.

Arnold Whitman prit tout son temps avant de répondre à la question de Hockney.

– Nom de Dieu, il est toujours à Cuba, non? demanda Hockney, l'air mauvais, à l'homme de la C.I.A.

Whitman acquiesça de la tête.

– Et qu'est-ce que vous avez l'intention de faire? poursuivit Hockney.

Whitman vida son verre, se versa une nouvelle rasade et répondit :

– Rien.

– Vous mentez.

– Je me fous complètement que vous me croyiez ou pas, répondit sèchement Whitman dont le visage vira au rouge. Il devenait agressif lorsqu'il avait quelque chose à cacher.

– Vous aussi, vous voulez Parodi, l'aiguillonna Hockney.

– Et comment que je le veux, dit l'homme de la C.I.A. Je donnerais ma couille gauche pour ça. Mais autant que vous le sachiez. Nous avons des instructions qui viennent d'en haut. Ordre a été donné à la C.I.A. de suspendre toute opération hostile contre Cuba jusqu'à nouvel avis.

– Après ce qui s'est passé à New York? Ce n'est pas possible.

– Après New York, poursuivit Whitman, nos amis soviétiques sont entrés dans le jeu. Je pense que je peux vous le dire, car ça ne tardera pas à se savoir, de toute façon. Le nouveau président soviétique a appelé notre illustre commandant en chef pour lui offrir un marché. Je crois que les Russes ont dû penser qu'on était assez en rogne cette fois pour envoyer les marines à Cuba. Quoi qu'il en soit, nous avons accepté le marché. Les Soviétiques ont promis de tenir les Cubains en laisse, à condition que nous n'intervenions pas directement. Le rôle de Castro va se réduire à celui d'un figurant, on va purger les services de renseignement et les fumeurs de cigare d'Amérique centrale devraient se faire virer vite fait. Nous ne tarderons pas à voir si ça tourne à l'eau de boudin. J'ai mon idée là-dessus. Mais, pour l'instant, l'ordre officiel c'est : pas touche.

– Et ça ne vous gêne pas, dit amèrement Hockney.

– Que voulez-vous que j'y fasse?

Après un bref instant d'hésitation, Hockney demanda :

– Je veux que vous me fassiez passer à Cuba.

– Je ne peux pas.

– Vous ne pouvez pas, ou vous ne voulez pas?

Whitman ne répondit pas. Il prit une règle posée sur le bord de la carte. Il semblait plongé dans les positions défensives russes autour de Stalingrad.

– Pour l'amour de Dieu, tout ce que je demande c'est un bateau et un type qui sache comment éviter les garde-côtes cubains, continua Hockney. Le reste, c'est mon affaire. Je sais

333

ce que je fais. Je me suis déjà rendu à la villa de Parodi. Je sais où sont postés les gardes. Vous voulez bien arrêter de jouer aux petits soldats et me répondre, simplement?

Whitman soupira et laissa retomber son corps massif contre le dossier du fauteuil. Quel dommage, songeait-il, que rien dans la vie ne puisse être résolu aussi rationnellement que dans le jeu.

— C'est donc ça? C'est ça votre plan? dit-il.

— C'est un plan.

— Il est pourri, et vous le savez. Vous ne pouvez tout tranquillement vous rendre dans une villa tout près de La Havane comme si c'était la marina de Dinner Key. Toute la côte est sous surveillance constante : patrouilles maritimes, reconnaissances aériennes, radars, soldats le long de la plage. Et si vous passez, vous tomberez sur l'équipe des flingueurs de Parodi. Vous croyez qu'ils vont sortir le drapeau blanc en voyant apparaître un cinglé d'Américain? Bon, supposez — simple supposition — que vous parveniez jusqu'à Parodi. Qu'est-ce que vous faites? Vous le tuez?

Hockney croisa son regard et le soutint. Il ne répondit pas.

— Jamais vous ne vous vous en sortiriez vivant, dit Whitman. Et ce n'est pas mon boulot de vous aider à vous suicider.

— Je me débrouillerai tout seul s'il le faut, lui lança Hockney d'un ton de défi.

Le regard de Whitman revint sur les bataillons de carton de sa carte.

— Si je pensais que vous aviez une chance sur dix de réussir, je pourrais vous aider. Pas l'Agence. Moi, personnellement. Mais pas comme vous l'envisagez.

Hockney suivit son regard, posé sur un point de moindre résistance dans les défenses soviétiques, sur la route entre Koursk et Stalingrad.

— Et alors? Vous pensez avoir mieux à proposer? lança Hockney. Ou vous allez rester là à vous prendre pour un des généraux de Hitler?

— La ligne droite est rarement le plus court chemin d'un point à un autre, dit Whitman d'une voix lointaine et rêveuse, comme s'il songeait à quelque chose, là sur la carte.

— Qu'est-ce que ça veut dire? Vous essayez de me faire comprendre quelque chose?

– Un peu de patience. Parodi ne va pas rester éternelle-
ment à Cuba, répondit Whitman, l'air soudain ennuyé, comme
s'il en avait trop dit.

– Alors, vous avez un plan, hein? poursuivit Hockney.
Vous allez l'entraîner hors de Cuba.

Whitman frappa légèrement sa paume gauche de sa règle
de plastique.

– Comment? l'aiguillonna Hockney.

Avant que Whitman réponde, Hockney avait deviné. Une
seule chose pouvait convaincre Parodi de risquer sa tête :
l'argent. Le Cubain avait quitté Miami en toute hâte. Il avait
vraisemblablement laissé le soin à ses acolytes de mettre de
l'ordre dans ses affaires – de vendre ce qu'ils pourraient vendre
et de faire sortir l'argent du pays avant que l'Administration se
décide à bouger et à bloquer tous ces comptes officiels. Cela
signifiait qu'une bonne partie du butin de Parodi devait être
planquée dans les chambres fortes de banques de divers pays.
Ce serait cela l'appât. Quelle que soit la confiance de Parodi en
ses lieutenants, jamais il ne pourrait être tout à fait sûr d'un
homme disposant de millions – peut-être de dizaines de
millions – de dollars qui lui appartenaient. Tôt ou tard, il
voudrait récupérer son magot et obtenir un état détaillé de ses
comptes. Ce qui intéresserait également ses manipulateurs
cubains à qui revenait une partie des bénéfices de Parodi sur la
drogue.

– C'est le fric, hein? demanda Hockney. On va faire
les comptes et Parodi sera là. C'est bien cela, n'est-ce pas?
Où cela va-t-il se passer? En Suisse? A Panama? A Saint-
Domingue?

– Vous mettez à côté de la plaque, tenta de démentir
Whitman, sans grande conviction.

– Alors, pour l'amour de Dieu, *dites-le-moi.*

– Restez en dehors de cela, Bob. Vous ne pourriez que
foutre le bordel, quoi que vous fassiez.

Hockney frappa du poing sur la table de jeu dont un pied
se replia, faisant choir sur le sol, comme des confetti, les corps
d'armée méticuleusement déployés. L'homme de la C.I.A. eut
l'air tout aussi touché que si Hockney l'avait frappé, *lui.*

– Depuis que j'entends parler de Parodi, dit Hockney d'un
ton accusateur, on n'arrête pas de me dire de rester en dehors
de cela. Vous souhaitiez que je reste en dehors alors qu'il vous

menait par le bout du nez. Et vous aviez tort. Et vous avez tort aujourd'hui encore. Mais peu importe. Si vous ne me dites pas ce que je veux savoir, je trouverai tout seul.

Déclaration qui n'impressionna guère Whitman. Il savait que Parodi devait quitter La Havane dans deux jours pour se rendre à un rendez-vous secret, et il était tout à fait sceptique quant aux possibilités de Hockney de glaner ici ou là un renseignement utile. Mais, après que Hockney eut quitté la maison en trombe, l'homme de la C.I.A. passa un coup de fil à Mexico, simplement pour s'assurer que tout était en ordre. Il était certain de pouvoir compter sur le colonel López, de la sécurité mexicaine; le colonel savait que Whitman possédait des traces écrites prouvant de façon irréfutable que, depuis des années, il faisait passer la frontière à des sommes considérables en dollars pour les placer dans des banques de San Antonio et de Miami. Hockney n'était pas seul à avoir un compte à régler avec Parodi. Whitman préférait qu'on règle l'addition de façon nette et discrète, sans publicité ni incident diplomatique. Peu lui importait de ramener le Cubain aux États-Unis pour l'interroger, et encore moins pour le poursuivre devant les tribunaux. Ce que Parodi pourrait révéler était susceptible de secouer l'Agence jusqu'à ses fondations. Non, mieux valait faire taire Parodi à jamais, par des hommes qui connaissaient leur affaire.

Après son coup de fil, Whitman se mit en devoir de ramasser sur le sol les pièces de son *Kriegspiel*. Ce qu'il préférait dans ces jeux, c'était qu'on ne tenait aucun compte du facteur humain. Voilà ce qui le frappait le plus.

La demi-heure de voiture entre la villa de Whitman et la marina de Miami permit à Hockney de se calmer. Il regretta bientôt d'avoir si vite claqué la porte. Avec un peu plus de patience, peut-être aurait-il pu tirer quelque chose de Whitman. Mais il avait obtenu de quoi continuer, un peu comme s'il essayait tout un trousseau de clés dans le noir en espérant tomber sur la bonne.

Au *Dockside Terrace*, la fille qui ressemblait à Meryl Streep chantait quelques chansons mélancoliques. Hockney s'installa à la table habituelle de Jay Maguire et commanda un verre. Le temps que Maguire arrive, suivi de son acolyte cubain Wilson

Martinez, Hockney en était à son troisième verre et la mélancolie des chansons le berçait.

Le journaliste rendit compte de sa conversation avec le chef d'antenne de la C.I.A.

– Je crois que tu as mis le doigt sur quelque chose, convint Maguire. Tu sais, pas mal d'associés de Parodi sont en taule. On a piqué ce petit pédé qui dirigeait la Camagüey Internacional. On a coincé le garde du corps – Mama Benitez – pour détention illégale. Les Finances sont tombées sur la banque de Parodi comme la vérole sur le bas clergé. Ils y ont mis une douzaine d'inspecteurs. Wilson peut te raconter une histoire intéressante concernant la banque. Tu as une chouette petite copine à la banque, hein, Martinez? (Il adressa au Cubain un clin d'œil qui le fit virer au rouge brique.) Et tu nous faisais croire que tu étais un respectable père de famille.

– C'est une amie de la famille, protesta Martinez en se frottant la jambe là où la balle de Marín avait effleuré l'os.

– Le fait est, poursuivit Maguire en redevenant sérieux, que Wilson a parlé à cette petite secrétaire de la banque qui travaille pour... comment c'est son nom?

– Señor Costa, dit Martinez.

– Ouais, l'homme de paille que Parodi avait désigné comme président de la banque. Raconte la suite, Martinez.

– Le Señor Costa s'est rendu plusieurs fois au Mexique, expliqua Martinez.

– A Mexico? demanda Hockney.

– Principalement, répondit Martinez. Il semble qu'il y ait des relations bancaires.

– Vous pensez que Costa essayait de sortir en douce une partie du fric de Parodi via Mexico? demanda Hockney.

– Ça se pourrait, dit le Cubain en haussant les épaules.

– Ça a l'air fou, fit observer Hockney. Tout le monde essaie de sortir du Mexique des devises fortes.

– Bon, vous connaissez le Mexique, dit Martinez, manifestement sur la même longueur d'onde. Selon la fille, ça fait des années que la banque de Parodi y traite des affaires. Le Señor Costa y a noué des contacts très utiles. En fait, il prend l'avion pour Acapulco après-demain. Vous connaissez *Las Brisas*?

Hockney acquiesça de la tête. *Las Brisas* était réputé comme l'un des plus beaux palaces du monde.

– Costa part en vacances? demanda Hockney.

– C'est là que ça va vous intéresser, dit le flic cubain. Le Señor Costa est fou de cette fille. D'après elle, il la traque à travers tout le bureau, langue pendante. Il lui a demandé trois ou quatre fois de partir avec lui en voyage à l'étranger. Pas cette fois. Elle le sait parce qu'il ne lui a demandé qu'une seule réservation. Il part pour affaires. Uniquement pour affaires.

Martinez avait dit ce qu'il avait à dire. Il retomba dans le mutisme, sirotant son *cafecito*.

– Autre chose? demanda Maguire à Hockney en levant un sourcil.

– Il se peut que je me trompe, mais je crois que vous m'avez dit tout ce que je voulais savoir.

– Tu penses rencontrer Parodi à Acapulco?

– J'aimerais bien.

– Bon Dieu, j'aimerais y aller avec toi, dit Maguire. Tu te souviens de ce flic noir qui faisait partie de ma brigade? Celui qu'on appelait Magic?

– Bien sûr. Celui qu'on a suspendu parce qu'on prétendait qu'il avait abattu une femme au milieu de la manifestation des Fedayines Noirs. Celui qu'ils ont piégé. Qu'est-ce qu'il lui est arrivé?

– Il a été blanchi par l'enquête, répondit Maguire après s'être mordu la lèvre inférieure. On allait lui rendre son insigne et son pétard, mais une paire de malfrats qu'il avait agrafés ont appris qu'il n'était plus flic et se sont mis après lui. Ils l'ont salement amoché au couteau.

C'était là l'une des nombreuses rancunes que nourrissait Maguire contre Parodi. Il était plus facile de parler de Magic que de Gloria.

– Bon Dieu, répéta-t-il, j'aimerais bien aller prendre un peu le soleil d'Acapulco.

ACAPULCO

Le Costera Alemán, le boulevard d'Acapulco qui longe la baie, était embouteillé par la circulation et les touristes. Les rois de la piste n'y étaient pas les coûteuses voitures de sport d'importation, mais les bus Copala crachant leur fumée. Certains portaient sur leurs flancs une curieuse inscription : « YA LLEGÓ LA ESCOBA » – le balai arrive. Tous les passants qui avaient subi l'agression assourdissante de la corne des bus comprenaient le sens de la phrase. Le bruit balayait tout sur son passage. Il noyait jusqu'au bruit des marteaux-piqueurs, des chantiers, des discothèques et des boutiques de luxe qui bordaient le front de mer.

Des vendeurs ambulants descendaient leurs charrettes sur la plage, claironnant les mérites comparés des *tamales*, des gâteaux de maïs, des crèmes glacées, des crabes à l'étouffée et de l'*ojo de venado* – une curieuse graine qui ressemblait à un œil d'animal et qu'on tenait pour un talisman puissant. Le vieux colporteur d'*ojo de venado* psalmodiait les vertus de la graine contre le mauvais œil et celles, souveraines, pour soulager les hémorroïdes.

A un peu plus de deux kilomètres d'Acapulco, à l'abri du bruit et de la foule, se tenait un établissement privé fréquenté par ce type de clients qui jamais ne lisent la note. Le président Kennedy y avait passé sa lune de miel. Vu de loin, l'enchevêtrement de villas rose et blanc qui s'étendait sur la colline au milieu des couleurs éclatantes des hibiscus, des bougainvillées et des lauriers-roses ressemblait à une toile de Mondrian.

Certains de ses fidèles clients soutenaient que *Las Brisas* n'était pas seulement l'un des meilleurs hôtels du monde mais *le* meilleur. Dans bon nombre des *casitas*, une piscine privée partait de l'intérieur de la salle de séjour jusqu'à un patio resplendissant de fleurs tropicales. L'on pouvait, en nageant sous les fenêtres panoramiques, aller siroter, dehors, des margaritas ou dévorer des *almejas colorados* – des mollusques d'un rose saumon dans des coquilles de la taille d'une pièce d'un dollar. Des jeeps rose et blanc transportaient les hôtes depuis les villas jusqu'au bâtiment principal de l'hôtel à travers d'étroits sentiers. Au bord de l'eau, un restaurant rendu célèbre par les premiers habitués, comme Errol Flynn et Ali Khan. Malgré toute sa sérénité, *Las Brisas* comptait des hôtes mécontents. Au sommet d'un escalier abrupt, une pancarte annonçait : « RÉCLAMATIONS ». Ceux qui s'y aventuraient tombaient sur une cage où tournaient deux lions adultes de bonne taille.

Le garçon au volant de la jeep rose bonbon bavardait

joyeusement en conduisant Hockney à un bungalow situé à mi-pente. Hockney n'avait, pour tout bagage, qu'un nécessaire de voyage et une petite valise, mais le garçon les charria comme s'il s'agissait d'une gamme complète de valises de cuir signées Louis Vuitton. Hockney sortit flâner sur la terrasse. Le ciel était d'un bleu limpide, sans le moindre nuage. Lorsqu'il remarqua la présence du garçon qui rôdait près de la porte, dans l'expectative, il lui remit cinq dollars de pourboire et lui demanda :

– Où est la villa du Señor Costa?

Le garçon montra une *casita* à quelques centaines de mètres sur la droite. A travers les arbres, Hockney ne put distinguer que l'éclair turquoise de la piscine et une paire de jambes au galbe parfait qui n'appartenaient ni à Parodi ni à son banquier.

Dès que le garçon fut parti, Hockney enfila des vêtements de plage, prit des lunettes de soleil, un chapeau de paille et descendit vers la mer, en passant devant la villa de Costa. Manifestement, l'endroit était gardé. Deux hommes traînaient autour, à l'abri des palmiers. Ils n'avaient rien de touristes et moins encore de gens à pouvoir s'offrir *Las Brisas*. L'un d'eux portait des lunettes à verres polarisés. Pas facile de passer derrière la villa sans se faire repérer. Il lui faudrait attendre la nuit pour tenter le coup.

Un Mexicain en chemise et pantalon blancs le salua en sortant d'une *casita* voisine avec un bouquet de fleurs – des hibiscus jaunes, rouges et roses.

– Elles sont très belles, lui dit Hockney. Vous en mettez dans toutes les villas?

– Oui, señor. Toutes les piscines. Fraîches tous les jours.

Hockney se rappela les pétales qu'il avait vus flotter dans la piscine de sa propre *casita*. Cela lui donna une idée. Peut-être pourrait-il s'habiller comme un des garçons de l'hôtel et apporter à Parodi son bouquet de fleurs matinal. Un chapeau de paille cacherait son teint, un peu pâle pour un Mexicain. Mais rien ne dissimulerait sa taille.

Tout en cherchant un plan, il se rendit jusqu'à la marina où on louait des cabin cruisers et des bateaux à fond transparent. Il regarda des touristes embarquer dans un bateau en fibre de verre pour aller faire de la plongée dans la baie, entre l'île et

340

la plage de Caleta, où se dressait parmi les algues la fameuse statue de la Vierge de Guadelupe, à une brasse sous la surface.

Hockney admira les élégantes lignes blanches d'un yacht ancré dans la baie.

Un Américain en casquette de yatchman, qui le prenait pour un riche touriste, s'approcha et commença à lui vanter les charmes de la pêche au marlin.

– Joli bateau, dit Hockney en montrant le yacht. Vous connaissez le propriétaire?

– Naan. Mais j'ai vu des gens de l'hôtel monter à bord.

– L'un d'eux ne serait pas un petit gros? Un Cubain du nom de Costa?

– Possible, dit le capitaine en lançant un regard bizarre à Hockney. Pourquoi?

– Affaire personnelle. Une histoire avec ma femme.

C'était en partie vrai, songea Hockney.

– Une histoire de divorce, hein? dit le capitaine, non sans compatir. J'ai connu ça moi aussi. (Il se gratta une courte barbe poivre et sel.) Mais je n'ai pas vu de femmes monter à bord. Seulement le gros et une espèce de caïd mexicain.

– Mexicain?

– Ouais. Y avait tout un tas de gorilles pour l'escorter, et ils le traitaient comme un vase de Sèvres. Vous savez ce que je crois? Je crois qu'on joue sur ce yacht. Genre parties de poker sans limite pour lesquelles les gros flambeurs arrivent de partout en avion. J'ai entendu dire que des gens louaient des bateaux de luxe simplement pour ça. Je vous offre une bière?

Hockney le suivit sur le pont de son cabin cruiser. Le capitaine disparut à l'intérieur et fit surface avec deux bouteilles de Dos Equis. Hockney fut heureux d'en prendre une et de laisser couler dans sa gorge la riche bière brune.

Il songea que, si Parodi traitait ses affaires mexicaines à bord du yacht, il pourrait bien ne pas descendre à terre, malgré la paire de jolies jambes que Hockney avait repérées près de la piscine de la *casita* du Cubain. Si Hockney voulait être certain de rencontrer l'homme qu'il était venu chercher, il lui faudrait aller jusqu'au yacht. Dès le départ des visiteurs de Parodi.

– J'imagine que ça ne marche pas très fort les affaires en cette période de l'année, fit Hockney en faisant le tour du cabin cruiser. Il remarqua l'odeur de peinture fraîche, indice que le propriétaire disposait de pas mal de temps.

Le capitaine répondit par un grognement qui n'engageait à rien.

– Je n'aurais rien contre une petite croisière ce soir, laissa tomber Hockney.

– Ce soir? s'exclama le capitaine qui, finissant par comprendre, regarda le yacht et dit : j'en sais rien. C'est toute une salade, les divorces.

– Je vous paierai la balade.

– A quelle heure voulez-vous y aller?

– Quand le Mexicain partira.

Désormais, Hockney possédait un billet d'embarquement. Mais rien qui ressemblât à un plan. Il pensa faire l'acquisition d'une combinaison de plongée et tenter de gagner *La Excepción* à la nage dans l'obscurité. Mais il se voyait mal en train de jouer les James Bond. Mieux valait y aller au culot, songea-t-il. Il existait une chance que Parodi fasse tirer à vue. Mais il était plus vraisemblable, réfléchit Hockney, qu'ici, dans des eaux neutres – et se sentant suffisamment en sûreté à bord de son propre bateau –, le Cubain hésiterait à aller jusque-là. Et Hockney comptait aussi sur la curiosité de Parodi. L'homme voudrait certainement savoir jusqu'à quel point les Américains avaient compris son jeu – et comment Hockney avait fait pour retrouver sa trace à Acapulco. Cette curiosité combinée à un sentiment d'invulnérabilité pourraient bien offrir sa chance à Hockney.

A bord de *La Excepción,* Parodi fêtait au Dom Pérignon les résultats d'une rencontre particulièrement fructueuse. Le ministre mexicain, qui s'était rendu si impopulaire auprès des Américains par ses discours fleuris sur la libération économique de son pays, dégustait son champagne tout en tenant sa serviette sur son cœur. Une serviette qui contenait près de quatre millions de dollars, sa commission pour le transfert en Suisse d'une importante somme bloquée sur un compte à Mexico. Costa, le comptable de Parodi, se noircissait joyeusement.

Il était plus de dix-neuf heures lorsque le ministre se leva et demanda qu'on l'excuse de prendre congé.

– Je dois prononcer un discours contre la corruption à la Chambre de commerce, annonça-t-il avec un léger sourire.

Il n'y eut rien de furtif dans son départ. Le ministre ne manifestait aucune inquiétude quant au risque d'être poursuivi en application de la sévère loi anticorruption qu'il avait lui-même proposée. Il ne faisait que se conformer à la coutume. Le premier décret signé par le nouveau président, en pleine crise financière, avait été d'accorder à un membre de la famille de sa femme l'autorisation d'ouvrir une boutique hors taxes à l'aéroport international Benito Juarez. Les lois étaient faites *par* les barons du Parti institutionnel révolutionnaire, pas *pour* eux.

Sur le pont du cabin cruiser, Hockney, à l'aide de ses jumelles, suivait la scène qui se déroulait sur le pont du yacht. Le petit homme en forme de poire, pensa-t-il, devait être Costa. Il ne reconnut pas le Mexicain. Il régla les jumelles et vit, près de la coupée, un gros homme armé d'un verre et d'un cigare. Instinctivement, la main de Hockney se porta au pistolet glissé dans sa ceinture.

– Cette fois, je te tiens, mon salaud, murmura Hockney.

En l'entendant jurer, le capitaine du cabin cruiser se demanda s'il était bien judicieux de se mêler à cette affaire d'adultère, même pour le tarif exorbitant accepté par Hockney.

Sur la plage, au restaurant *La Concha*, le colonel López, de la Sécurité mexicaine, savourait un cocktail baptisé « tequila sunrise », dont la couleur s'assortissait au ton orangé du ciel vers le couchant. L'un de ses hommes se glissa jusqu'à sa table et murmura :

– Le ministre vient de partir, *mi coronel*.

Lopez hocha la tête et consulta sa montre. Les plongeurs devaient en avoir terminé, maintenant. Dommage, songea-t-il, que le ministre ne soit pas resté à bord. Le pays ne l'aurait pas regretté.

Une lune de six jours brillait dans le ciel et la nuit était claire – trop claire au goût de Hockney. A deux cents mètres du yacht, il distinguait parfaitement les silhouettes des deux hommes sur le pont de *La Excepción*.

343

– Je parie qu'elle ne vous attend pas, hein? dit le capitaine.

– Qui?

– Votre femme.

– Non, elle ne m'attend pas.

– Vous voulez que je reste dans le coin pour le feu d'artifice? demanda le capitaine en mettant les gaz vers le yacht de Parodi.

L'un des hommes, sur le pont de *La Excepción,* se pencha sur le bastingage, scrutant les arrivants.

– Repassez me prendre dans une heure environ, dit Hockney au capitaine. Si vous ne me voyez pas, considérez que c'est un aller simple. Tenez.

Il se mit à déplier une liasse de billets de vingt dollars.

– Gardez-les, dit le capitaine. J'attendrai.

Le cabin cruiser heurta la coque du yacht avec un léger bruit sourd, et un homme se mit à hurler en espagnol de ne pas approcher.

Hockney ne s'en soucia guère, saisit l'échelle d'acier qui pendait à mi-hauteur sur le côté du yacht et grimpa.

Julio Parodi, confortablement installé dans une chaise longue, regarda s'éloigner le cabin cruiser en direction des lumières d'Acapulco. Il souhaita pouvoir le suivre. Il connaissait, en ville, un bordel aux pensionnaires très internationales, très douées. Il n'était pas pressé d'entreprendre le voyage de retour vers Cuba. A Cuba, il serait prisonnier. Jusque-là, on l'avait assez bien traité, mais il avait dans l'idée que le traitement allait radicalement changer maintenant que la D.G.I. avait épuisé tous ses services. Depuis son arrivée à *Las Brisas,* il était tenaillé par l'idée de sauter du bateau et de tenter de proposer un nouveau marché aux Américains. Mais il avait dû rejeter l'idée; il ne lui restait pas grand-chose à offrir. Même si les Américains acceptaient de le reprendre, il était douteux qu'ils puissent le protéger des Cubains. Il cracha un morceau de son cigare, humide et mou, amer à la langue.

L'un des hommes de l'équipage de Parodi – un beau garçon qui l'avait accompagné lors du dernier transport de drogue depuis la Colombie – se pencha par-dessus la lisse, un pistolet à la main.

– Qu'est-ce que c'est? lui demanda Parodi.

– Un Américain. Il prétend vous connaître.

Parodi apercevait maintenant la tête et les épaules de l'homme en équilibre sur l'échelle. Il y avait quelque chose de très familier dans cette coiffure, ces cheveux en bataille, ces traits solides, tranchés. La curiosité de Parodi l'emporta sur sa prudence. En outre, sur son propre bateau, entouré d'hommes armés, il se sentait assez en sûreté pour traiter avec un journaliste américain.

– Robert Hockney, dit-il en se tirant avec effort de sa chaise longue.

– Permission de monter à bord?

– Bien sûr, bien sûr. (Parodi fit un signe de tête à l'homme d'équipage qui s'effaça, permettant à Hockney de grimper sur le pont.) Vous êtes rudement futé pour m'avoir trouvé.

– Cela fait un moment que je vous cherche.

– Racontez-moi tout ça, dit Parodi en faisant signe à Hockney de l'accompagner sur le pont principal où des boissons se trouvaient sur une table. Il ne pensa pas à faire fouiller Hockney – qui peut s'attendre à voir un journaliste exhiber autre chose que son stylo à pointe de feutre? Mais l'homme d'équipage armé de son pistolet demeura à traîner à bonne portée.

– Vraiment, ça m'intéresse, poursuivit Parodi, en veine de mondanité, tout en versant du rhum dans deux verres. Comment avez-vous découvert que j'étais ici?

– Votre banquier a laissé des traces de pas depuis Miami.

– Oh, oui. Pauvre Costa. Mais, pour les chiffres, il est plein d'imagination. *Salud,* ajouta-t-il en levant son verre.

Hockney le regarda faire, sans toucher à son verre.

– Et alors, poursuivit Parodi. Vous êtes venu chercher une nouvelle interview pour votre journal?

– Je suis venu vous demander comment vous avez fait tuer ma femme, répondit tranquillement Hockney.

Parodi avala son rhum, ignorant la question.

– Vous ne manquez pas de courage, pour venir ici tout seul, observa-t-il.

Hockney se rendit compte que plusieurs hommes s'étaient groupés derrière lui, outre l'homme d'équipage qui l'avait accueilli avec un pistolet.

Parodi regarda le verre, intact, du journaliste et demanda :

— Vous n'aimez pas le rhum?

— Je peux? demanda Hockney en passant entre le Cubain et la table pour prendre une bouteille de scotch.

— Bien sûr, répondit Parodi en reculant un peu pour le laisser passer.

En un instant, Hockney avait sorti son pistolet, l'enfonçant dans le ventre du Cubain et manœuvrant de telle sorte qu'il avait placé Parodi entre lui et les hommes armés sur le pont.

— Vous perdez l'esprit, dit Parodi, toujours souriant.

— Dites à vos hommes de reculer, ordonna Hockney, tentant de ne pas élever la voix et de rester calme. Dites-leur de descendre à l'intérieur.

Parodi ne broncha pas.

Hockney enfonça un peu plus le canon de l'arme dans le ventre de Parodi.

— Faites ce que je vous dis ou je vous tue.

— Tuez-moi et vous êtes mort.

— Ça m'est parfaitement égal, dit Hockney en songeant à la scène de la morgue.

En cet instant précis, il était capable de tuer Parodi, et son doigt se crispa sur la détente.

Le Cubain dut sentir la tension, car il haussa les épaules et s'adressa en espagnol à ses hommes. A regret, ils se mirent à reculer lentement.

— Vous en faites une scène, dit Parodi, apparemment calme. Et maintenant, qu'est-ce que vous proposez?

Hockney se détendit un instant en voyant reculer les hommes d'équipage. Il était venu dans la ferme intention de tuer Julio Parodi. Mais là, au moment de le faire, il prit conscience de l'abîme qui séparait l'idée du meurtre et sa perpétration de sang-froid. Il se tint là, hésitant – le « moment » était passé.

— Je vous ramène à Miami, dit-il.

Parodi se mit à rire – d'un rire flûté, haut perché, qui ne s'arrêta que lorsque Hockney lui enfonça de nouveau le canon de l'arme dans le ventre.

— Vous êtes fou, dit le Cubain après avoir recouvré son souffle. On est au Mexique. Vous ne pouvez me ramener aux États-Unis de force.

– Dites à vos hommes de descendre un de ces dinghies à l'eau, ordonna Hockney avec tout le calme dont il fut capable.

– Vous vous prenez pour un shérif dans un mauvais western? railla Parodi, confiant, maintenant qu'il avait compris que Hockney n'avait pas l'intention de le tuer sur-le-champ. Il pouvait prendre le risque de considérer que le journaliste bluffait.

– Dites-leur d'obéir, répéta Hockney.

– Allez vous faire foutre.

Ils se tenaient là, face à face, et Hockney pouvait voir au moins quatre fusils derrière Parodi. Puis se produisit un événement inattendu. Un agile Latin, noir de peau, avait prudemment escaladé le pont supérieur d'où il braquait sur Hockney une mitraillette, une Skorpion tchèque. Parodi tournait le dos à l'homme. Hockney n'aurait pas su le reconnaître : Calixto Valdés, le chef du bureau 13 des Services secrets cubains, avait décidé d'accompagner Parodi dans son voyage, car il croyait utile de prendre toute précaution pour protéger un investissement et n'excluait pas la possibilité que, laissé seul, Parodi puisse s'enfuir après avoir pris l'argent en négligeant de régler ses dettes à La Havane. Sur le roof, Valdés avait du mal à ajuster Hockney dans sa ligne de mire. L'Américain bougeait sans cesse derrière Parodi qui, lui aussi, remuait. Mais Calixto Valdés ne se souciait pas outre mesure d'atteindre son agent. Parodi avait cessé d'être utile au D.G.I. Personne, à La Havane, ne le pleurerait s'il venait à disparaître.

Valdés visa soigneusement avant de lâcher sa première rafale. Deux balles atteignirent Hockney à l'épaule gauche. Il chancela et Parodi tenta sa chance. Avant que Hockney eût recouvré son équilibre, Parodi avait empoigné l'arme du journaliste et agrippé son épaule blessée jusqu'à le faire hurler de douleur. Le pistolet tomba sur le pont, et les deux hommes se précipitèrent pour le ramasser. Ils roulèrent ensemble, si totalement enchevêtrés que Valdés et les hommes d'équipage ne purent tirer. Puis Parodi fit un mouvement rapide vers le pistolet et Hockney ne put que l'écarter d'un coup de pied.

Soudain, Parodi desserra son étreinte et tenta de se relever. Hockney comprit le piège. Il empoigna les cheveux de Parodi, là où ils étaient le plus longs, sur la nuque, et tira le Cubain à lui pour s'en faire un rempart. Avant que Parodi ait pu se libérer, ils avaient roulé jusqu'au bord du pont. Parodi s'éloigna de Hockney, rampant de côté, comme un crabe.

— Descendez-le, bande d'idiots! hurla Parodi.

Hockney ferma les yeux et se souvint de son impression lorsque, enfant, il dégringolait la pente herbeuse derrière la maison de ses parents. Il ressentit un choc et une douleur à la hauteur du genou; puis une autre, plus haut; puis un choc contre ses côtes; et il tomba. Lorsqu'il heurta l'eau, le froid anéantit toute sensation au-dessous de la taille. Il coula comme un plomb. La tête lui tournait, ses poumons éclataient. Il essaya de remonter à la surface, mais ses jambes étaient sans vie. Il se mit à agiter les bras comme un homme grimpant à une échelle de corde, une main après l'autre, et doucement il commença à remonter. Il s'entendit gémir lorsqu'il aspira une grande bouffée d'air, puis les claquements secs des balles de mitraillette avant de replonger. Il descendit jusqu'à sept mètres environ et remonta contre la coque du yacht, au-dessus de l'hélice.

Parodi et Valdés, penchés, scrutaient l'eau.

— On ne voit rien dans ce bordel, se plaignit Parodi.

— Aucune importance, dit Valdés. Il a été touché au moins quatre fois. S'il ne se noie pas, le sang va attirer les requins. Mets les moteurs en marche, ordonna-t-il au capitaine du yacht, renonçant à donner le change quant à savoir qui commandait.

Hockney parvenait à peine à conserver la tête hors de l'eau. Il sentit une immense lassitude l'envahir. Il était prêt à abandonner la lutte, à tout laisser tomber. Mais lorsque le yacht se mit en route, il rassembla toute l'énergie qui lui restait pour hisser une partie de son corps hors de l'eau et tenter d'attraper l'échelle de fer qui pendait à mi-coque. Il rata complètement son coup et retomba en arrière, éraflant son épaule blessée.

Quelle fin pitoyable, pensa-t-il. Il venait de gâcher l'unique chance de régler ses comptes avec Parodi. Il aurait mieux fait d'écouter Arnold Whitman. *Pardonne-moi, Julia.* L'épuisement le gagna de nouveau; les profondeurs du Pacifique lui parurent aussi accueillantes qu'un lit de plume. Il se laissa flotter, le visage dans l'eau, comme un noyé. *Je suis plus près de toi maintenant,* pensa-t-il.

Puis il sentit une pression contre son dos, répétée, plus insistante, comme un coup.

— Attrapez, nom de Dieu! hurlait un homme.

Hockney tourna la tête de côté et aperçut le capitaine du

cabin cruiser, penché par-dessus bord, qui lui tendait une longue perche. Hockney parvint à la saisir, sans trop savoir comment.

– J'aurais dû vous laisser pour servir d'appât, grogna le capitaine barbu en le hissant à bord et en lui enveloppant les épaules d'une serviette épaisse. C'est une sacrée bonne femme que vous avez là, s'exclama-t-il en se mettant à jurer lorsqu'il découvrit les blessures aux jambes et à l'épaule. Hockney avait dépassé le stade de la douleur. Une balle avait creusé un trou d'un rond presque parfait, ouvrant peau et chair jusqu'à l'os, comme une coupe dans un livre d'anatomie.

J'ai perdu, Julia. Pardonne-moi.

– Doux Jésus, souffla le capitaine, d'une voix chargée d'appréhension.

Hockney avait à peine perçu l'explosion. Tout bruit lui semblait étouffé, lointain. Mais il se redressa pour regarder dans la direction que lui désignait le capitaine.

Là où quelques instants plus tôt voguait *La Excepción* s'élevait au-dessus de l'eau une énorme boule de feu. D'une beauté sauvage, aux yeux de Hockney – les flammes s'inclinaient et ondulaient comme les pétales de quelque fleur exotique.

– Une sacrée bonne femme que vous aviez là, dit le capitaine en retirant sa casquette.

– En effet.

L'explosion des mines-ventouses fixées sous la coque du yacht de Parodi fit trembler les verres et les couverts du restaurant *La Concha,* et provoqua une ruée des clients vers les fenêtres panoramiques pour contempler le spectacle.

Le colonel López, l'ami d'Arnold Whitman, finit son café, essuya doucement ses lèvres et adressa un signe de tête au maître d'hôtel en quittant paresseusement la salle de restaurant. Il imaginait le message qu'il allait envoyer à son ami de la C.I.A. et supputait les services qu'il pourrait demander en échange de celui qu'il venait de rendre. Curieux, songea-t-il, que les Américains n'aient pas achevé eux-mêmes leur sale boulot.

Deux jours plus tard, sautillant sur des béquilles, Hockney loua un des bateaux à fond transparent. Il voulait voir ce qui restait de *La Excepción*. Aucune rumeur de scandale, aucun problème diplomatique. Les journaux parlèrent très solennellement d'un tragique accident en mer, imputable à une chaudière défectueuse. Hockney put ainsi découvrir que l'épave du yacht était déjà devenue une attraction touristique, tout comme l'immense statue de métal de la Vierge de Guadalupe plantée dans son lit d'algues voisin. A travers le plancher vitré du bateau, Hockney observait les évolutions des plongeurs autour de la coque calcinée.

De retour à l'hôtel, Hockney acheta quelques cartes postales.

A l'intention de Jay Maguire, il gribouilla. *La partie de bateau était formidable. J'aurais aimé que tu sois là.*

Pour Arnold Whitman, il fut plus laconique, griffonnant seulement. *Sale con.* Sans la signer.

La troisième carte postale représentait la Vierge de Guadalupe, telle une sirène au fond de l'océan. Il feuilleta pensivement la Bible de sa chambre d'hôtel, don d'une association religieuse. Il n'avait guère ouvert une bible depuis ses années de catéchisme. Mais, quelques heures plus tôt, il était allé à l'église brûler un cierge à l'intention de Julia.

Lorsqu'il trouva les mots qui lui parurent le plus adaptés, il adressa la dernière carte à Wright Washington, notant soigneusement la référence : « *II Timothée, 4-7* ».

J'ai combattu le bon combat, j'ai achevé la course, j'ai gardé la foi.

Lentement, à travers les palmiers et les lauriers-roses il marcha jusqu'au bar de l'hôtel et commanda un daiquiri.

Cet ouvrage a été réalisé sur
Système Cameron
par la SOCIÉTÉ NOUVELLE FIRMIN-DIDOT
Mesnil-sur-l'Estrée
pour le compte des Éditions Lattès
le 11 avril 1984

Dépôt légal : avril 1984
Nº d'édition : 84081 — Nº d'impression : 0889

Imprimé en France